KB101254

지은이 **최완수**

1942. 충남 예산 출생
1965.2. 서울대 사학과 졸업
1965.4.~1966.3. 국립박물관
1966.4.~현재 간송미술관 연구실장
1975.3.~1977.2. 서울대 인문대 국사학과 강사
1976.3.~1992.2. 서울대 미대 회화과 및 대학원 강사
1991.3.~2000.2. 이화여대·동국대 대학원, 연세대 강사
2000.3.~현재 연세대·용인대·국민대 대학원 강사

저서

『秋史集』(1976), 『金秋史研究艸』(1976), 『그림과 글씨』(1978),
『佛像研究』(1984), 『謙齋 鄭敾 眞景山水畵』(1993),
『名刹巡禮』 1·2·3(1994), 『우리문화의 황금기 진경시대』 1·2(1998),
『조선왕조충의열전』(1998), 『겸재를 따라 가는 금강산 여행』(1999),
『한국불상의 원류를 찾아서』(2007), 『겸재의 한양진경』(2004)

주요 논문

「간다라 佛衣攷」, 「釋迦佛幀圖說」, 「謙齋鄭敾」, 「謙齋眞景山水畵考」,
「秋史實紀」, 「秋史書派考」, 「碑派書考」, 「韓國書藝史綱」,
「秋史 一派의 글씨와 그림」, 「玄齋 沈師正 評傳」,
「尤庵 당시의 그림과 글씨」, 「古德面誌總史」

겸재謙齋 정선鄭敾 1

발행일 | 2009년 10월 5일

글 | 최완수

펴낸곳 | (주)현암사 **펴낸이** | 조미현
기획 | 이승철 **사진** | 김해권 **디자인** | 결게이트 김효창
종이 | 한솔제지·(주)푸른솔
인쇄 | 삼성문화인쇄(주) **제책** | (주)명지문화

등록일 | 1951년 12월 24일·10-126
주소 | 서울 마포구 서교동 442-46
전화 | 02-365-5051~6 **팩스** | 02-313-2729
전자우편 | editor@hyeonamsa.com
홈페이지 | www.hyeonamsa.com

*도판 촬영에 협조해 주신 소장자 여러분께 감사 말씀 드립니다.

ISBN 978-89-323-1529-4 94650
ISBN 978-89-323-1532-4 (세트)

이 도서의 국립중앙도서관 출판시도서목록(CIP)은
e-CIP 홈페이지(http://www.nl.go.kr/ecip)에서 이용하실 수 있습니다.
(CIP제어번호 : CIP2009002880)

겸재謙齋 정선鄭敾

1

최완수 지음

현암사

서序

문화文化를 식물에 비유할 때 이념理念이 뿌리라면 예술藝術은 꽃에 해당한다. 이념의 차이에 따라 예술양식이 바뀌는 것이 마치 뿌리에 따라 꽃의 형태가 결정되는 것과 서로 같기 때문이다. 그런데 꽃은 그 식물이 보유하고 있는 총체적 역량의 표출이다. 그래서 자체능력의 실상을 가감 없이 그대로 반영하게 되니 예술이 그 시대문화를 평가하는 잣대가 되는 것도 그런 이유 때문이다. 예술사藝術史 연구가 문화사文化史 연구의 기본이 되어야 하는 이유도 여기서 찾아야 하는데 그 중에서도 미술사美術史가 중심에 서게 된다.

꽃은 볼 수 있어 아름다운데, 미술품은 보는 것을 전제로 만들어져 시간을 초월하며 제작 당시의 모습을 계속 유지해 당시 문화상황을 직접 체감할 수 있게 하기 때문이다. 겸재謙齋 정선鄭敾 연구를 시작한 것도 그런 이유에서였다.

조선왕조가 멸망한 1910년 이후 일제日帝는 근대사학近代史學의 방법론을 표방하며 서구사학의 실증론에 입각해 수많은 조선왕조의 공사公私 기록들을 비판 없이 구미에 맞게 나열하며 조선왕조는 마치 오백 년 동안 정체해 있던 침체기였던 것처럼 기술해 왔다. 이에 그 교육으로 세뇌당한 우리 국사학계도 1970년대까지 조선왕조 오백 년 정체설停滯說을 정설로 삼아 그 이반離叛은 꿈도 꾸지 못하고 있었다.

필자는 이의 부당성을 일찍부터 간파하고 조선시대를 긍정적으로 보는 것만이 우리 전통 문화의 맥락을 제대로 이어 놓는 것이라는 생각으로 조선시대 전반에 걸친 사상, 정치, 경제사 등 문화사 제반 분야에 관심을 가지고 연구하면서 그것을 일목요연하게 눈으로 확인시키는 것은 미술사뿐이라는 결론 아래 이의 연구에 전념하게 됐다.

그 결과 조선왕조 오백 년 문화사 중 그 절정기를 이루는 진경시대를 미술사로 조명하여 그 영광의 현장을 가시적可視的으로 드러내 보여야만 한다는 당위성當爲性에 도달한다. 그러기 위해서는 진경산수화법을 창안하여 진경문화를 주도해 간 이 시대의 대표적 지식인이자 화가인 겸재謙齋 정선鄭敾에 대한 연구가 선행되어야 했다.

그래서 1971년 가을 간송미술관澗松美術館 제1회 전시회로 '겸재전謙齋展'을 개최한 것을 계기로 이후 꾸준히 겸재 연구에 필요한 기초 자료들을 수집해 왔는데 1977년부터 3년간 조선 왕릉王陵 조사를 감행해 가면서 진경문화眞景文化의 실체를 더욱 절감하게 되었다. 이에 겸재 연구에 박차를 가하여 1981년 가을 간송미술관 정기전시회를 '진경산수화전眞景山水畵展'으로 기획하며 『간송문화澗松文華』 제21호에 「겸재진경산수화고謙齋眞景山水畵考」를 싣기 시작했다.

그리고 1982년 6월에는 간송미술관에 수장된 겸재 그림의 일부를 가려내어 『겸재명품첩謙齋名品帖』 상·하 2권의 화집畵集으로 출간해 내면서 그 그림 해설집으로 『겸재명품첩별집謙齋名品帖別集』을 따로 집필하여 겸재 그림에 대한 이해를 새롭게 했다. 이때는 이미 겸재의 연보를 완성시켜 놓고 있었는데 사상·정치·경제 등 문화 제반의 역사 사실과 유기적 연관 관계를 고려해 가면서 치밀하게 작성한 입체적인 내용이었다. 이를 위해 조선왕조실록을 비롯하여 각종 의궤儀軌, 존안存案류와 읍지邑誌 등에 이르는 대소大小 관찬官撰 사서史書는 물론 사가私家 문서인 문집文集과 족보族譜, 야사野史, 집록輯錄류 등을 광범위하게 섭렵했었다.

이후 1985년 가을 전시회인 '진경시대전眞景時代展'과 1988년 가을 전시회인 '진경풍속전眞景風俗展'을 마련하면서 『간송문화』 제29호·제35호를 통해 계속 「겸재진경산수화고」를 연재해 갔다.

그러자 한국경제신문의 당시 문화부 차장이던 고광직高光稙 교수와 현 수석논설위원 박성희朴聖姬 기자가 「진경산수眞景山水」라는 고정란을 꾸며 놓고 겸재의 진경산수화를 독자들에게 알려 달라고 강권, 부득이 1989년 2월 10일부터 매주 1회당 겸재의 진경산수화 1폭씩을 소개해 나가게 되었다. 이것이 근 2년을 끌어 1990년 12월 29일까지 이어지니 무려 91회에 달했다.

이 연재가 계속되는 2년 동안 각계의 독자들로부터 이를 모아 책으로 만들라는 독촉이 심하였기에 연재를 끝내고 나서 바로 책으로 묶으려 했으나 신문 지면의 제약 때문에 소략하게 기술된 점이 많아 그대로 출간하는 것이 마음에 내키지 않았다. 이에 각 폭마다 내용을 대폭 증보하고 또 꼭 첨가돼야 할 중요한 그림을 더 보태기 위해 기왕에 발표했던 항목을 덜어 내기도 하면서 다시 만 2년 동안 개수작업에 몰두, 꼭 백 개의 항목을 채우고 원고지 1천 매 분량의 「겸재 연구」를 완성해 함께 책으로 묶어 내게 되었다.

이것이 1993년 7월 31일에 범우사汎友社에서 출간한 『겸재謙齋 정선鄭敾 진경산수화眞景山水畵』라는 대형 화보집이다. 「겸재 연구」는 편년체적編年體的 전기傳記 형식을 빌려 써 냈다. 역사 논문은 쉽고 친근하여 일상적인 과거 이야기처럼 누구나 재미있게 읽을 수 있어야 한다는 것이 필자의 지론持論이기 때문이다. 그리고 이 작은 연구 성과로 진경문화의 꽃이라 할 수 있는 진경산수화의 생성배경과 진전과정을 일목요연하게 파악할 수 있게 해 진경문화의 실체를 가시적 논리성으로 확인시켜 주며 이를 통해 조선왕조사도 긍정적인 시각으로 보게 할 수 있기를 기원했다.

다행히 이 책이 출간된 이후 학계의 식민사관에 식상했던 문화계의 강렬한 호응을 받기 시작하니 학계에서도 미미하나마 자성과 변화의 기미가 일어 16년 세월이 지난 지금에는 조선왕조를 정체된 시기로 폄하하려는 식민사관은 이미 낙후된 학설로 치부되고 있다.

이 책은 한국미술사와 동양미술사 분야에서 세계적 석학碩學인 박영숙朴英淑 교수와 로드릭 위트필드 교수 부부가 영문으로 번역하고 2005년 3월에 영국 런던 샤푸론 도서출판사에서 출간하여 전세계 미술사학계에 소개되었다. 그래서 조선왕조문화의 우수성을 세계에 알리는 뜻밖의 성과를 거두게 되었다. 이 자리를 빌려 박 교수와 위트필드 교수에게 심심深甚한 사의謝意를 표表한다.

『겸재 정선 진경산수화』 출간 이후에도 겸재 연구는 계속되어 1993년 10월의 간송미술관 제45회 정기전시회인 '겸재 진경산수화전'의 『간송문화』 제45호에도 「겸재진경산수화고」가 계속 연재되었다. 1998년 3월 30일에 발간된 돌베개출판사의 『진경시대』에는 「겸재 정선과 진경산수화풍」을 게재했다. 1999년 5월의 제56회 간송미술관 정기전시회인 '금강산진경전金剛山眞景展'에서는 『간송문화』 제56호에 「겸재를 따라가는 금강산 그림여행」을 게재했고, 이를 바탕으로 1999년 10월 5일에는 대원사에서 『겸재를 따라가는 금강산 여행』을 출간했다.

그리고 이해 1월부터 8월까지 EBS TV 특강 「세상보기」에 19회 출강하며 겸재의 진경산수화 얘기도 언급했고, 2000년 12월 20일부터 2003년 2월 21일까지 진행된 EBS TV 특강에 91회 출강하며 역시 겸재 진경산수화를 언급하여 겸재 연구 결과를 세상에 널리 전파했다.

그러는 사이 2002년 4월 12일부터 12월 28일까지 동아일보에 37회에 걸쳐 연재한 「한양진경」을 바탕으로 2004년 5월에 동아일보출판부에서 『겸재의 한양진경』을 출간했다. 『겸재의 한양진경』의 출간에 맞춰 개최한 2004년 5월의 제66회 '대겸재전大謙齋展'에서는 겸재의 진경산수화 이외의 그림에 대한 연구 성과도 더 추가했다.

이후에 각종 문집을 세세히 점검하여 겸재와 관련 있는 내용을 뽑아내고 『승정원일기承政院日記』의 겸재 관련 기사도 가려내어 겸재의 이력을 보충하고 누락된 그림들을 추가하면서 5년 동안 겸재 연구에 몰입했다. 겸재 서거 250주년에 맞춰 겸재 연구를 일단 매듭짓기 위해서였다. 『승정원일기』 관련 기록은 강관식 교수가 찾아낸 것이다.

그래서 2009년 5월에 제76회 간송미술관 봄 정기전시회로 '겸재화파전謙齋畵派展'을 개최하며 그 동안의 연구 결과를 「겸재 정선 평전謙齋鄭敾評傳」으로 축약해 실었다. 뒤이어 그 동안의 연구 성과를 총망라하니 본문만 200자 원고지 3천6백73매에 이른다. 겸재 그림 도판 207매와 삽도 150매를 합쳐 책으로 꾸미고자 하니 적어도 3권으로 분책해야 할 만큼 방대한 규모다.

화보 중심의 연구서라서 출판비가 적지 않을 터인데 현암사玄岩社 조미현 사장이 연구비를 지원하는 성의를 보이며 출판을 자청하니 호의에 감사할 따름이다. 까다로운 편집을 무리 없이 이루어 낸 김영화, 조은미, 서현미, 최일규, 박민영, 김효창 등 편집, 제작진들에게도 사의를 전하고 싶다.

근 사십 년에 걸친 장기 연구 과정 중에 문하門下의 정병삼鄭炳三, 유봉학劉奉學, 이세영李世永, 지두환池斗煥, 조명화曺明和, 김유철金裕哲, 김항수金恒洙, 김천일金

千一, 김기홍金起弘, 강관식姜寬植, 조덕현曺德鉉, 오병욱吳秉郁, 이태승李泰承, 송기형宋起炯, 방병선方炳善, 김현철金賢哲, 서창원徐昌源, 이승철李承哲, 고정한高貞漢, 백인산白仁山, 장지성張志誠, 정재훈鄭在薰, 손광석孫光錫, 오세현吳世炫, 탁현규卓賢奎, 차웅석車雄碩 등 여러 교수들과 박찬석朴贊錫, 장극중張極中, 현승조玄承祚, 최용준崔容準, 문종근文鍾根, 이동석李東石, 김민규金玟圭 등 연구원들이 동심협력同心協力하여 좌우에서 적극 보좌했기에 이만한 연구 성과를 거둘 수 있었다. 고맙고 자랑스러울 뿐이다.

그 중에서 특히 백인산, 오세현, 탁현규 교수 및 김민규 연구원은 항시 좌우에서 보좌하며 곁을 떠나지 않았으니 노고가 적지 않은데 김민규 연구원은 근 4천 매 원고의 16차 교정을 차질 없이 해 냈다. 그 공로가 가장 크다. 그 사이 항상 건강을 보살펴서 연구에 차질 없게 한 사상의학四象醫學 대가인 한태영韓太榮 반룡인수盤龍人數한의원 원장과 경희 길한의원 양기두梁基斗, 김동일金東一 원장도 고맙고 자랑스런 제자들이다. 사진촬영은 이경택李庚澤 선생과 김해권金海權 연구원이 전담했는데 그 노고에 감사할 뿐이다.

이 모든 일들은 고故 간송澗松 전형필全鎣弼 선생의 유지遺志를 받들어 우리 전통문화를 연구하는 작업의 일환으로 한국민족미술연구소韓國民族美術研究所(澗松美術館)에서 이루어진 것이다. 선생의 기대에 크게 어긋나지 않았다면 다행이겠다. 자료사용을 허락해 주신 국립중앙박물관을 비롯한 공·사립 박물관과 미술관 및 개인 소장가 여러분들께 깊이 감사드린다.

2009년 기축己丑 8월 9일 병술丙戌

보화각葆華閣에서

가헌嘉軒 최완수崔完秀 지識

차례 _ 겸재 정선 1권

제4장 영조의 후원

제5장 진경화풍의 확립

제2권

제6장 화성의 길 1 – 경교명승첩

제7장 화성의 길 2 – 양천팔경첩 외

제8장 당대 최고 풍류객의 극찬과 인정 – 퇴우이선생진적첩

제3권

제1장

출신과 이념 기반

1

내외가계內外家系

겸재謙齋 정선鄭敾(1676~1759)은 진경산수화眞景山水畵라는 우리 고유 회화양식을 창안하여 우리 국토의 아름다움을 그림으로 표현해 내는 데 성공한 역사상 가장 위대한 화가이다. 그는 조선성리학朝鮮性理學이라는 우리 고유사상을 바탕으로 조선이 곧 세계문화의 중심이라고 생각하던 조선중화주의朝鮮中華主義에 입각하여 국토의 아름다움과 민족문화의 우수성에 대한 자긍을 고차원적인 회화미繪畵美로 표출해 내는 데 성공함으로써 국가와 민족의 문화적 자부심을 명실상부하게 충족시켜 주었던 것이다.

따라서 우리는 마땅히 겸재에게 화성畵聖의 칭호를 올려 우리 문화를 빛낸 가장 위대한 화가로 떠받들어야만 한다. 이런 겸재가 어떻게 그처럼 위대한 업적을 남길 수 있었던지 이제 그 평생 행적을 추적하여 이를 밝혀 나가고자 한다. 그러기 위해서는 그의 내외가계와 가정형편, 교우관계, 학맥연원은 물론 당시 문화성격과 정치현실, 사회상황, 경제여건 등을 통관通貫하여 그의 행적과 유기적으로 연계시키지 않으면 안 되니 그런 입체적인 시각으로 겸재를 재조명해 가겠다.

겸재는 소위 광주光州(광산光山)를 본관으로 하는 삼대명문三大名門인 김씨金氏, 이씨李氏, 정씨鄭氏 중의 하나라는 광주정씨光州鄭氏 가문家門 출신이다. 시조 정신호鄭臣扈는 고려 충선왕忠宣王(1309~1313)과 충숙왕忠肅王(1314~1339)시대에 걸쳐 삼중대광문하찬성사三重大匡門下贊成事(정2품)를 지낸 인물이라 하고, 그 자제 정윤부鄭允孚는 봉익대부奉翊大夫 개성부윤開城府尹(종2품)을 지냈다.

다시 그 큰자제 정인진鄭麟晋은 좌우위보승별장左右衛保勝別將(정7품)으로 조선왕조에 들어와 문과급제를 한 다음 사헌부감찰司憲府監察(정6품)을 거쳐 전라감사全羅監司(종2품)에 이르렀다. 둘째 자제 정구진鄭龜晋 역시 우왕禑王 8년(1382)

생원生員 진사進士 출신으로 우왕 12년(1386) 병인丙寅에 조선 태종太宗이 되는 이방원李芳遠 방하榜下에 문과급제를 하여 그의 문생門生으로 조선 개국에 앞장선 결과 태종 7년(1407)에는 강원江原감사가 되고 태종 14년(1414)에는 이조참의吏曹參議를 거쳐 성균관대사성成均館大司成(정3품 당상堂上)에 이르게 된다.

이로 보면 조선왕조에서 상층 지배층으로 부상한 대부분의 신흥가문들처럼 이 광주 정문도 몽골지배 시대의 사회적 변화를 틈타 중앙으로 진출한 그런 가문인 듯하다. 이런 가문들은 당시 신지식으로 수용해 들이던 주자성리학朱子性理學에 쉽게 경도되어 주자성리학을 국시國是로 표방하는 조선왕조의 개국에 적극 협찬하게 된다.

이렇게 해서 조선왕조의 개국과 더불어 중앙집권 양반가문으로 부상한 광주정문光州鄭門은 이후 대대로 벼슬을 잃지 않는데, 장자인 인진麟晋의 가계는 고향인 광주를 떠나지 않는 듯 역대 묘소가 나주羅州 경내를 벗어나지 않고 있으며 차자인 구진龜晋의 가계는 벌써 구진龜晋대에서부터 서울에 터 잡아 사는 듯 양주楊州 천천면泉川面 봉동蓬洞 불곡산佛谷山에 선영을 마련한다.

겸재는 장자인 인진麟晋의 가계 중에서도 계속 장손계통이라서 옥과玉果현감(종6품) 정존鄭存, 운봉雲峯현감 정이충鄭以忠, 사재감주부司宰監主簿(종6품) 정철鄭瞮, 용양위龍驤衛 부사과副司果 정참동鄭參仝으로 이어지는 10대 조로부터 7대 조부에 이르는 4대에 걸친 선영이 역시 나주를 벗어나지 않는다.

그러나 겸재의 6대 조부에 와서는 겸재의 가계가 지손支孫으로 갈리게 되어 비로소 나주 고향을 벗어날 수 있게 되는 듯하니 정참동鄭參仝의 두 자제인 호虎와 웅熊 중 웅熊이 겸재의 6대 조부이기 때문이다.

호는 무과출신으로 임치진첨절제사臨淄鎭僉節制使(종3품)를 지내고 나서 일찍이 나주로 내려와 고향을 지키다가 돌아가게 되는데, 웅熊(?~1533)은 중종 원년(1506) 병인丙寅에 문과급제한 다음 예문관검열藝文館檢閱(정9품), 홍문관응교弘文館應敎(정4품), 금산군수錦山郡守(종4품), 정주목사定州牧使(정3품), 종부시정宗簿寺正(정3품 당하堂下) 등의 벼슬을 살면서 서울에 터 잡아 살기 시작했던 모양이다. 그러나 아직 서울 부근에 묘산을 마련하지는 못했던 듯 나주羅州 남면南面 가야산伽倻山 오신사五神寺 구기舊基 뒷산에 터 잡은 조부 산소 곁으로 내려가 묻히게 된다.

그런데 그 큰자제 응규應奎(1508~1565)대에 이르러서는 서서히 서울에 뿌리를 내려가게 되니 우선 경화거족京華巨族인 고성固城 이문李門에 장가들어 고성군固城君 이맹우李孟友의 서랑이 된 것이다. 그리고 중종中宗 28년(1533) 계사癸巳에는 26세로 무과武科에 급제하여 중종 31년(1536)에 선전관宣傳官, 34년(1539)에 남해현령海南縣令(종5품), 38년(1543)에 낙안군수樂安郡守(종4품)에 임명되고 훈련원판관訓練院判官(종5품), 도총부경력都摠府經歷(종4품)을 거친다.

명종 4년(1549) 기유己酉에는 장흥부사長興府使(종3품)가 되고 7년(1552) 임자壬子에는 훈련원첨정僉正(종4품)이 되었다가 선공감부정繕工監副正(종3품), 고령진첨사高嶺鎭僉使(종3품), 가덕진加德鎭첨사, 양산梁山군수, 부산진釜山鎭첨사(종3품)를 거쳐 명종 15년(1560) 경신庚申에는 53세로 전라좌도수군첨절제사全羅左道水軍僉節制使(종3품)가 되고 19년(1564) 갑자甲子에는 경원慶源부사(종3품)를 제수했으나 부임하지 않고 다음 해(1565)에 58세로 돌아간다. 이분이 바로 겸재의 5대 조부이다.

◆**경거**京居 서울살이

◆**자손세장지지**子孫世葬之地 자손 대대로 장사 지내는 땅

이때부터 겸재가는 경거京居◆의 기반을 확고히 다지는 듯 서울 부근인 광주군廣州郡 오포면五浦面 자작리自作里(현재의 추자리楸自里)를 중심으로 한 문현산門懸山 일대를 묘산墓山으로 확보하여 자손세장지지子孫世葬之地◆로 삼는다. 이 묘산의 확보는 그의 독자獨子인 영사당永思堂 정연鄭演(1541~1621)의 처가인 의령남씨宜寧南氏의 반연攀緣에 의한 것이었던 듯하다.[참고1]

◆**외구**外舅 장인丈人

연演의 외구外舅◆인 국창菊窓 남응운南應雲(1509~1587)은 문과文科출신이나 문무겸전文武兼全하여 서총대瑞葱臺 시예試藝에서 문무과文武科에 모두 장원壯元한 호걸지사豪傑之士로 좌우승지左右承旨와 황해, 경기, 경상감사 및 남북병사南北兵使를 모두 거치고 공조참판에 이르렀던 인물이다. 뿐만 아니라 전주해행篆籀楷行 등 글씨에 능해서 개성開城의 「서화담경덕비徐花潭敬德碑」, 운봉雲峯 「황산대첩비荒山大捷碑」, 과천果川 「허엽신도비許曄神道碑」, 장단長湍 「허종신도비許琮神道碑」 등을 써 남기기도 했다.

국창菊窓은 조선 개국공신으로 영의정을 지낸 구정龜亭 남재南在(1351~1419)의 6대손이고 세종대왕 때 좌의정을 지낸 남지南智(?~1453)의 현손으로 그의 증조

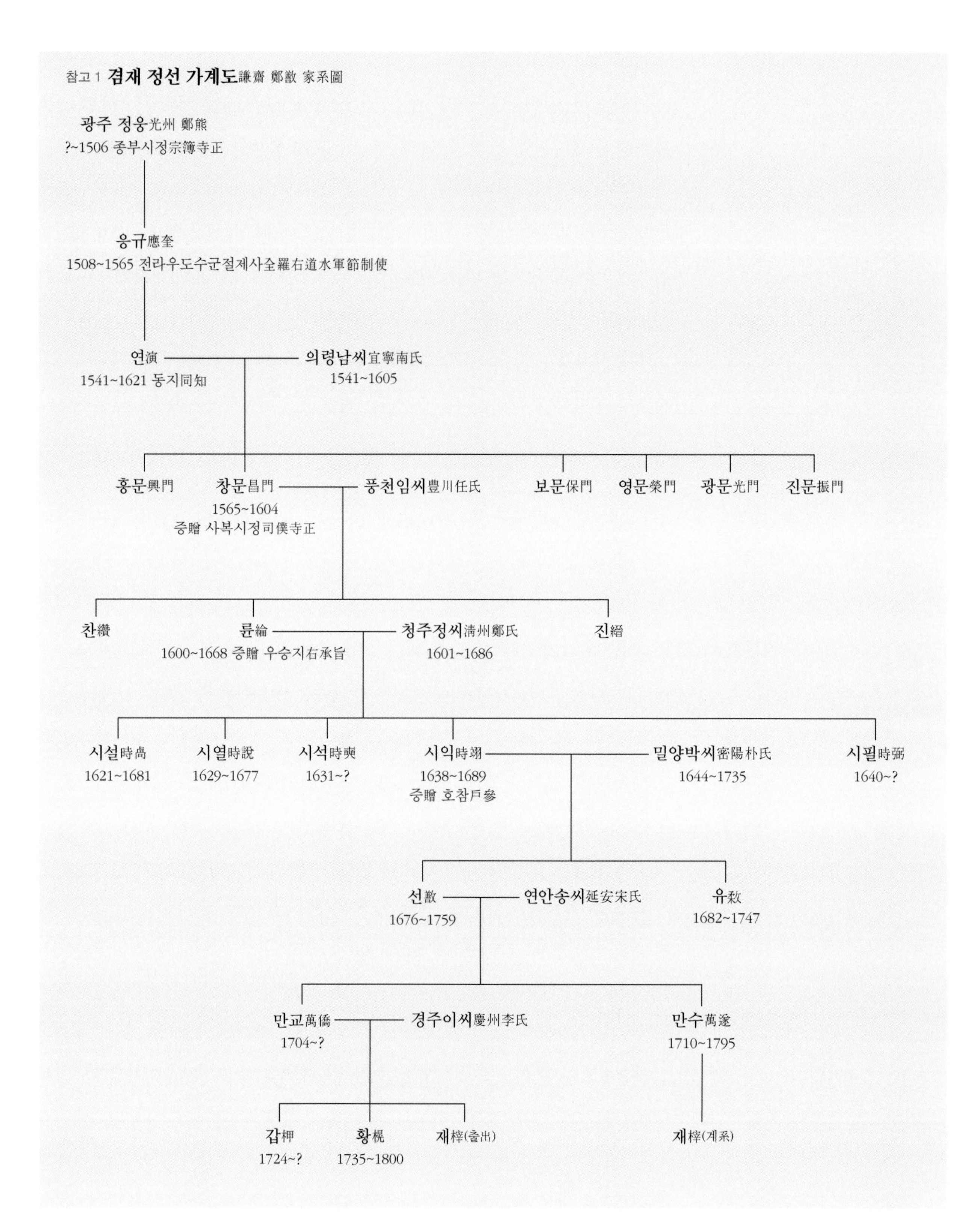
참고 1 겸재 정선 가계도謙齋 鄭敾 家系圖
광주 정응光州 鄭熊
?~1506 종부시정宗簿寺正
응규應奎
1508~1565 전라우도수군절제사全羅右道水軍節制使
연演
1541~1621 동지同知
의령남씨宜寧南氏
1541~1605
홍문興門
창문昌門
1565~1604
증贈 사복시정司僕寺正
풍천임씨豊川任氏
보문保門
영문榮門
광문光門
진문振門
찬纘
륜綸
1600~1668 증贈 우승지右承旨
청주정씨淸州鄭氏
1601~1686
진縉
시설時卨
1621~1681
시열時說
1629~1677
시석時奭
1631~?
시익時翊
1638~1689
증贈 호참戶參
밀양박씨密陽朴氏
1644~1735
시필時弼
1640~?
선敾
1676~1759
연안송씨延安宋氏
유敹
1682~1747
만교萬僑
1704~?
경주이씨慶州李氏
만수萬遂
1710~1795
갑柙
1724~?
황榥
1735~1800
재梓(출出)
재梓(계系)

칭偁으로부터 광주廣州 음촌陰村, 세촌細村, 탄촌炭村(현재 성남시城南市 일대) 일원을 묘산墓山으로 점유해 온 경화거족京華巨族 중의 거족巨族이었으므로 서울에 기반이 없는 사위를 위해 자가의 묘산 일부를 할애해 주었던 듯하다.[참고2]

오자일녀五子一女 중 넷째에 해당하는 고명따님으로 나주 일대에 많은 장토를 가진 호반가豪班家의 외며느리가 된 따님을 위한 일이기도 했겠지만 풍류호걸風流豪傑인 사돈의 인품에 반하고 백석미남白皙美男으로 총명호학하는 사위가 못내 귀여워서 그런 용단을 내렸을 것이다.

이에 연演으로부터는 명실상부한 경거京居 사대부士大夫의 반열에 들게 되는데 이분이 바로 겸재의 고조부이다. 연演은 6남 7녀六男七女의 다경多慶과 81세의 수壽를 누린 다복인多福人으로 만년에는 성서城西에 은거하며 기영제공耆英諸公과 팔선계八仙稧를 만들어 연집풍류讌集風流◆로 낙중성사洛中盛事◆를 이루었다 한다. 따라서 겸재의 문예文藝기질은 벌써 그 고조 때부터 현양되던 혈통이었다고 보아야 하겠다.

◆ **연집풍류**讌集風流 잔치하며 모여 노는 풍류

◆ **낙중성사**洛中盛事 서울 안에서 소문난 일

더구나 계회稧會를 기념하는 계회첩稧會帖이 두 벌이나 가장家藏으로 전해졌다고 하니 여기에는 필시 계회도稧會圖가 곁들여져 있었을 것이고 이런 그림들이 겸재가 화도畵道에 뜻을 두게 되는 계기를 이룰 수 있었지 않았나 하는 생각을 하게 한다. 더 나아가서는 겸재가 특히 진경眞景에 관심을 기울이게 되는 기연機緣으로 보아도 큰 무리는 없을 듯하다. 성서城西에 은거했다는 것은 곧 경거京居의 터전을 성의 서쪽에 잡았다는 이야기일 터이니 이때부터 겸재가는 북악산 아래 유란동幽蘭洞에 있었던 모양이다.

이렇게 외아들, 외딸로 만난 연演의 부부가 자작리自作里 묘산墓山의 명당발음 탓이었던지 6남 7녀의 다산多産으로 다경多慶을 누리게 되자 누구보다도 이를 다행스럽게 여긴 이는 국창이었다. 그래서 국창은 외손가의 번창을 기리기 위해 먼저 돌아간 사돈인 정응규鄭應奎의 비문을 손수 짓고 당대의 명필인 남창南窓 김현성金玄成(1542~1621)에게 쓰게 하여 자작리 묘소 앞에 세우도록 한다.

연演의 여섯 아들은 흥문興門(1562~1631), 창문昌門(1565~1604), 보문保門(1572~1652), 영문榮門(1574~?), 광문光門(1579~1637), 진문振門(1582~1641)이다. 국창菊窓의 다섯 아들인 판관判官 관琯(1536~1576), 개성부도사開城府都事 호琥

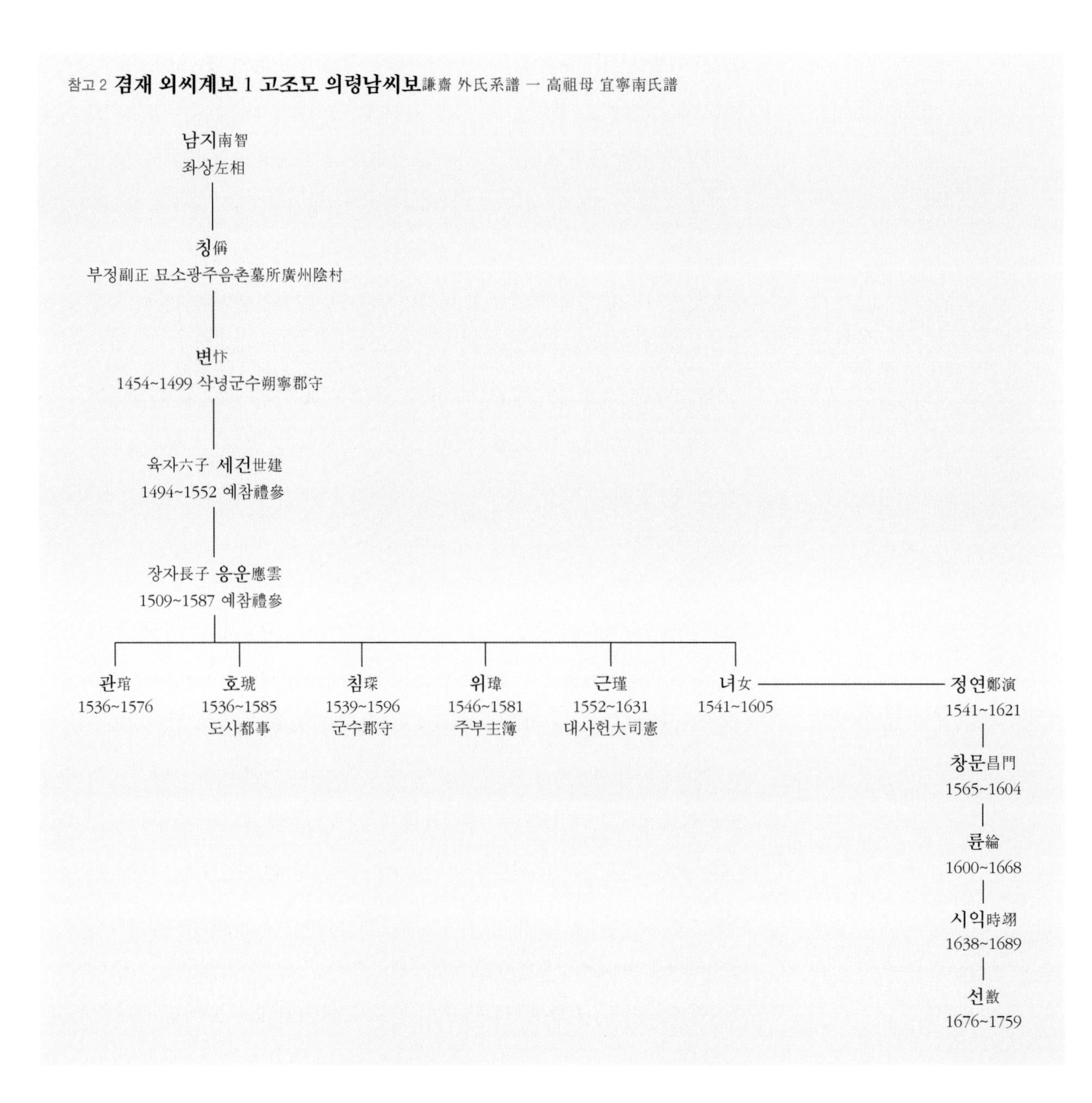
참고2 겸재 외씨계보 1 고조모 의령남씨보謙齋 外氏系譜 一 高祖母 宜寧南氏譜
남지南智
좌상左相
칭偁
부정副正 묘소광주음촌墓所廣州陰村
변忭
1454~1499 삭녕군수朔寧郡守
육자六子 세건世建
1494~1552 예참禮參
장자長子 응운應雲
1509~1587 예참禮參
관琯
1536~1576
호琥
1536~1585
도사都事
침琛
1539~1596
군수郡守
위瑋
1546~1581
주부主簿
근瑾
1552~1631
대사헌大司憲
녀女
1541~1605
정연鄭演
1541~1621
창문昌門
1565~1604
륜綸
1600~1668
시익時翊
1638~1689
선敾
1676~1759

(1536~1585), 통천通川군수 침琛(1539~1596), 군자주부軍資主簿 위瑋(1546~1581), 대사헌大司憲 근瑾(1552~1631)에게서는 손자만 18인을 두어 그 중에 아경亞卿 이상 벼슬에 오르는 이만도 병조참판 남이신南以信(1562~1608), 이조판서 남이공南以恭(1565~1640), 좌의정 남이웅南以雄(1575~1648) 등을 꼽을 수 있었다. 따라서 홍문 형제들은 이들 남이신 종형제 18인과는 내외종사촌형제간이 되므로 외가를 통해서 경화거족京華巨族으로 든든히 발돋움해 나갈 수 있게 되었다.

그 결과 장차 홍문興門은 중종반정의 원훈元勳으로 정국일등공신靖國一等功臣 창산부원군昌山府院君에 피봉된 영의정 성희안成希顔(1461~1513)의 종손從孫인 찰방察訪 성팔원成八元의 서랑婿郞이 되어 다시 가격家格을 상승시키지만 귀후서歸厚署 별제別提(종6품)를 지내다가 광해군光海君(1609~1622)의 난정亂政을 보고 비파담琵琶潭으로 낙향하여 일생을 마친다.

그러나 그의 묘갈명墓碣銘은 백사白沙 이항복李恒福(1556~1618)의 문인門人으로 시문서詩文書에 뛰어났던 척숙戚叔 동명東溟 정두경鄭斗卿(1597~1673)이 짓고 송설체松雪體의 대가인 효종孝宗 제2부마駙馬 청평위靑平尉 심익현沈益顯(1641~1683)이 쓰는데 이들은 모두 서인西人의 중진인사들이었다.

홍문의 차자 귀래정歸來亭 정집鄭緝(1588~1673)도 역시 광해군이 폐모를 도모하자 부친 홍문興門을 따라 전 가족을 이끌고 비파담으로 내려간다. 이에 인조반정 후 이조판서 우복愚伏 정경세鄭經世(1563~1633)와 예조판서 약봉藥峯 서성徐渻(1558~1631)이 동몽교관童蒙敎官으로 천거하여 빙고별좌氷庫別坐, 사헌부감찰, 전중어사殿中御史, 산음山陰현감(1643), 합천陜川군수(1650), 안악安岳군수(1653)를 거쳐 현종 8년(1667) 정미丁未에는 80세 수직壽職으로 동지중추부사同知中樞府事가 된다.

◆ **좌강**左岡 왼쪽 언덕

묘소는 광주廣州 초월면草月面 경수리鏡水里 부친 묘 좌강左岡◆에 쓰는데 묘지명墓誌銘은 약천藥泉 남구만南九萬(1629~1711)이 짓는다. 집의 장남 영모재永慕齋 정수일鄭壽一(1614~1687)의 자제 중 장자인 이敭(1636~1694)는 무과출신으로 벼슬이 용양위부호군龍驤衛副護軍(종4품)을 거쳐 첨지중추부사僉知中樞府事(종3품)에 이르고 차남 돈暾(1639~1728)도 역시 무과출신으로 용양위부호군을 거쳐 동지중추부사同知中樞府事에 이르니 이는 모두 겸재의 8촌형들이다. 집의 차남 수선壽

先(1625~1671)은 생원출신으로 현감을 지낸 인물이며, 삼자 수석壽碩(1631~1695)은 아들이 없어 겸재의 아우인 검약재儉約齋 정유鄭柔(1682~1747)가 양자로 들어간다.

차남次男 창문昌門이 바로 겸재의 증조부이다. 6형제 중 가장 총명하여 문학재망文學才望*으로 일시에 이름을 드날렸다 하나 20대 후반과 30대 초반에 걸친 한창 나이에 임진壬辰·정유丁酉왜란을 겪으면서 불우한 세월을 보내다가 불과 40세의 젊은 나이로 요절함으로써 빛을 보지 못했다. 그러나 집안에 유고遺稿를 남길 만큼 문장과 학문이 도저하여 문행록文行錄에 그 이름이 오르게 된다.

* **문학재망**文學才望 문장과 학문의 재주와 명망

창문昌門은 외가 의령남씨宜寧南氏의 반연으로, 남한산성 북쪽 20리허里許에 있는 이성산二星山 정평庭坪 일대를 묘산墓山으로 가지고 있어 외가와 세교世交가 있는 벌족閥族인 풍천임씨에게 장가드니 그의 장인은 자산慈山군수를 지낸 임정로任廷老(1534~?)였다.

정로廷老의 아우 국로國老(1537~1604)는 이조판서를 지내고 사촌아우 영로榮老(1540~1593)는 명종비明宗妃 인순왕후仁順王后 청송심씨靑松沈氏의 매씨妹氏에게 장가들어 왕실의 지친이 된 경화거족京華巨族이다. 그런 임정로의 막내따님에게 장가드니 바로 손위 동서는 이괄난李适亂을 평정하여(1624) 진무공신振武功臣 옥성부원군玉城府院君에 피봉된 도원수都元帥 장만張晩(1566~1629)이었고, 홍문관 부제학 임몽정任蒙正(1559~?)과 예조판서 임취정任就正(1561~1628), 홍문관교리 임수정任守正(1570~1606) 등은 사촌처남이었으며 도승지 임곤任堃(1567~1619)은 6촌처남이었다.

이에 도승지 임효달任孝達(1584~1646)은 처조카가 되고 사계沙溪 김장생金長生(1548~1631)의 문인으로 팔도八道 방백方伯을 지낸 임의백任義伯(1605~1667)은 처재당질이 되며 영의정 최명길崔鳴吉(1586~1647)은 장만張晩의 무남독녀 외사위로 이질서姨姪婿에 해당했다. 그러므로 창문대昌門代에 있어서 겸재가의 연혼連婚관계는 가히 국중 제일급에 속한다고 해도 과언이 아니었다.

이 풍천豊川 임문任門을 통해서 겸재는 현재玄齋 심사정沈師正(1707~1769)과도 척분戚分을 맺게 되니 현재의 외조부 곡구谷口 정유점鄭維漸(1655~1703)이 임정로任廷老의 증손 임기任基(1629~1699)의 차녀서次女婿가 되기 때문이다. 그래서 겸재는 곡구谷口와 내외8촌남매의 척분을 맺는 바 현재가 약관의 나이에 겸재에게 나아가 화도畵道수업을 받게 되는 것도 그 외조모 풍천임씨豊川任氏(1656~1727)가 그 8촌아우인 겸재에게 특별히 부탁하여 이루어진 일이었음을 짐작하게 한다.[참고3]

3남 보문保門은 무과에 급제하여 웅천현감熊川縣監을 거쳐 수직壽職으로 첨지중추부사僉知中樞府事(종3품)에 이른다. 한편 그 독자 유維(1593~1654)는 광해군 9년(1618) 무오戊午 식년사마시式年司馬試에 합격하는데 적신賊臣 이이첨李爾瞻(1560~1623)이 신급제新及第들을 사주해 장차 폐모소廢母疏를 올려 인목대비仁穆大妃를 폐서인시키려는 데 이용하려 한다. 이에 불의와 함께 영광스럽기보다는 차라리 정의를 지키다가 죽겠다 하고 또 아비도 없고 임금도 없는 사람들과 사대부士大夫는 자리를 같이하여 설 수 없다고 하며 입격을 포기하고 나주羅州 고장故庄으로 내려가 숨어 버린다.

이에 인조반정(1623) 후 이조판서 겸 대제학으로 인사권을 장악하고 있던 상촌象村 신흠申欽(1566~1628)이 경기전慶基殿참봉으로 천거, 광릉光陵참봉, 내자시봉사內資寺奉事, 한성부참군漢城府參軍, 의영고직장義盈庫直長, 예빈시禮賓寺별제別提, 전의全義현감(1634) 등의 벼슬을 거치게 되는데 병자호란丙子胡亂(1636)에는 호서안무사湖西按撫使 박황朴潢(1597~1648)의 종사관從事官이 되어 근왕勤王하고 난 후로는 구례求禮현감(1641), 사헌부감찰, 공조좌랑, 정랑을 거쳐 배천白川군수(1648)를 지내다가 부친상을 당하여(1652) 벼슬을 버린다.

유維의 장자 시원時元(1613~1666)은 백주白洲 이명한李明漢(1595~1645)의 문인인데 문사文詞로 일세一世를 울렸으며, 차자次子 반주盤洲 정시형鄭時亨(1619~1699)은 벼슬이 원주原州목사에 이르렀으나 우암尤庵 송시열宋時烈(1607~1689)을[삽도1] 존숭하여 기사사화己巳士禍(1689)가 일어나 우암尤庵이 사사賜死되자 벼슬을 버리고 충청도忠淸道 임천林川으로 둔거遯去하여 만년을 강호江湖에서 우유자적優遊自適하며 지내는데 숙종 24년(1698) 무인戊寅에는 80세로 첨지중추부사(종3품)의 수직壽職을 받기도 한다. 시형時亨은 우암의 사숙인私淑人으로 노론계老論系 인사들과 교분이 두터웠으므로 광주廣州 자작리自作里 선영에 모신 그 부친 유維의 묘갈명墓碣銘은 대제학 호곡壺谷 남용익南龍翼(1628~1692)에게 부

참고 3 **겸재 외씨계보 2 증조모 풍천임씨보**謙齋 外氏系譜 二 曾祖母 豊川任氏譜

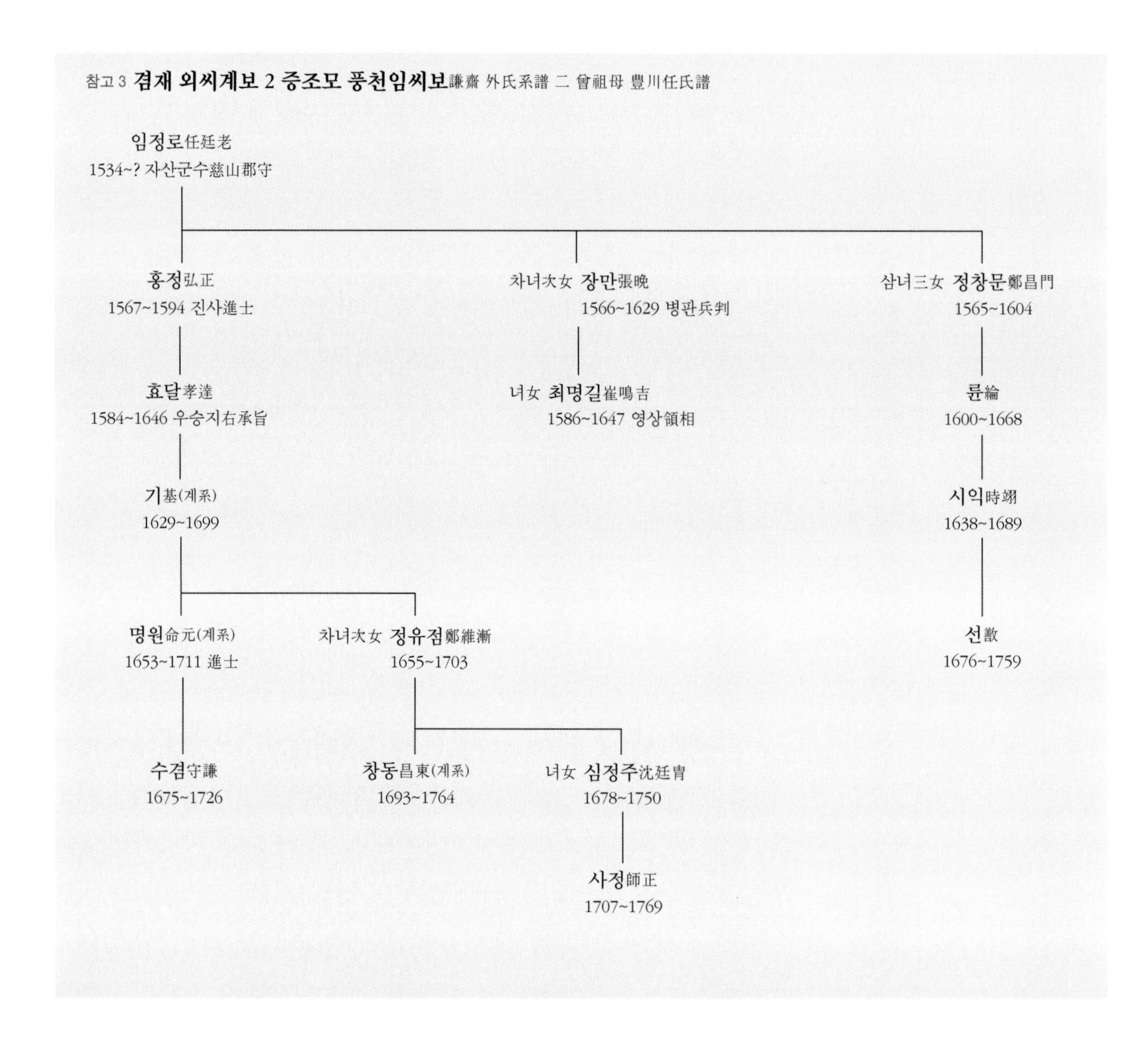

송시열宋時烈 초상肖像 삽도1
김창업金昌業(23세) 화畵,
1680년 경신庚申,
견본채색絹本彩色,
62.0×91.0cm,
제천 황강영당黃江影堂 소장.

탁하여 지었다.

그런데 그의 넷째 자제인 종애鍾崖 정부鄭敷(1659~1712)가 문곡文谷 김수항金壽恒(1629~1689)의 제자로 경상감사 청계淸溪 홍위洪葳(1620~1660)의 서랑婿郞이 되어, 청계淸溪와 문곡文谷의 문하를 넘나들며 배우고 우암尤庵의 수제자인 수암遂庵 권상하權尙夏(1641~1721)를 종유從遊하고 이조판서 귀락당歸樂堂 이만성李晩成(1659~1722)과 지기知己를 허許하면서, 점차 노론 핵심가문으로 부상해 간다. 낙정樂亭 조석윤趙錫胤(1605~1654)은 문곡의 조부 청음淸陰 김상헌金尙憲(1570~1652)의 수제자이고 청계淸溪는 낙정樂亭의 생질甥姪이자 문인門人으로 문곡과는 청음, 낙정 양문하兩門下에서 거의 동문수학한 사이였다.

드디어 그 자제 삼회재三悔齋 오규五奎(1678~1744)에 이르면 수암遂庵의 고족제자高足弟子가 되어 사계沙溪 김장생金長生(1548~1631)의 봉사증손奉祀曾孫인 김만준金萬埈(1639~1700)의 큰사위가 됨으로써 노론의 중추가문이 된다.

그래서 노론의 태두泰斗로 은일재상이던 여호黎湖 박필주朴弼周(1680~1748)가 유維의 묘지명을 추가로 짓고, 시형時亨과 부敷, 오규五奎 3대에 걸친 묘표墓表는 귀락당歸樂堂 이만성李晩成의 조카로 농암農巖 김창협金昌協(1651~1708) 학맥의 적전嫡傳을 이은 이조판서 도암陶庵 이재李縡(1680~1746)가 도맡아 지으며, 김만준金萬埈의 당질堂姪로 영조가 엄자릉嚴子陵에 견주었던 당세 은일재상인 좌참찬 퇴어退漁 김진상金鎭商(1684~1755)이 도맡아 쓴다.

4남 영문榮門은 사헌부감찰을 지내는데 후사後嗣가 없어 백형伯兄 흥문興門의 제4남 육綃(1603~1681)이 출계해 온다. 5남 광문光門은 장릉章陵 참봉을 지내다가 병자호란에 부부가 모두 피살되었고 6남 진문振門은 승문원承文院 습독習讀(종9품)을 지냈다.

이렇듯 겸재 일가는 당시 일급 집권 가문들과 연혼이 될 정도의 당당한 사대부 가문이었다. 그러나 겸재의 직계에 이르면 그 증조부 창문昌門(1565~1604)이 벼슬을 사양하다가 불과 40세로 요절하고 그 조부 3형제가 모두 벼슬길에 나가지 못하게 되니 가세가 크게 기울어 가게 된다. 창문의 세 아들인 찬纘, 윤綸, 진縉 중 찬纘과 진縉의 묘소가 모두 나주 가야산伽耶山 선영으로 되어 있고 생졸년대도 기록되지 않은 것을 보면 이 두 형제는 서울생활을 견디지 못하고 모두 나주 고장故庄으로 귀향해 가서 그저 범상한 일생을 마쳤던 것 같다.

다만 가운데 윤綸(1600~1668)만이 자작촌自作村 문현산門懸山 선영에 묻히고 있어 서울을 지킨 인물임을 알 수 있는데 바로 이분이 겸재의 조부이다. 3형제 중 가장 출중한 인물이었던 듯 장가도 가장 명문집안으로 들고 있다. 퇴계退溪

이황李滉(1501~1570)과 남명南冥 조식曹植(1501~1572)의 문인으로 영남학파의 영수이던 한강寒岡 정구鄭逑(1543~1620)와 호성공신扈聖功臣 1등 서천부원군西川府院君 좌참찬左贊成 백곡柏谷 정곤수鄭崑壽(1538~1602)의 재당질인 도사 정순鄭栒이 그의 장인이었다.

이들 청주정씨淸州鄭氏는 조선 개국공신인 서원군西原君 복재復齋 정총鄭摠(1538~1397)의 후예로 총摠의 손자 옥경沃卿(1416~1468)의 둘째 누이가 명明 선종宣宗(재위1426~1435)의 황귀비皇貴妃가 되어 명나라 조정의 후사厚賜로 부富를 누리게 되니 경기도 장단長湍 일대에 방대한 묘산과 장토庄土를 마련하는 듯하다. 그래서 옥경沃卿의 후손들은 대대로 장단 일대를 향장鄕庄으로 지키고 있었다.

다만 옥경沃卿의 손자로 한훤당寒暄堂 김굉필金宏弼(1454~1504)의 문인이자 서랑이 된 정응상鄭應祥(1476~1520)만 처가의 반연으로 경상도와 인연을 맺어 그 자제 3형제가 모두 경상도로 이주해 가게 되는데, 그 장자인 사중思中(1505~1551)은 다시 그 처가 성주이씨星州李氏의 반연으로 성주에 터 잡아 살면서 백곡柏谷과 한강寒岡 같은 명인자제를 두게 된다.

그러나 겸재 조모 청주정씨淸州鄭氏(1601~1686)의 선대는 그대로 장단 일대를 향장鄕庄으로 물려받아 가며 서울생활을 누렸던 듯하다. 응상應祥의 아우 대사간大司諫 응린應麟(1485~1529)이 순栒의 증조부인데 묘소가 장단에 있고 그 자제 음죽陰竹현감 사신思信(1513~1590)은 묘소가 마전麻田에 있으며, 감찰監察 선選(1547~?), 도사都事 순栒 부자의 묘소가 모두 장단에 있기 때문이다.

뿐만 아니라 겸재의 조모 청주정씨淸州鄭氏의 묘소까지도 장단長湍 군장리軍藏里 박릉촌博陵村에 있으며 겸재의 삼숙부三叔父 시석時奭(1632~?)과 그 자제 무埊(1659~1740)의 산소조차 장단 갈마동渴馬洞에 있는 것을 보면 겸재가는 이 청주정씨의 도움을 크게 받았었기에 서울생활을 유지할 수 있어 나주 고장故庄으로 돌아가지 않아도 되었던 것 같다.[참고4]

이 청주정씨淸州鄭氏는 겸재 조부 윤綸과의 사이에 4남 4녀를 두는데 반곡盤谷 정시설鄭時卨(1621~1681), 시열時說(1629~1677), 시석時奭(1631~?), 시익時翊(1638~1689)이 그 네 아들들이다. 이들 중 첫째와 둘째는 다시 나주와 태인泰仁의 고장故庄으로 내려가고 셋째는 외가가 있는 장단으로 내려가게 되어 서울에는

참고 4 **겸재 외씨계보 3 조모 청주정씨보**謙齋 外氏系譜 三 祖母 淸州鄭氏譜

정총鄭摠
1358~1397 태학사太學士

효충孝忠
?~1453 상호군上護軍

옥경沃卿
1416~1468 집의執義

차녀次女 명明 선종宣宗

윤증胤曾
1436~1500 철산군수鐵山郡守

응생應生
1464~1506 부사직副司直

응상應祥
1476~1520 감찰監察

응린應麟
1485~1529 대사간大司諫

승문承門
1497~1568 대호군大護軍

사중思中
1505~1551 사맹司猛

사신思信
1513~1590 현감縣監

곤수崑壽(계系)
1538~1602 좌찬성左贊成

곤수崑壽(출出)

구逑
1543~1620
대사헌大司憲

섬暹
1537~1620
부호군副護軍

선選
1547~? 감찰監察

장樟
1569~1614
도사都事

벌橃
1569~1635
참봉參奉

순栒
도사都事

차녀次女 청주정씨淸州鄭氏
1601~1686

정륜鄭綸
1600~1668

시익時翊
1638~1689

선敾
1676~1759

오직 막내인 시익時翊만 남아 경가京家를 지키며 모부인을 봉양하게 되었던 것 같다. 그것은 시익時翊이 막내라서 여러 형들이 향장鄕庄에서 보내 주는 추수를 받아 서울생활을 꾸려 나가는 것이 편의한 때문이기도 했겠지만 그의 처가가 명문거족이며 장동壯洞 갑부로 일컬어지던 밀양박씨가密陽朴氏家였다는 사실도 적지 않게 작용했을 듯하다.

겸재의 외조부 박자진朴自振(1625~1694)은 효종 3년(1652) 임진壬辰 증광사마시增廣司馬試에서 행호군行護軍 추봉秋峯 윤이지尹履之(589~1668)와 병조참판 겸 대제학 채유후蔡有後(1599~1660) 방하榜下에서 광성부원군光城府院君 서석瑞石 김만기金萬基(1633~1687)와 동방同榜으로 생원生員 진사進士 사마양시司馬兩試에 모두 2등으로 합격한 수재였다.(『임진증광사마방목壬辰增廣司馬榜目』)

겸재의 큰외숙인 박견성朴見聖(1642~1728) 역시 진사에 입격해 현감을 지냈고 겸재의 외사촌형인 박창하朴昌夏(1662~1687)도 숙종 8년(1682) 임술壬戌 증광사마시增廣司馬試에 이조판서 겸 대제학 서하西河 이민서李敏敍(1633~1688)와 호조참판 서포西浦 김만중金萬重(1637~1692) 방하榜下에서 광성부원군 김만기 차자인 죽천竹泉 김진규金鎭圭(1658~1716)와 동방으로 사마양시에 2등으로 입격하여(『임진증광사마방목壬戌增廣司馬榜目』), 부조父祖의 명예를 계승하니 3대代 사마司馬의 과경科慶이 있는 당당한 사대부 집안이었다.

뿐만 아니라 그의 선대로 올라가면 선조 때 이조판서를 지낸 낙촌駱村 박충원朴忠元(1507~1581)은 박자진朴自振의 고조부이고, 병조판서 관원灌園 박계현朴啓賢(1524~1580)은 생가 증조부이며, 영해寧海부사 박안국朴安國(1564~1630)은 생가 조부, 경기수사京畿水使 박안도朴安道(1564~1625)는 양가의 조부가 되어 광해군 때 영의정을 지낸 퇴우정退憂亭 박승종朴承宗(1562~1623)이 당숙이었고, 광해세자의 장인이던 읍청헌挹淸軒 박자흥朴自興(1581~1623)은 6촌형이었다.[참고5]

그러니 문벌로는 경화거족京華巨族 중의 제일급에 속한다 하겠는데 인조반정仁祖反正(1623) 이후에 퇴우정退憂亭 부자가 광해 난정의 책임을 지고 자결自決, 역가逆家로 지목되어 그 직계가 몰락하자 그 자손들은 근근이 사대부 가격이나 유지하며 큰 벼슬에 나가는 것을 자제하며 살아가는 형편이었다.

그러나 퇴우정退憂亭이 이이첨李爾瞻(1560~1623)이나 허균許筠(1569~1618) 등이

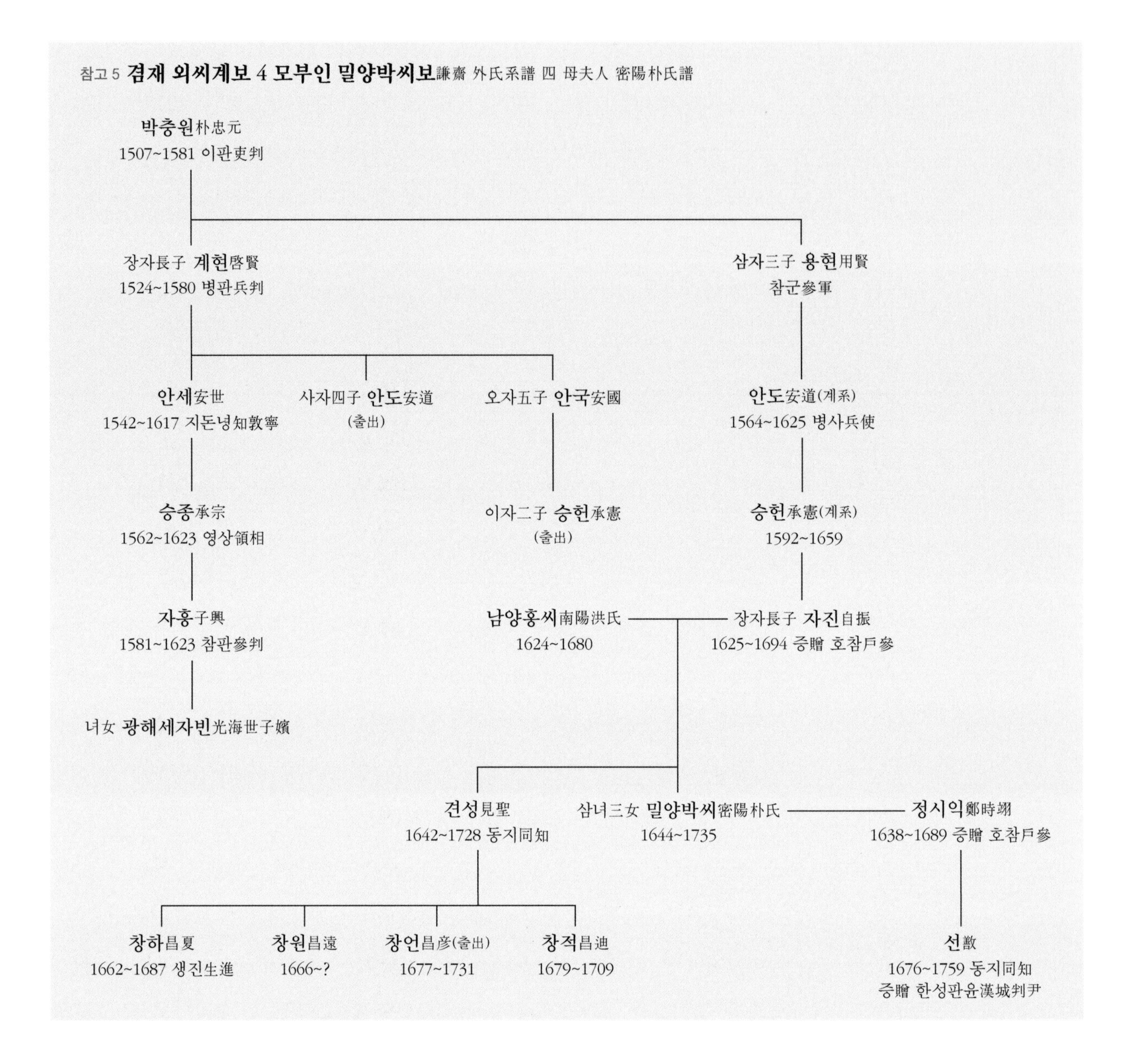
참고 5 겸재 외씨계보 4 모부인 밀양박씨보謙齋 外氏系譜 四 母夫人 密陽朴氏譜
박충원朴忠元
1507~1581 이판吏判
장자長子 계현啓賢
1524~1580 병판兵判
삼자三子 용현用賢
참군參軍
안세安世
1542~1617 지돈녕知敦寧
사자四子 안도安道
(출出)
오자五子 안국安國
안도安道(계계)
1564~1625 병사兵使
승종承宗
1562~1623 영상領相
이자二子 승헌承憲
(출出)
승헌承憲(계계)
1592~1659
자흥子興
1581~1623 참판參判
남양홍씨南陽洪氏
1624~1680
장자長子 자진自振
1625~1694 증贈 호참戶參
녀女 광해세자빈光海世子嬪
견성見聖
1642~1728 동지同知
삼녀三女 밀양박씨密陽朴氏
1644~1735
정시익鄭時翊
1638~1689 증贈 호참戶參
창하昌夏
1662~1687 생진生進
창원昌遠
1666~?
창언昌彦(출出)
1677~1731
창적昌迪
1679~1709
선敾
1676~1759 동지同知
증贈 한성판윤漢城判尹

인목대비仁穆大妃를 시해弑害하려는 기도를 죽음을 무릅쓰고 여러 번 저지한 사실이 공공연히 알려져 있었다. 이에 인조반정의 배후 실력자 중의 하나인 우산牛山 안방준安邦俊(1573~1654)이나 인조반정의 이념적 기반인 율곡학파栗谷學派의 적통嫡統 계승자로 의리명분義理名分을 준엄峻嚴하게 분별하던 우암尤庵 송시열宋時烈(1607~1689)조차도 그 복권을 주장할 정도라서 오히려 박자진朴自振 경우는 우암尤庵을 지극히 존모하여 그 가르침을 따르게 된다.

뿐만 아니라 박자진朴自振의 장인인 정랑正郎 홍유형洪有炯(1590~1650)은 퇴계退溪 이황李滉(1501~1570)의 손자 직장直長 이안도李安道(1541~1584)의 외손자였으므로 겸재의 모친 밀양박씨密陽朴氏(1644~1735)는 다시 홍유형의 외손녀가 되어 퇴계退溪의 혈통血統을 잇게 되니 겸재 역시 퇴계退溪의 외예外裔가 된다.[참고6]

따라서 혈맥血脈을 통한 내외가계內外家系로 보면 겸재는 당대 일급 사대부 가문에 속하는 집안 출신이라 할 수 있겠다. 겸재 부친 형제에 이르러서도 백부伯父 시설時卨(1621~1681)이 비록 나주 고장故庄으로 내려가 살기는 했지만 율곡栗谷과 함께 율곡학파를 이룩했던 우계牛溪 성혼成渾(1535~1598)의 제자로 남도학계를 주도하던 우산牛山 안방준安邦俊의 문인이 되어 사우師友의 추앙을 받을 만큼 학덕學德을 겸비하고 효종 원년(1650) 경인庚寅에는 생원시生員試에 합격, 희릉禧陵참봉에 제수되기도 해 가격家格을 유지한다.

그러나 겸재 부친 시익時翊은 그리 특출한 인물은 아니었던 듯 과거나 벼슬의 이력도 없고 덕행으로 명망을 얻은 흔적도 없다. 따라서 경가京家에서 부모를 모시고 살면서 여러 형제들이 각처 향장鄕庄에서 보내 주는 추수를 받아 살아갔던 모양이니 그 몫의 장토를 상당히 상속받았다 한들 그 생활이 그리 윤택했을 리는 없다.

이런 가정 형편 속에서 겸재는 숙종 2년(1676) 병진丙辰 정월 3일 병술丙戌에 한성부漢城府 북부北部 순화방順化坊 유란동幽蘭洞에서 태어난다. 유란동은 지금 경복景福고등학교와 청운靑雲중학교가 있는 종로구 청운동 89번지 일대의 백악산白岳山(북악산北岳山) 서쪽 기슭에 있던 동네로 그 동네 입구는 북악산에서 흘러내리는 시냇물이 폭포져 내리고 그 폭포 부근의 암벽岩壁에는 '유란동幽蘭洞' 3자字가 각자刻字되어 있었다 한다. 이 사실은 순조 때 유본예柳本藝가 지은 『한경

참고 6 **겸재 외씨계보 5 퇴계혈맥도**謙齋 外氏系譜 五 退溪血脈圖

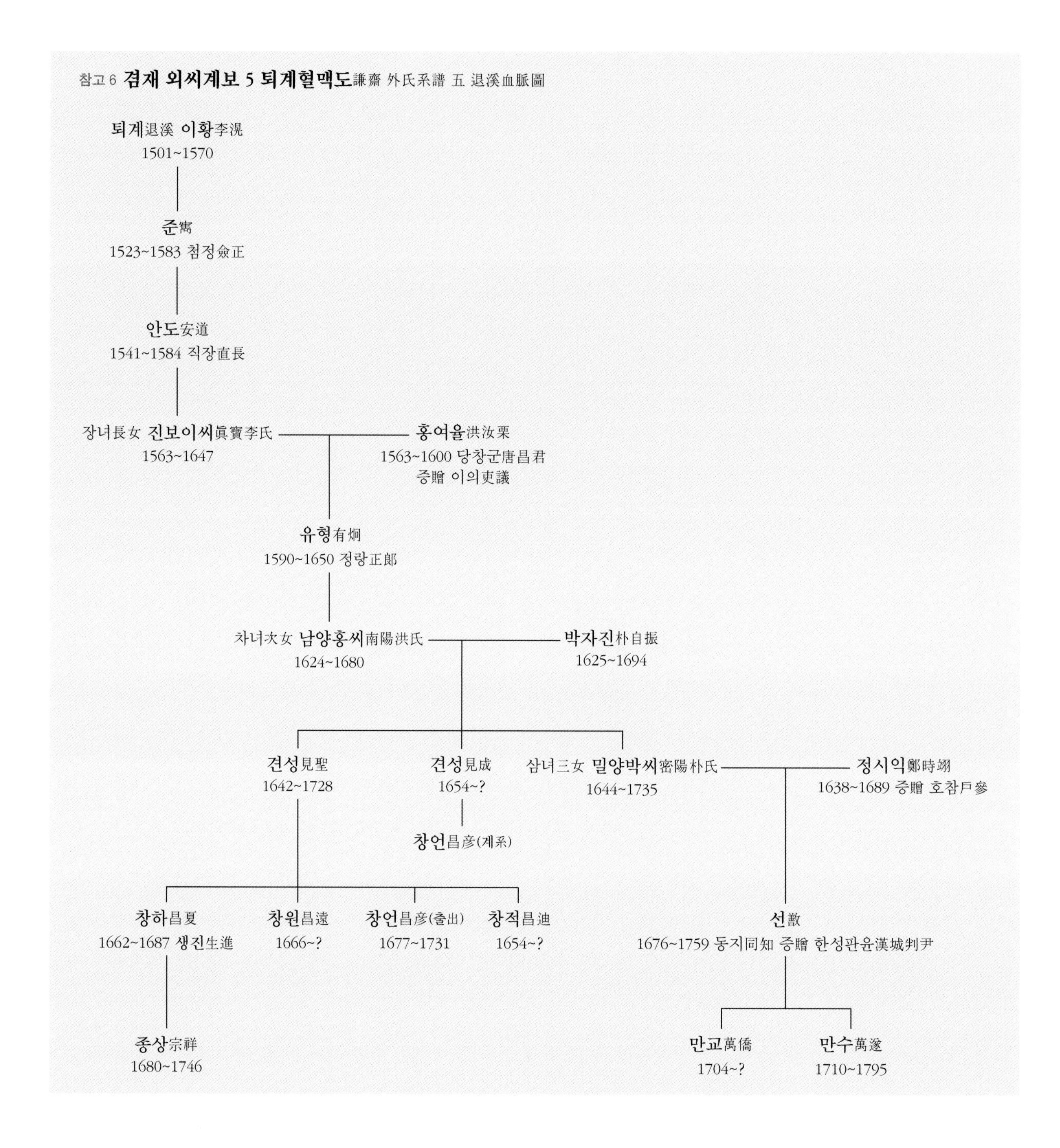

지략漢京識略』 권2 명승名勝조에도 수록되어 있고, 1934년에 편찬된 『경성부사京城府史』 상권 383쪽에도 실려 있는데 1980년대까지만 해도 어느 사가私家의 뜰 안에 그 석각石刻이 그대로 보존되고 있었다는 제보를 받았으나 확인할 기회를 놓치고 말았다.

겸재가 이 유란동幽蘭洞에서 탄생해 살아온 사실은 관아재觀我齋 조영석趙榮祏(1686~1761)의 「겸재정동추애사謙齋鄭同樞哀辭」에서 확인할 수 있으니 옮기면 다음과 같다.

> 정공鄭公의 휘諱는 선敾이요 자字는 원백元伯이며 겸재謙齋라 자호自號하니 광산인光山人이다. 어려서부터 한양 서울의 북쪽 동네 순화방 백악산白岳山 밑에서 살고, 나 역시 순화방에서 대대로 살며 공公보다 열 살이 어리니 내가 죽마竹馬 탈 때 공은 엄연히 관례冠禮를 치른 어른이었다. 그런 까닭으로 항상 공경하여 일찍이 너나들이를 한 적이 없다.
>
> 鄭公諱敾 字元伯 自號謙齋, 光山人. 自少居于漢城之北里 順化坊 白岳山下, 余亦世居順化坊, 少公十歲, 余竹馬時, 公已儼然冠者. 故常敬之, 未嘗爾汝焉.

관아재는 지금의 옥인동인 인왕곡에서 나서 그곳으로 이사 온 겸재와 후반생 30여 년을 함께 살며 조석상봉朝夕相逢하던 풍속화風俗畵의 시조였다. 몽와夢窩 김창집金昌集(1648~1722) 형제들이 나서 자란 악록유거嶽麓幽居(궁정동 2번지)의 이웃이었다는 것 및 겸재가 초년 호를 난곡蘭谷이라 한 사실 등도 이를 뒷받침해 준다.

그런데 겸재의 외가댁은 바로 현재 청운淸雲초등학교가 있는 청운동 52번지인 청풍계淸風溪(본래는 靑楓溪)에 있었다. 겸재가 그린 〈풍계유택楓溪遺宅〉이란 그림의 화제畵題로 보거나 겸재와 형제처럼 지내던 순암順庵 이병성李秉成(1675~1753)이 겸재의 큰외숙 현감 박견성朴見聖(1642~1728)이 87세로 돌아갔을 때 지은 만사挽辭에서 '삼세三世를 풍계동부중楓溪洞府中에 살아왔다三世楓溪洞府中'는 구절을 통해서 그를 확인할 수 있다.

그러니 겸재댁과 겸재의 외가댁은 시내를 사이에 두고 북악산 밑 동네와 인왕산 밑 동네로 나누어진 곳에서 서로 맞바라보고 살았던 모양이다. 이에 겸재는 내외가를 통해 백악산白岳山 정기精氣와 인왕산仁王山 정기를 한몸에 지니고 태어날 수 있었던 것이다. 이렇게 지척지간咫尺之間에 옹서양가翁壻兩家가 살게 되면 살림의 차이가 없더라도 자연스럽게 옹가翁家의 덕이 생관甥館에 미치는 것이 상례인데 박씨가의 재력과 경거京居기반이 겸재댁과는 비교할 수 없이 우세했음에랴 말해 무엇하겠는가.

겸재가 태어날 당시 겸재의 가족현황을 살펴보면 겸재 부친 시익時翊은 39세, 모친 밀양박씨密陽朴氏는 33세, 친조모 청주정씨淸州鄭氏는 76세의 극노인이었다. 이 세 식구가 서울에 사는 겸재 친가 가족 전부였던 데 반해 겸재 외가는 사마양시에 일찍이 입격했던 외조부 박자진朴自振이 52세, 외조모 남양홍씨南陽洪氏가 53세이고, 큰외숙 박견성朴見聖은 35세로 이미 진사시험에 합격해 있었으며 작은외숙 박견성朴見成(1654~?, 견수見壽로 개명改名)은 23세의 청년이었고, 큰외숙 소생의 외사촌형인 박창하朴昌夏(1662~1687)는 15세, 창원昌遠(1666~?)은 11세라는 대가족을 이루고 있었다. 따라서 겸재는 출생하면서부터 외갓집 식구들의 영향을 크게 받으며 자라나지 않을 수 없었을 것이다.

2

학맥연원學脈淵源

그런데 외조부 박자진은 우암 송시열을 지극히 존모尊慕하는 율곡학파栗谷學派의 골수骨髓였다. 그래서 박자진은 겸재가 탄생하기 2년 전인 숙종 즉위년(1674) 갑인甲寅 8월 추석에 갑인예송甲寅禮訟에서 남인에게 패배하여 수원水原 만의촌萬義村 무봉산중舞鳳山中으로 낙향대죄落鄕待罪하고 있던 우암을 찾아가서 처가로부터 물려받은 퇴계退溪 친필의 「주자서절요서朱子書節要序」 원본을 우암에게 보여 드리고 그 발문跋文을 받아 왔었다. 그러니 겸재는 친가 쪽으로 보아도 백부伯父 시설時卨이 안우산安牛山의 제자로 율곡학파에 속하는데 외조부까지도 율곡학파에 깊이 경도하게 되었으므로 필연 장차 율곡학파로 학연學緣이 닿을 수밖에 없게 되었다.

어떻게 보면 겸재가 백악정기白岳精氣를 타고났다는 그 사실 자체가 율곡학파를 계승할 수밖에 없는 숙연宿緣이었을지도 모른다. 장동壯洞이나 백악동부白岳洞府라고 통칭되는 백악산과 인왕산 아래 골짜기는 율곡학파의 발상지이자 근거지였기 때문이다. 원래 백악白岳은 한양漢陽 서울의 진산鎭山이며 정궁正宮인 경복궁景福宮의 북주北主로 그 수려秀麗한 산세와 장엄한 기상이 국중 어느 산과도 비교할 수 없는 천하제일 명산이라 그 정기를 받고 태어난 인물들이 대대로 끊이지 않았다.

율곡학파栗谷學派가 형성되는 시기 이후로만 보아도 조선성리학朝鮮性理學의 대성자大成者인 율곡栗谷 이이李珥(1536~1584)의 좌우동반左右同伴이던 구봉龜峯 송익필宋翼弼(1534~1599)과 우계牛溪 성혼成渾(1535~1598)이 각각 남쪽 대은암동大隱岩洞과 서쪽 유란동幽蘭洞에서 탄생했고 율곡栗谷의 집우執友이던 백록白麓 신응시申應時(1532~1585) 역시 대은암동에서 태어났다. 송강松江 정철鄭澈

(1536~1593)은 인왕산 동쪽 기슭 인왕곡仁王谷 실곡實谷에서 탄생했다.

그래서 율곡선생도 일찍이 이 백악산 아래에 집을 구해 살았던 모양이다. 사천의 시제자인 창암蒼巖 박사해朴師海(1711~1778)가 다음과 같이 시화詩話 곁들인 시를 남겨 놓고 있기 때문이다.

> 계미癸未(1763) 3월 초이튿날 율곡선생 사당이 해서海西로부터 장동壯洞 옛집으로 되돌려 모셔지니 선비들이 교외에 나가 맞이했다. 이날 아침 차문箚文*을 올리는 일로 성균관 동료들은 대궐 아래 모여 있어서 갈 수 없었으나 비답批答*을 받고 나자 드디어 함께 나아가서 사당을 뵙고 절했다. 내친김에 혼자 가서 남계南溪 박세채朴世采(1631~1695)선생 영정을 뵙고 절하고 돌이켜 청풍계로 향해서 여러 동료와 더불어 노닐다가 파하다.
>
> 癸未三月初二日, 栗谷先生祠宇, 自海西還奉壯洞舊第, 搢紳章甫, 出迎郊外. 是日適以陳箚事, 館僚聚闕下, 不克往, 旣承批, 遂齊進, 瞻拜祠宇. 仍獨往瞻拜南溪先生影幀, 旋向淸風溪, 與諸僚, 逍遙而罷.
>
> 어진 스승 어느 곳에서 찾나, 백악산 자락이로다. 백 세에 우뚝한 모습, 산과 함께 우러러본다.
>
> 賢師何處尋, 白岳山之趾. 百世高人風, 與山同仰止.
>
> 朴師海, 『蒼巖集』 卷三

* **차문**箚文
국왕에게 올리는 글

* **비답**批答
상소문에 대한 임금의 대답

율곡학맥을 계승하는 다음 세대에서는 현재 청와대 본관 부근의 대은암동에서 죽음竹陰 조희일趙希逸(1575~1638)이 나서 살았고 육상궁毓祥宮 서쪽 담장과 맞닿은 궁정동宮井洞 2번지에서 청음淸陰 김상헌金尙憲(1570~1652)이 살았으며 청운초등학교가 있는 청운동 52번지 일대는 선원仙源 김상용金尙容(1561~1637)이 차지해 살고 있었고 필운동 배화여자전문대학교 자리인 필운대弼雲臺는 백사白沙 이항복李恒福(1556~1618)이 살았다.

그런데 이들은 광해난정시光海亂政時에 자신들이 철저히 신봉하는 성리학적

윤리관에 입각해 인목대비仁穆大妃를 폐위시키는 폐모론廢母論에 한사코 반대하다가 결국 극한 상황으로 몰리게 되자 그들의 이상을 현실에 구현하고자 인조반정仁祖反正을 도모, 이를 성공하는데 인조仁祖 역시 인왕산 아래 사직동社稷洞 출신이었다.

그 다음 세대는 금양위錦陽尉 분서汾西 박미朴瀰(1592~1645)와 전라감사 봉주鳳洲 유황兪榥(1599~1655), 대사헌 취옹醉翁 유철兪㯙(1606~1671) 형제 및 근수헌近水軒 조석형趙錫馨(1598~1656), 파서坡西 조봉원趙逢源(1608~1691) 대제학 낙정樂靜 조석윤趙錫胤(1605~1654) 등이 살며 율곡학맥을 이어 간다. 그런데 이들은 주로 3, 40대 장년기에 병자호란을 만나 원로인 청음淸陰 김상헌金尙憲을 주축으로 맹렬히 주전론主戰論을 주장하며 반청의식反淸意識을 고양했다.

그 다음은 공조참판 곡운谷雲 김수증金壽增(1624~1701), 영의정 퇴우당退憂堂 김수흥金壽興(1626~1690), 공조판서 은암隱巖 이광적李光迪(1628~1717), 영의정 문곡文谷 김수항金壽恒(1629~1689)삽도2, 합천陜川군수 조경망趙景望(1629~1694), 황해감사 구봉九峯 조원기趙遠期(1630~1680), 인천仁川부사 일봉一峯 조현기趙顯期(1634~1685), 충청감사 손암損庵 조근趙根(1631~1690), 좌부승지 박세성朴世城(1621~1671), 좌의정 남계南溪 박세채朴世采(1631~1695) 등이 백악정기를 받고 태어나서 율곡학맥을 이어 간다. 이들은 주로 어린 시절에 병자호란을 겪으며 주전파主戰派의 자손으로 혹독한 패전의 참상을 목도한 세대였으니 반청의식이 골수에 사무쳐 복수설치復讐雪恥를 각골명심刻骨銘心하던 세대들이었다.

그래서 율곡학파의 제3대第三代 수장首長인 우암尤庵 송시열宋時烈(1607~1689)을 종유從遊하며 북벌北伐의 대의大義를 내세워 조선朝鮮이 중화中華문화의 계승자임을 자부하는 조선중화주의朝鮮中華主義의 기틀을 마련해 놓는다.

문곡文谷 김수항金壽恒 다음 세대 중에서는 각기 가학家學으로 율곡학파를 계승하면서 우암尤庵의 인가印可를 받아 율곡학맥의 적전嫡傳을 이어받으려는 인사들이 이곳 백악동부에서 속출하게 된다. 우선 문곡의 자제들인 영의정 몽와夢窩 김창집金昌集(1648~1722)삽도3, 농암農巖 김창협金昌協(1651~1708), 삼연三淵 김창흡金昌翕(1653~1722)삽도4, 노가재老稼齋 김창업金昌業(1658~1721), 포음圃陰 김창즙金昌緝(1622~1713), 중택재重澤齋 김창립金昌立(1666~1683)의 6형제를 비롯해서

김수항金壽恒 초상肖像[삽도2]
견본채색絹本彩色, 29.0×37.0cm,
일본 덴리대天理大 도서관 소장.

김창집金昌集 초상肖像[삽도3]
김진여金振汝 등, 1719년 기해己亥,
《기사계첩耆社契帖》, 견본채색絹本彩色,
32.5×43.7cm, 홍기준 소장.

형조판서 오재寤齋 조정만趙正萬(1656~1739), 대사간 일묵헌一黙軒 조정위趙正緯(1659~1703), 황주黃州목사 송담松潭 박태원朴泰遠(1660~1722), 지비재知非齋 박필하朴弼夏(1656~1719), 자교당慈敎堂 유명뢰兪命賚(1652~1712) 등이 그들이다.

그 중에서 소위 육창六昌이라 일컫는 김창집 6형제는 청음淸陰으로부터 내려오는 가학家學의 바탕 위에 농암農巖과 삼연三淵을 중심으로 정관재靜觀齋 이단상李端相(1628~1669)의 학맥을 전수받고 다시 우암尤庵의 인가印可를 받았으므로 율곡학파의 학통을 가장 폭넓게 계승했다고 할 수 있었다.[참고7]

정관재靜觀齋는 월사月沙 이정구李廷龜(1564~1635)의 손자요 백주白洲 이명한李明漢(1595~1645)의 네 아들 중 막내로 10세 때인 정축丁丑년 정월에 강화가 함락되면서 일가一家가 참화를 당하는 중에 청군에게 포로가 되어 만주로 끌려가 갖은 수모를 겪다가 내종사촌형인 영안위永安尉 홍주원洪柱元(1606~1672)의 주선으로 풀려 나왔기 때문에 대청對淸 적개심敵愾心이 골수에 사무친 인물이었다.

김창흡金昌翕 초상肖像 삽도4

견본채색絹本彩色, 29.0×37.0cm, 일본 덴리대天理大 도서관 소장.

참고 7 **안동김씨 삼연 김창흡 일가 가계도 1** 安東金氏 三淵 金昌翕 一家 家系圖 一

안동安東 **김계권**金係權 ?~1458 한성판윤漢城判尹

— **학조**學祖

— **영수**永銖 1446~1502 장령掌令 — **반**璠 1479~1544 평양서윤平壤庶尹 시묘석실始墓石室

생해生海 1512~1558 신천군수信川郡守, 성종왕자成宗王子경명군景明君 침忱 녀女

대효大孝 1531~1572 삼가현감三嘉縣監
원효元孝 1536~1612
극효克孝 1542~1618 사미옹四味翁 도정都正 좌상左相 동래東萊 정유길鄭惟吉 녀女 1542~1621

대효 — **상헌**尙憲(계系) — **광찬**光燦(계系)

원효 — **상준**尙寯 — **광욱**光煜, **광위**光煒

극효 — **상용**尙容 — **광형**光炯, **광현**光炫

극효 — **상관**尙寬 — **광혁**光爀 — **수흥**壽興(계系); **광찬**光燦(출出)

극효 — **상헌**尙憲(출出)

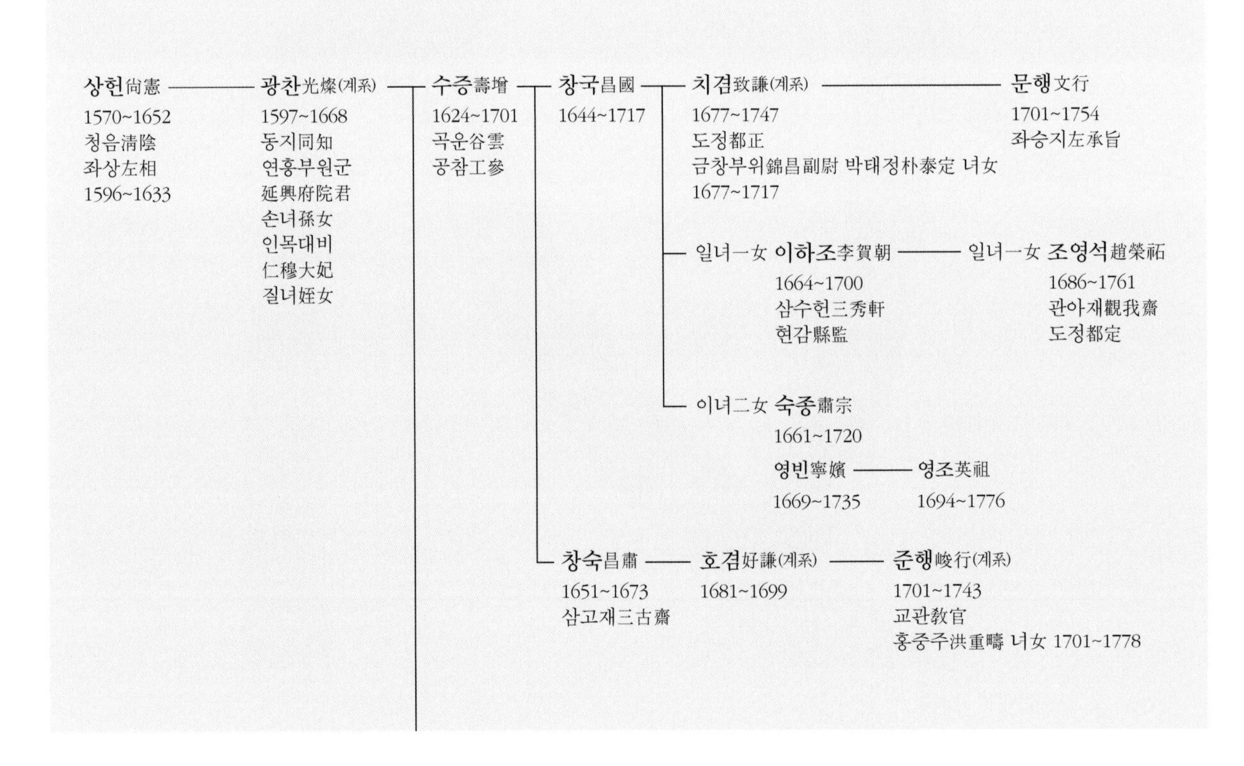

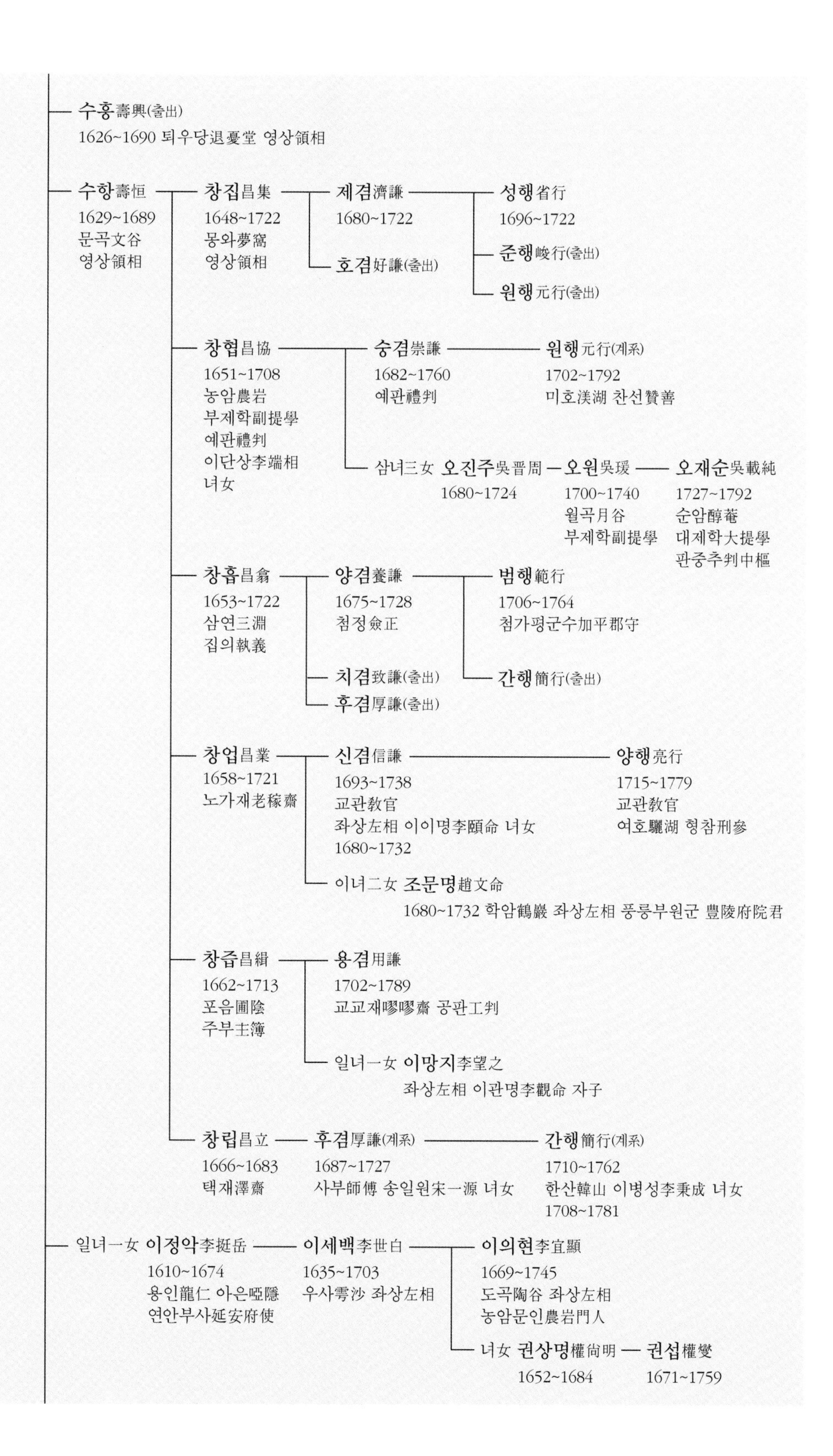

수홍壽興(출出)
1626~1690 퇴우당退憂堂 영상領相
수항壽恒
1629~1689
문곡文谷
영상領相
창집昌集
1648~1722
몽와夢窩
영상領相
제겸濟謙
1680~1722
성행省行
1696~1722
호겸好謙(출出)
준행峻行(출出)
원행元行(출出)
창협昌協
1651~1708
농암農岩
부제학副提學
예판禮判
이단상李端相
녀女
숭겸崇謙
1682~1760
예판禮判
원행元行(계系)
1702~1792
미호渼湖 찬선贊善
삼녀三女 오진주吳晋周
1680~1724
오원吳瑗
1700~1740
월곡月谷
부제학副提學
오재순吳載純
1727~1792
순암醇菴
대제학大提學
판중추判中樞
창흡昌翕
1653~1722
삼연三淵
집의執義
양겸養謙
1675~1728
첨정僉正
범행範行
1706~1764
첨가평군수加平郡守
치겸致謙(출出)
후겸厚謙(출出)
간행簡行(출出)
창업昌業
1658~1721
노가재老稼齋
신겸信謙
1693~1738
교관敎官
좌상左相 이이명李頤命 녀女
1680~1732
양행亮行
1715~1779
교관敎官
여호驪湖 형참刑參
이녀二女 조문명趙文命
1680~1732 학암鶴巖 좌상左相 풍릉부원군 豊陵府院君
창즙昌緝
1662~1713
포음圃陰
주부主簿
용겸用謙
1702~1789
교교재嘐嘐齋 공판工判
일녀一女 이망지李望之
좌상左相 이관명李觀命 자子
창립昌立
1666~1683
택재澤齋
후겸厚謙(계系)
1687~1727
사부師傅 송일원宋一源 녀女
간행簡行(계系)
1710~1762
한산韓山 이병성李秉成 녀女
1708~1781
일녀一女 이정악李挺岳
1610~1674
용인龍仁 아은啞隱
연안부사延安府使
이세백李世白
1635~1703
우사雩沙 좌상左相
이의현李宜顯
1669~1745
도곡陶谷 좌상左相
농암문인農岩門人
녀女 권상명權尙明
1652~1684
권섭權燮
1671~1759

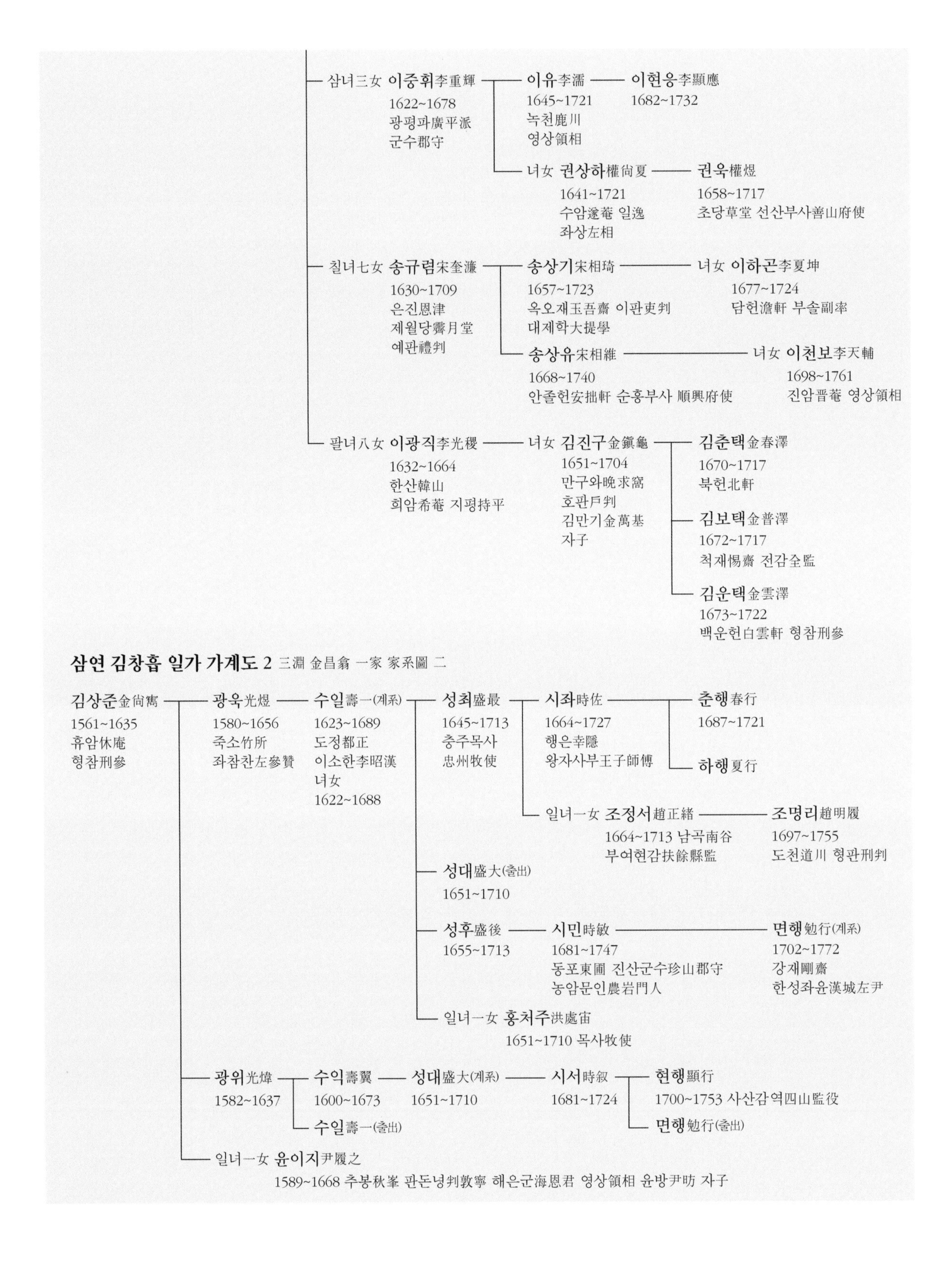
삼녀三女 이중휘李重輝
1622~1678
광평파廣平派
군수郡守
이유李濡
1645~1721
녹천鹿川
영상領相
이현응李顯應
1682~1732
녀女 권상하權尙夏
1641~1721
수암遂菴 일일逸
좌상左相
권욱權煜
1658~1717
초당草堂 선산부사善山府使
칠녀七女 송규렴宋奎濂
1630~1709
은진恩津
제월당霽月堂
예판禮判
송상기宋相琦
1657~1723
옥오재玉吾齋 이판吏判
대제학大提學
녀女 이하곤李夏坤
1677~1724
담헌澹軒 부솔副率
송상유宋相維
1668~1740
안졸헌安拙軒 순흥부사 順興府使
녀女 이천보李天輔
1698~1761
진암晋菴 영상領相
팔녀八女 이광직李光稷
1632~1664
한산韓山
희암希菴 지평持平
녀女 김진구金鎭龜
1651~1704
만구와晩求窩
호판戶判
김만기金萬基
자子
김춘택金春澤
1670~1717
북헌北軒
김보택金普澤
1672~1717
척재惕齋 전감全監
김운택金雲澤
1673~1722
백운헌白雲軒 형참刑參
삼연 김창흡 일가 가계도 2 三淵 金昌翕 一家 家系圖 二
김상준金尙寯
1561~1635
휴암休庵
형참刑參
광욱光煜
1580~1656
죽소竹所
좌참찬左參贊
수일壽一(계系)
1623~1689
도정都正
이소한李昭漢
녀女
1622~1688
성최盛最
1645~1713
충주목사
忠州牧使
시좌時佐
1664~1727
행은幸隱
왕자사부王子師傅
춘행春行
1687~1721
하행夏行
일녀一女 조정서趙正緖
1664~1713 남곡南谷
부여현감扶餘縣監
조명리趙明履
1697~1755
도천道川 형판刑判
성대盛大(출出)
1651~1710
성후盛後
1655~1713
시민時敏
1681~1747
동포東圃 진산군수珍山郡守
농암문인農岩門人
면행勉行(계系)
1702~1772
강재剛齋
한성좌윤漢城左尹
일녀一女 홍처주洪處宙
1651~1710 목사牧使
광위光煒
1582~1637
수익壽翼
1600~1673
수일壽一(출出)
성대盛大(계系)
1651~1710
시서時敍
1681~1724
현행顯行
1700~1753 사산감역四山監役
면행勉行(출出)
일녀一女 윤이지尹履之
1589~1668 추봉秋峯 판돈녕判敦寧 해은군海恩君 영상領相 윤방尹昉 자子

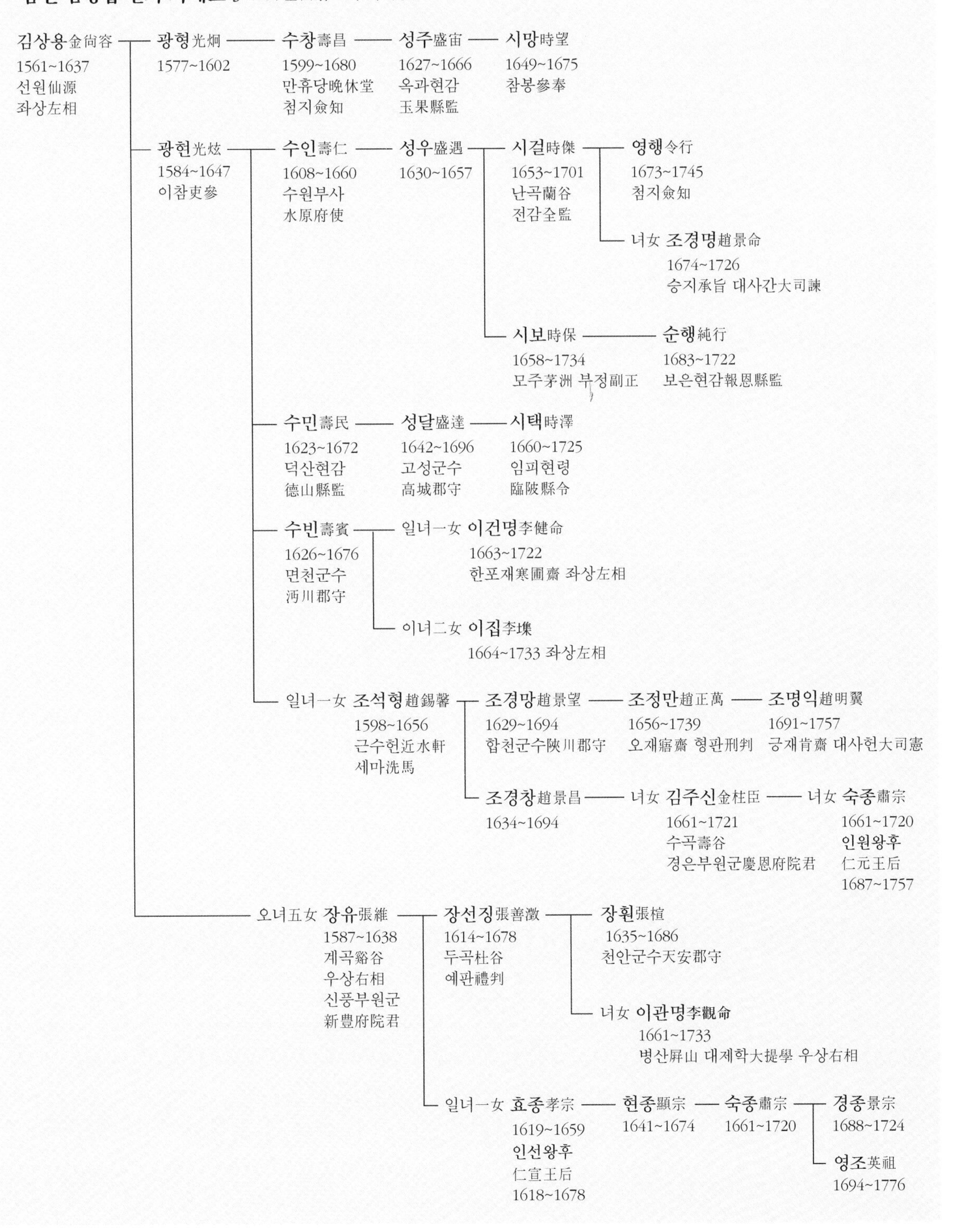
삼연 김창흡 일가 가계도 3 三淵 金昌翕 一家 家系圖 三
김상용金尙容
1561~1637
선원仙源
좌상左相
광형光炯
1577~1602
수창壽昌
1599~1680
만휴당晩休堂
첨지僉知
성주盛宙
1627~1666
옥과현감
玉果縣監
시망時望
1649~1675
참봉參奉
광현光炫
1584~1647
이참吏參
수인壽仁
1608~1660
수원부사
水原府使
성우盛遇
1630~1657
시걸時傑
1653~1701
난곡蘭谷
전감全監
영행令行
1673~1745
첨지僉知
녀女 조경명趙景命
1674~1726
승지承旨 대사간大司諫
시보時保
1658~1734
모주茅洲 부정副正
순행純行
1683~1722
보은현감報恩縣監
수민壽民
1623~1672
덕산현감
德山縣監
성달盛達
1642~1696
고성군수
高城郡守
시택時澤
1660~1725
임피현령
臨陂縣令
수빈壽賓
1626~1676
면천군수
沔川郡守
일녀一女 이건명李健命
1663~1722
한포재寒圃齋 좌상左相
이녀二女 이집李㙫
1664~1733 좌상左相
일녀一女 조석형趙錫馨
1598~1656
근수헌近水軒
세마洗馬
조경망趙景望
1629~1694
합천군수陜川郡守
조정만趙正萬
1656~1739
오재寤齋 형판刑判
조명익趙明翼
1691~1757
긍재肯齋 대사헌大司憲
조경창趙景昌
1634~1694
녀女 김주신金柱臣
1661~1721
수곡壽谷
경은부원군慶恩府院君
녀女 숙종肅宗
1661~1720
인원왕후
仁元王后
1687~1757
오녀五女 장유張維
1587~1638
계곡谿谷
우상右相
신풍부원군
新豊府院君
장선징張善瀓
1614~1678
두곡杜谷
예판禮判
장훤張楦
1635~1686
천안군수天安郡守
녀女 이관명李觀命
1661~1733
병산屛山 대제학大提學 우상右相
일녀一女 효종孝宗
1619~1659
인선왕후
仁宣王后
1618~1678
현종顯宗
1641~1674
숙종肅宗
1661~1720
경종景宗
1688~1724
영조英祖
1694~1776

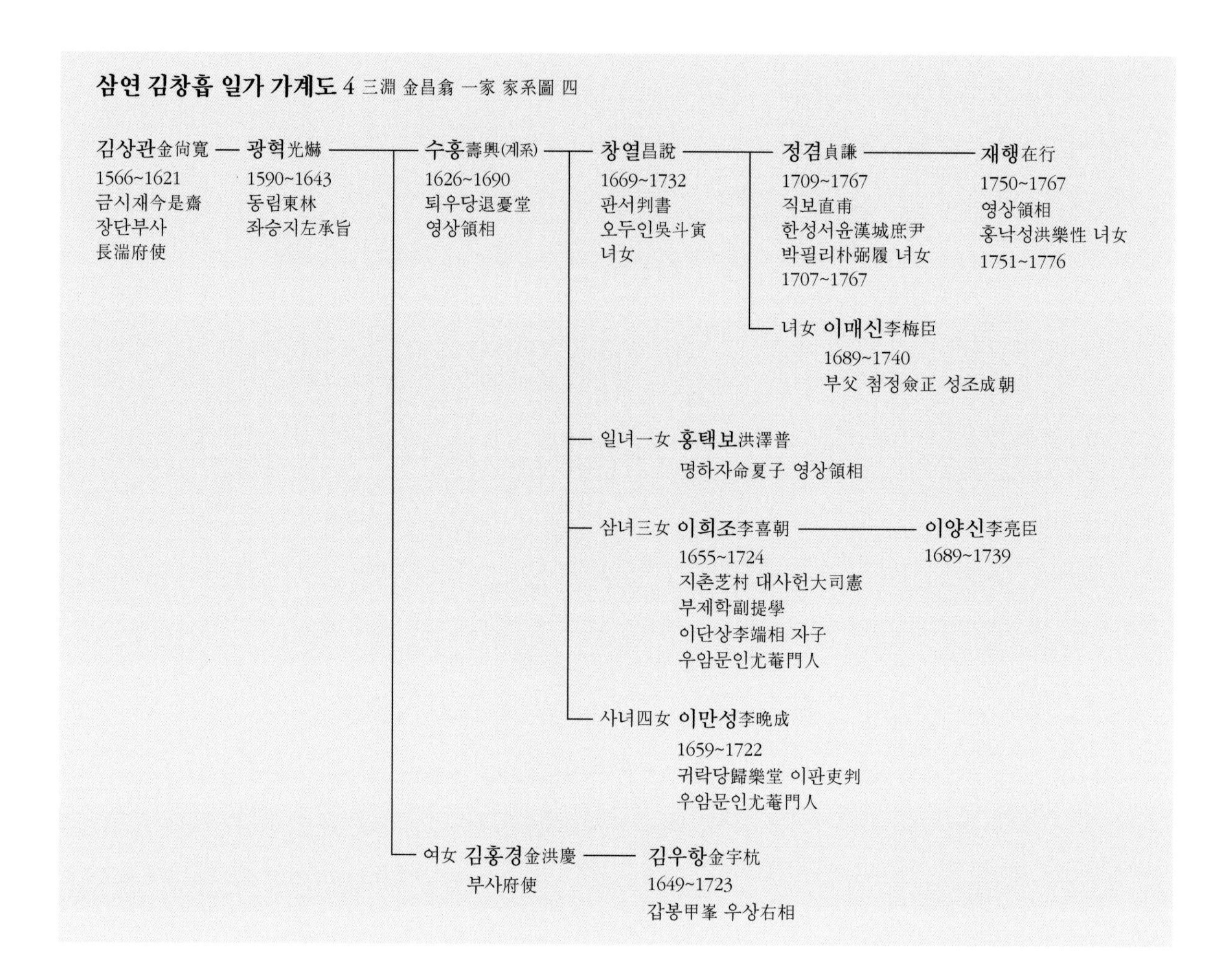
삼연 김창흡 일가 가계도 4 三淵 金昌翕 一家 家系圖 四
김상관金尙寬
1566~1621
금시재今是齋
장단부사
長湍府使
광혁光爀
1590~1643
동림東林
좌승지左承旨
수흥壽興(계系)
1626~1690
퇴우당退憂堂
영상領相
창열昌說
1669~1732
판서判書
오두인吳斗寅
녀女
정겸貞謙
1709~1767
직보直甫
한성서윤漢城庶尹
박필리朴弼履 녀女
1707~1767
재행在行
1750~1767
영상領相
홍낙성洪樂性 녀女
1751~1776
녀女 이매신李梅臣
1689~1740
부父 첨정僉正 성조成朝
일녀一女 홍택보洪澤普
명하자命夏子 영상領相
삼녀三女 이희조李喜朝
1655~1724
지촌芝村 대사헌大司憲
부제학副提學
이단상李端相 자子
우암문인尤菴門人
이양신李亮臣
1689~1739
사녀四女 이만성李晩成
1659~1722
귀락당歸樂堂 이판吏判
우암문인尤菴門人
여女 김홍경金洪慶
부사府使
김우항金宇杭
1649~1723
갑봉甲峯 우상右相

그래서 우암尤庵의 북벌론에 적극 동조하는데 이는 주전파主戰派의 영수로 청나라에 신복臣服하는 것을 결사반대하던 청음의 후손이나 강화 함락시 강화성을 지키다 순절殉節한 선원仙源 김상용金尙容의 후손도 마찬가지라서 이들은 서로 혈연血緣이나 학연學緣으로 연결되면서 혈맹血盟관계를 유지해 나간다.

이에 농암農巖 김창협金昌協은 정관재靜觀齋의 둘째 사위가 되고 정관재 큰 자제 지촌芝村 이희조李喜朝(1655~1724)는 영의정 퇴우당退憂堂 김수흥金壽興의 셋째 서랑婿郎이 되며, 정관재 둘째 자제 삼수헌三秀軒 이하조李賀朝(1664~1700)는 곡운谷雲 김수증金壽增의 큰자제 김창국金昌國(1644~1717)의 큰사위가 되어 영빈寧嬪의 형부兄夫가 되고 관아재觀我齋 조영석趙榮祏은 삼수헌三秀軒의 큰사위가 된다.[참고8]

이런 정황을 관아재는 도연명陶淵明의 「귀전원거歸田園居(전원으로 돌아가 살리라)」의 운韻을 빌려다 이렇게 시로 읊었다.

북쪽 동네 순화방順化坊은, 옛날 백악산白嶽山.

집집마다 명현名賢이 많아, 거마車馬가 당시에 성대했네.

윗세대에는 율곡栗谷과 우계牛溪가 살았고, 근대에는 농암農巖과 삼연三淵이 있다.

청송聽松과 또 백록白麓은, 당堂이 있고 또 밭이 있구나.

선원仙源과 청음淸陰은, 옛집이 또 이 사이라.

청풍계靑楓溪는 시내골짜기 좋고, 늙은 전나무 사당 앞에 남아 있다.

문안 골목길은 느릅나무 버드나무로 깊고, 누대樓臺는 바람과 구름이 넉넉하다.

맑고 깨끗한 원심암遠心庵, 적막寂寞하게 산마루에 있다.

나는 예전에 친구들 이끌고, 날마다 한가롭게 노닐었었다.

사람 사는 일 옛날과 지금 다름없으나, 지난 일 아득하여 꿈속이어라.

선조先祖가 남쪽 땅으로부터 와서, 의곡義谷(장의동壯義洞)을 터전이라 일컬었었네.

일찍부터 성리학性理學을 강론하며, 영원히 공명功名 생각 끊어 버렸지.

두 현인賢人(율곡栗谷과 우계牛溪)과 도의道義로 사귀고, 갈고 닦으며 서로 오갔네.

참고 8 **연안이씨 월사 이정구 가계도**延安李氏 月沙 李廷龜 家系圖

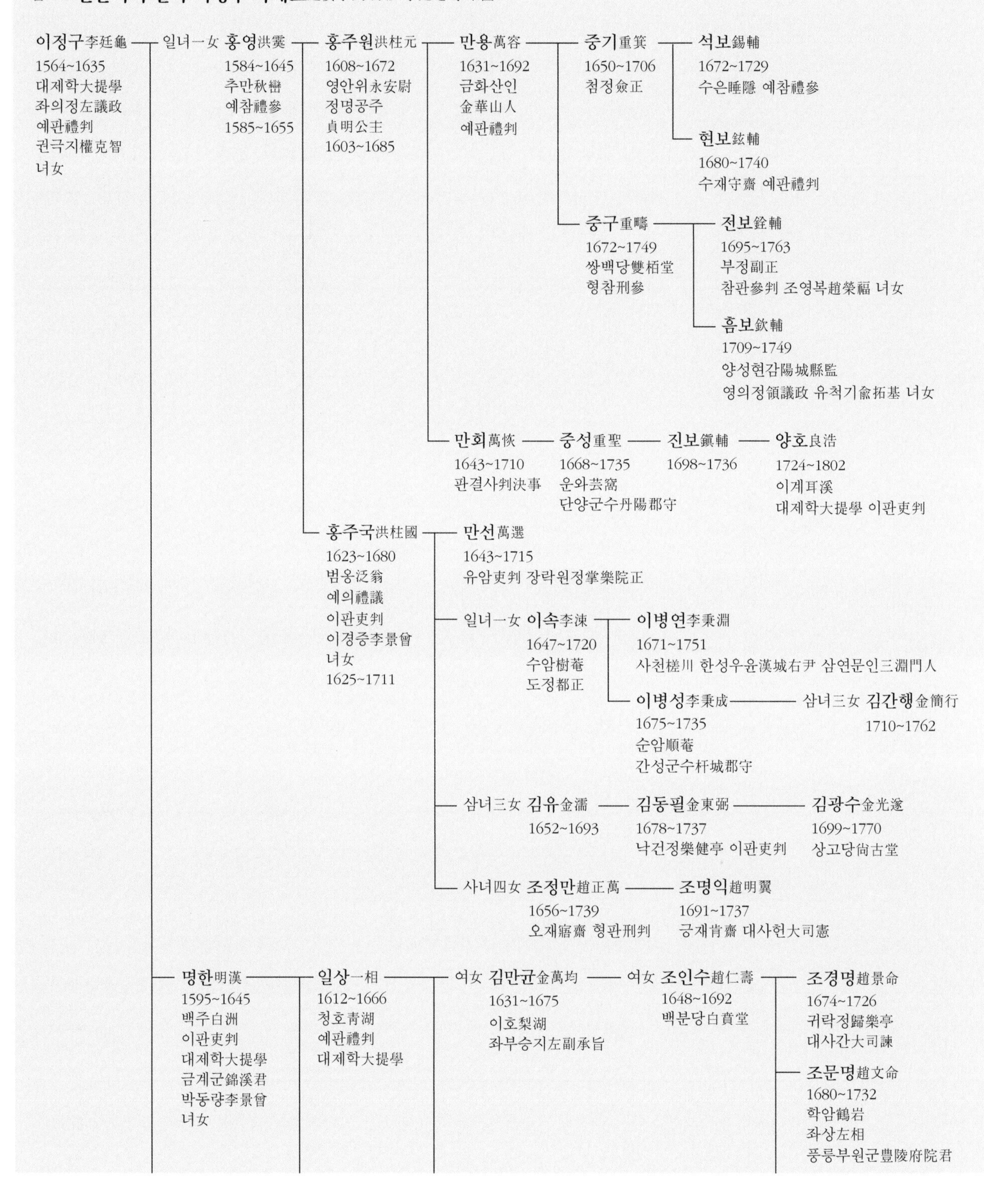

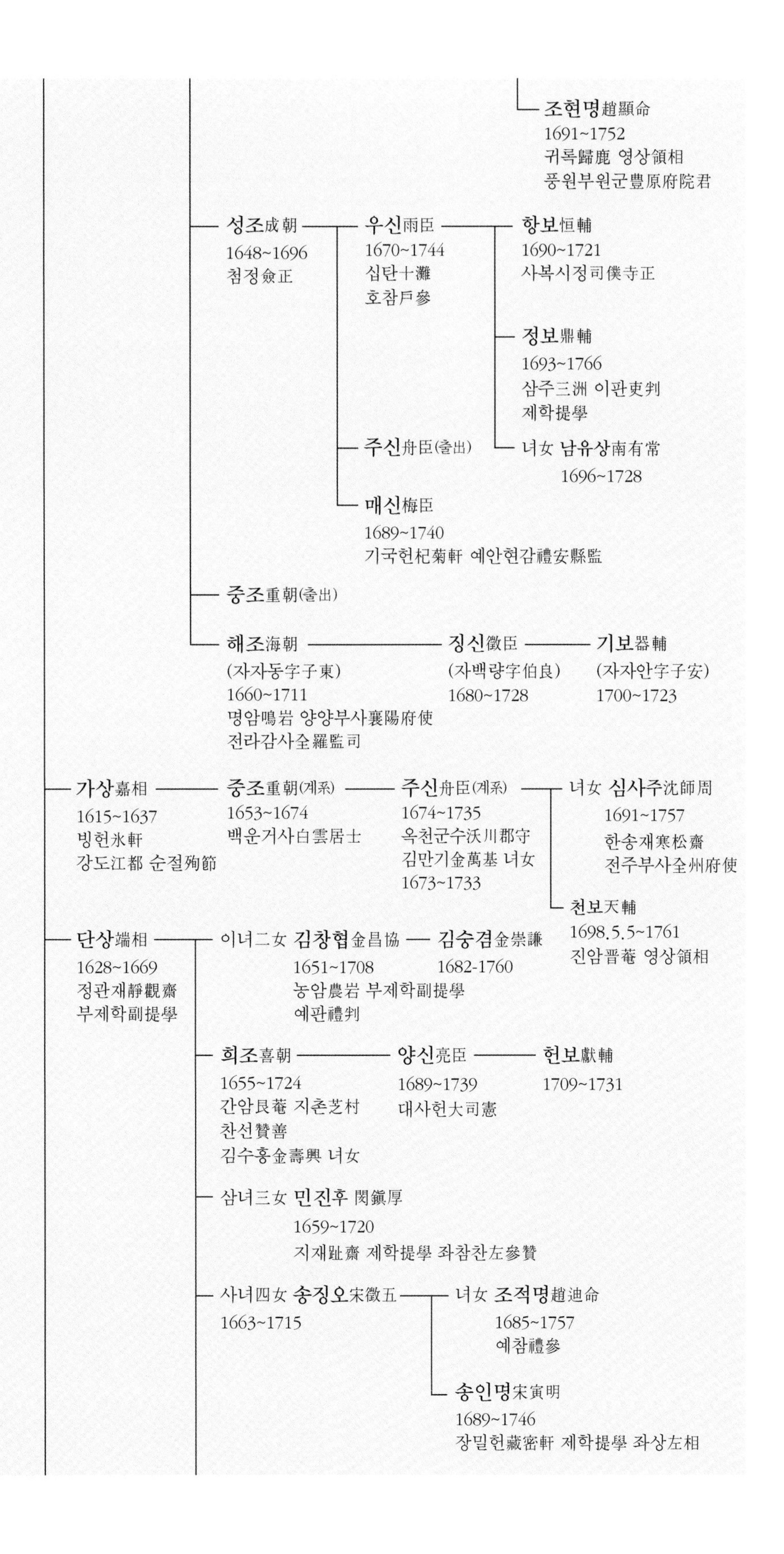
조현명趙顯命
1691~1752
귀록歸鹿 영상領相
풍원부원군豐原府院君
성조成朝
1648~1696
첨정僉正
우신雨臣
1670~1744
십탄十灘
호참戶參
항보恒輔
1690~1721
사복시정司僕寺正
정보鼎輔
1693~1766
삼주三洲 이판吏判
제학提學
주신舟臣(출出)
녀女 남유상南有常
1696~1728
매신梅臣
1689~1740
기국헌杞菊軒 예안현감禮安縣監
중조重朝(출出)
해조海朝
(자자동字子東)
1660~1711
명암鳴岩 양양부사襄陽府使
전라감사全羅監司
징신徵臣
(자백량字伯良)
1680~1728
기보器輔
(자자안字子安)
1700~1723
가상嘉相
1615~1637
빙헌氷軒
강도江都 순절殉節
중조重朝(계系)
1653~1674
백운거사白雲居士
주신舟臣(계系)
1674~1735
옥천군수沃川郡守
김만기金萬基 녀女
1673~1733
녀女 심사주沈師周
1691~1757
한송재寒松齋
전주부사全州府使
천보天輔
1698.5.5~1761
진암晋菴 영상領相
단상端相
1628~1669
정관재靜觀齋
부제학副提學
이녀二女 김창협金昌協
1651~1708
농암農岩 부제학副提學
예판禮判
김숭겸金崇謙
1682-1760
희조喜朝
1655~1724
간암艮菴 지촌芝村
찬선贊善
김수흥金壽興 녀女
양신亮臣
1689~1739
대사헌大司憲
헌보獻輔
1709~1731
삼녀三女 민진후閔鎭厚
1659~1720
지재趾齋 제학提學 좌참찬左參贊
사녀四女 송징오宋徵五
1663~1715
녀女 조적명趙迪命
1685~1757
예참禮參
송인명宋寅明
1689~1746
장밀헌藏密軒 제학提學 좌상左相

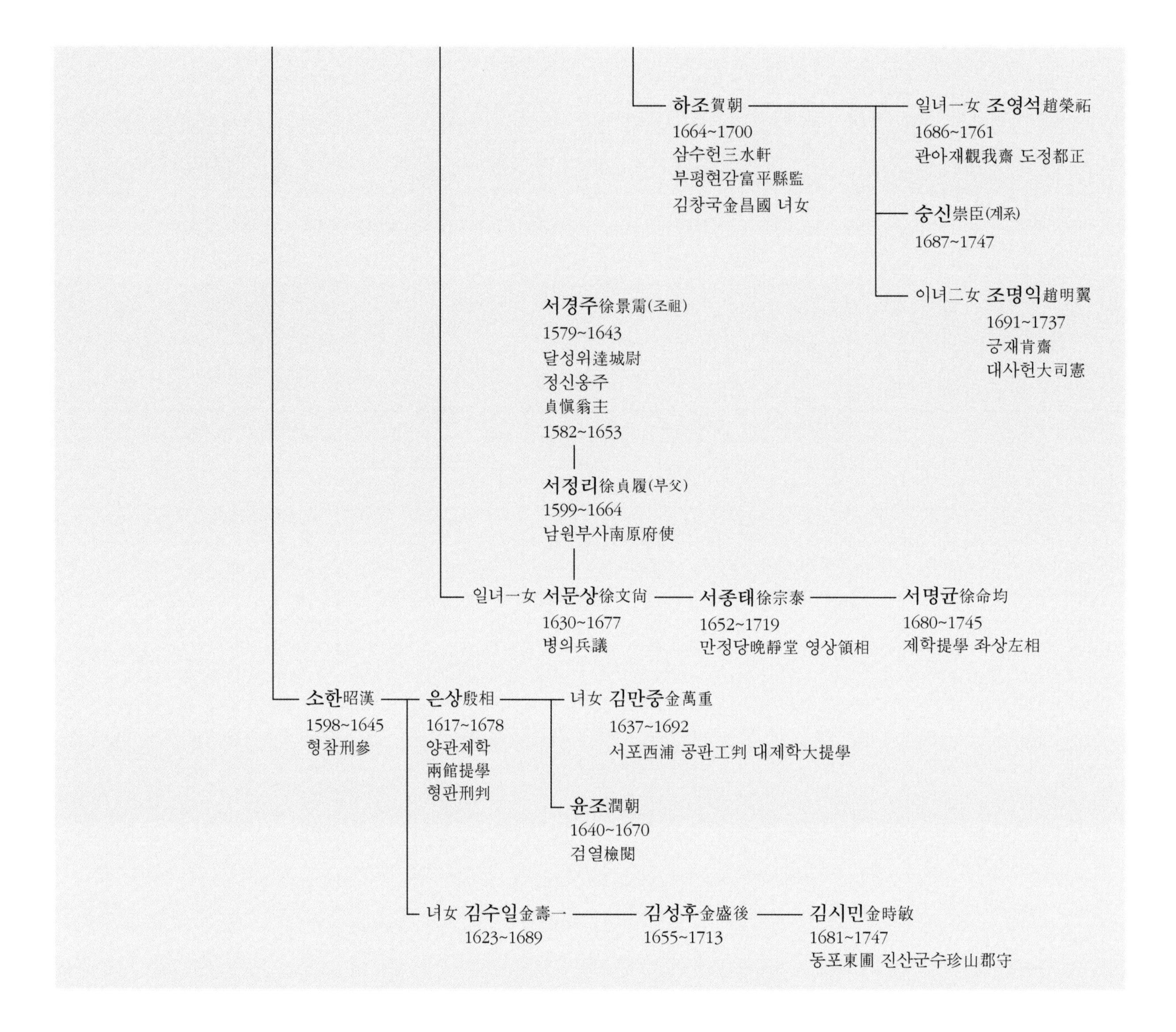
하조賀朝
1664~1700
삼수헌三水軒
부평현감富平縣監
김창국金昌國 녀女
일녀一女 조영석趙榮祏
1686~1761
관아재觀我齋 도정都正
숭신崇臣(계系)
1687~1747
이녀二女 조명익趙明翼
1691~1737
긍재肯齋
대사헌大司憲
서경주徐景霌(조祖)
1579~1643
달성위達城尉
정신옹주
貞愼翁主
1582~1653
서정리徐貞履(부父)
1599~1664
남원부사南原府使
일녀一女 서문상徐文尙
1630~1677
병의兵議
서종태徐宗泰
1652~1719
만정당晩靜堂 영상領相
서명균徐命均
1680~1745
제학提學 좌상左相
소한昭漢
1598~1645
형참刑參
은상殷相
1617~1678
양관제학
兩館提學
형판刑判
녀女 김만중金萬重
1637~1692
서포西浦 공판工判 대제학大提學
윤조潤朝
1640~1670
검열檢閱
녀女 김수일金壽一
1623~1689
김성후金盛後
1655~1713
김시민金時敏
1681~1747
동포東圃 진산군수珍山郡守

대물려 200년 사니, 나 역시 여기서 나고 자랐다.

형제들 집을 맞대어 살고, 뜰 안은 몇 무畝로 넓다.

집안이 가난하다 한탄할 수 없으니, 욕되게도 먼저 황폐함을 부끄러워해야 하겠네.

北里順化坊, 終古白嶽山. 第宅多名賢, 車馬盛當年.

上世居栗牛, 近代有農淵. 聽松又白麓, 有堂兼有田.

仙源與淸陰, 舊宅亦此間. 青楓好澗壑, 老檜遺祠前.

門巷深楡柳, 樓臺饒風烟. 簫灑遠心庵, 寂寞在山巓.

我昔携友朋, 徜徉日閑閑. 人事無古今, 往跡夢依然.

先祖自南土, 義谷稱歸鞅. 夙講性命學, 永斷功名想.

兩賢道義交, 切磋相還往. 世居二百年, 我亦此生長.

兄弟接屋居, 庭宇數畝廣. 家貧不足歎, 忝先愧鹵莽.

趙榮祏, 『觀我齋稿』 卷一, 次歸田園居韻

동야東野 김양근金養根(1734~1799)의 「풍계집승기楓溪集勝記」에서도 이렇게 기술해 놓고 있다.

청풍계靑風溪는 우리 선세의 옛 터전인데 근래에는 선원선생의 후손이 주인이 되었다. 경성京城 장의동壯義洞 서북쪽에 있으니 순화방順化坊 인왕산 기슭이다. 일명 청풍계靑楓溪라고도 하는데 풍楓으로 이름 지어 말함에는 반드시 그 뜻이 있겠으나 지금 상고할 길이 없다. 대체 백악산이 그 북쪽에 웅장하게 솟아 있고 인왕산이 그 서쪽으로 둘러쌓았다.

한 시내가 우레처럼 돌아내리고 세 연못이 거울처럼 열려 있다. 서남쪽 뭇 봉우리들은 수풀과 골짜기가 더욱 아름다우니, 계산溪山의 아름다움으로는 도중都中에서 가장 뛰어날 것이다. 서리서리 꿈틀거려 내려온 언덕을 혹은 와룡강臥龍岡이라 일컫는데 실은 집 뒤 주산主山이 되고 그 앞이 곧 창옥봉蒼玉峯이다.

창옥봉 서쪽 수십 보에는 작은 정자가 날아갈 듯이 시내 위에 올라앉아 있다. 띠로 지붕을 이었는데 한 간은 넘을 듯하고 두 간은 못 되나 수십 인이 앉을 수 있는 것이니 태고정太古亭이다. 오른쪽으로 청계淸溪를 끼고 왼쪽으로는 삼각산을 끌어들이거늘, 당자서唐子西의 '산이 고요하니 태고太古와 같다山靜似太古'는 구절을 취하여 그것으로 이름 지었다.

늙은 삼나무 몇 그루와 푸른 소나무 천여 그루가 있어 앞뒤로 빽빽이 에워 쌓았고 정자를 따라서 왼쪽에 세 못이 있는데 모두 돌을 다듬어서 네모나게 쌓아 놓았다. 정자 북쪽의 구멍으로 시냇물을 끌어 들여 바위바닥으로 흘러들게 하니 첫째 못이 다 차고 나면 그 다음 못이 차고 그 다음 못이 다 차고 나면 다시 셋째 못으로 들어가게 되었다. 위 못을 조심지照心池라 하고, 가운데를 함벽지涵碧池라 하며 아래를 척금지滌衿池라 한다. 우리 낙재樂齋 선조(김영金瑛, 1475~1528)께서 또 삼당三塘이라고 호를 쓰신 것은 이 때문이다.

함벽지의 왼쪽에 큰 돌이 있는데 평평하고 반듯한 표면은 두께가 서로 비슷하고 사방 넓이는 흡사 자리 몇 닢을 펴놓은 듯하여 가히 앉아서 거문고를 탈 수 있으므로 처음부터 부르기를 탄금석彈琴石이라 했다. 듣건대 충주忠州 탄금대彈琴臺로부터 조선漕船을 따라온 것이라서 그렇게 이름 지었다고 하니 역시 그 유적이었기 때문이다. 탄금석의 왼쪽에 4간의 마루와 2간의 방이 있는데 방 앞은 또 반간 툇마루로 되었으니 곧 이른바 청풍지각靑楓池閣이다. 우리 창균蒼筠 선조 김기보金箕報(1531~1599, 청송聽松·퇴계문인退溪門人)께서 남쪽으로 돌아오신 뒤에 드디어 선원께서 꾸며 사시던 곳이다.

각액閣額은 한석봉韓石峯 호濩(1543~1605)의 글씨이며 또 들보 위에 '청풍계淸風溪' 삼자三字를 걸어 놓고 붉은 깁으로 둘러놓은 것은 선조宣祖(1552~1608) 어필이고, 각閣의 동쪽이 소오헌嘯傲軒이 되는데 곧 도연명陶淵明(365~427, 이름은 잠潛, 자가 연명이다) 시 '휘파람 불며 동헌東軒을 내려오니, 문득 다시금 이 삶을 얻은 듯하다嘯傲東軒下, 聊復得此生'는 뜻이다. 헌軒의 오른편은 온돌방으로 되었는데, 방안의 편액은 와유암臥遊菴으로 했으니 종소문宗少文(375~443, 이름은 병炳, 자는 소문이다)의 '명산名山을 누워서 유람한다臥遊名山'는 뜻으로 산속 경치를 베개 베고 다 바라볼 수 있다.

남쪽 창문 문미門楣 위에는 소현세자昭顯世子(1612~1645)께서 쓰신 '창문을 물 떨어지는 쪽에 내고 흐르는 물소리 듣는데, 길손은 외로운 봉우리에 이르러 흰구름을 쓴다窓臨絶磵聞流水, 客到孤峯掃白雲' 는 시를 새겨 걸었다. 비교할 수 없는 경지임을 상상할 만하다.

마당 남쪽에는 수백 길 되는 큰 전나무가 있으니 나이가 수백 년은 됨 직하나 한 가지도 마르지 않아서 보기 좋다. 서쪽 창문 밖의 단상壇上에는 두 그루 묵은 소나무가 있어 서늘한 그늘을 가득 드리우는데 특히 달밤에 좋아 송월단松月壇이라고 부른다. 단壇의 북쪽은 석벽石壁이 그림 병풍 같고 세 그루 소나무가 있다. 형상이 누워 덮은 듯하여 창옥병蒼玉屛이라 하니, 청음淸陰께서 시로 읊으시기를 '골짜기 수풀은 그대로 수묵화인데, 바위벼랑 스스로 창옥병蒼玉屛 이루었구나林壑依然水墨圖, 岩厓自成蒼玉屛'라 하셨다. 또한 화병암畵屛岩이라고도 한다.

회심대會心臺는 태고정 서쪽에 있으며 무릇 3층인데, 진간문眞簡文이 이른바 '마음에 맞는 곳이 꼭 멀리 있어야 하는 것은 아니다會心處, 不必在遠者也'라는 뜻이다. 회심대의 왼쪽 돌계단 뒤에 늠연사凜然祠가 있으니 곧 선원仙源의 영정을 봉안한 곳이다. 사당 앞 바위 위에 '대명일월大明日月'이라는 4글자를 새긴 것은 우암尤庵 송선생宋先生의 글씨다.

천유대天遊臺는 회심대 위에 있는데 푸른 석벽이 우뚝 솟아 저절로 대를 이루었으며, 일명 빙허대憑虛臺라고도 하니 근처의 빼어난 경치를 모두 바라볼 수 있다. 석벽 위에 주자朱子의 '백세청풍百世淸風' 4글자가 새겨져 있으므로 청풍대淸風臺라고도 한다.

淸風溪 吾先世舊居, 而近爲仙源先生後承所主. 在京城壯義洞西北, 坊是順化, 麓是仁王, 一名靑楓溪. 以楓名言, 必有其義, 而今未可攷. 盖白嶽雄峙於其北, 仁王環擁於其西, 一溪雷轉, 三塘鏡開, 西南諸峯, 林壑尤美, 溪山之勝, 殆甲於都中. 蟠龍之岡, 或稱臥龍, 實爲屋後主山. 其前卽蒼玉峯也.

峯西數十步, 爰有小亭, 翼然臨于溪上, 用茅覆之, 一間有餘, 二間不足, 可坐數十人者, 太古亭也. 右挾淸溪, 左挹華岳, 取唐子西, 山靜似太古之句名之. 有老杉數株 碧松千章, 前後森蔚, 循亭而左有三池, 皆鍊石而方築之. 自亭北穴, 引溪流于岩底, 一池旣盈又入第二池, 二池旣盈, 又入第三池. 上曰照心, 中曰涵碧, 下曰滌衿. 我樂齋先祖之又號三塘以此.

涵碧之左, 有大石, 平正其面, 厚薄相等, 廣袤恰如數席布, 可坐彈琴, 故刱名曰彈琴石. 聞自忠之彈琴臺, 隨漕船來者而名之, 亦以其蹟也. 彈琴之左, 有四間堂二間房, 房前又爲半間軒, 卽所謂青楓池閣. 我蒼筠先祖南還後, 遂爲仙源粧點者也. 閣額韓石峯濩筆, 又於梁上, 揭淸風溪三字, 籠之以紅紗者, 宣祖御筆, 而閣之東, 爲嘯傲軒, 卽陶詩 嘯傲東軒下, 聊復得此生之意也. 軒右爲溫室, 室中扁以臥遊庵, 用宗少文 臥遊名山之義, 山內勝槪, 枕上可盡.

南窓楣上, 刻揭 昭顯世子所書, 窓臨絶磵聞流水, 客到孤峯掃白雲之詩, 境絶可想也. 庭南有數百丈大檜, 年可數百, 而無一枝向衰, 可喜. 西窓外壇上, 有二株古松, 凉陰滿地, 最宜月夜, 名曰松月壇. 壇之北 石壁如畵屛, 有三松, 狀如偃盖者, 爲蒼玉屛. 淸陰詩曰. 林壑依然水墨圖, 岩厓自成蒼玉屛, 亦名畵屛岩.

會心臺, 在太古西, 凡三層, 眞簡文所謂 會心處 不必在遠者也. 會心之左 石磴上 有凜然祠, 則仙源影子奉安處也. 祠前石面, 刻大明日月四字者, 尤庵宋先生筆. 天遊臺, 在會心上, 翠壁斗起, 自然成臺, 一名憑虛, 一區形勝盡輸于此. 壁面 刻朱夫子百世淸風四大字, 故又名淸風臺.

金甯漢,『安東金氏文獻錄』第三册 己編卷之四, 文忠公府君四 宅廬, 金養根, 楓溪集勝記

청음淸陰의 저택에 관해서는 곡운谷雲 김수증金壽增(1624~1701)이 「청음유사淸陰遺事」에서 다음과 같이 밝혀 놓았다.

서울 안 집은 백악산白岳山 아래 있는데 5대 조 서윤庶尹(평양서윤平壤庶尹 번璠, 1479~1544)공의 옛 터전이다. 지은 바가 겨우 10간間이고 중문中門 밖에 또 작은 간이 있으며 외문外門은 짓지 않았다. 조부께서 항상 소재小齋에 거처하셨는데 벽에는 한호韓濩(1543~1605)의 '악록유거岳麓幽居' 4대자大字와 '최락재最樂齋' 3자字와 중화인 장만선張萬選이 쓴 바 '청음서실淸陰書室' 4자字가 있고 또 '군은여산君恩如山◆하고 신심여수臣心如水◆하니, 재차무역在此無斁◆이요, 재피무오在彼無惡◆' 라는 팔분자八分字가 있다.

뜰에는 오동나무 한 그루와 살구나무 몇 그루가 있고 동남쪽에 섬돌이 있으며 섬돌 위에 모란 10여 포기가 있는데 심히 무성했다. 작약 몇 포기 붉은 장미 한

◆**군은여산**君恩如山
임금의 은혜는 산과 같고

◆**신심여수**臣心如水
신하의 마음은 물 같으니

◆**재차무역**在此無斁
이에 있어서 싫어함이 없고

◆**재피무오**在彼無惡
저에 있어서 미워함이 없다.

무더기 이외 다른 물건은 없다. 뜰 안과 집을 깨끗이 쓸고 닦아 먼지 한 점 이르지 않았다.

京裡居第, 在白岳下, 是五代祖庶尹公舊基也. 所構纔十間, 中門外, 又有小間, 不設外門. 祖考恒處小齋, 壁有韓濩岳麓幽居四大字, 最樂齋三字, 華人張萬選所寫, 清陰書室四字, 又有君恩如山臣心如水, 在此無斁在彼無惡, 八分字. 庭有梧桐一株, 杏木數株, 東南有階, 階上有牧丹十餘本, 甚盛. 芍藥數莖, 紫薔薇一叢, 此外無他物. 灑掃庭宇, 一塵不到.

金甯漢,『安東金氏文獻錄』第一册 甲編卷之五, 文正公府君一 壯德, 金壽增, 清陰遺事

또 임천조씨林川趙氏가 대은암동大隱岩洞에 터 잡아 사는 과정을 그 족보族譜에서 추적해 보니 군자감정軍資監正 조익趙翊(1474~1547) 난에 다음과 같은 내용이 실려 있다.

익翊. 자字는 익지翊之. 성종 5년(1474) 갑오생. 홍치弘治 17년 연산燕山 10년(1504) 갑자식년 정시문과甲子式年庭試文科. 벼슬은 군자감정에 이르다. 공公은 대대로 진잠鎭岑 구봉산九峯山 아래 수곡리樹谷里에서 살았는데 평생 살며 몸을 단속해 사물을 접하고 자제子弟에게도 법도가 있어 문무文武의 재주로 드러냄을 일삼지 않고 또 효도와 우애에 독실하며 각각 그 그릇을 다하게 가르치니 네 아들이 모두 과거에 등제하여 세상은 공의 5부자父子가 일시에 과거로 드러남으로써 명예롭고 부러워하지 않음이 없었다. 만년晩年에 한성漢城의 북쪽 창의문彰義門 안으로 이사해서 살기 시작했다. 집은 경복궁景福宮 신무문神武門 밖 대은암동大隱岩洞에 있었다.

『성원총록姓苑叢錄』에서 이르기를 공公의 처남인 민수천閔壽千, 수원壽元 등이 남곤南袞과 한 떼가 되어 공을 이끌어 그 당黨에 넣으려고 백 가지로 꼬드겼으나 공은 정도를 지켜 흔들리지 않고 남곤의 문전門前에 한 번도 발걸음을 하지 않으니 이로 말미암아 크게 미워하여 조정에서 현달顯達할 수 없었으나 성품이 본디 순수하고 말이 없었으며 행동이 모나고 급하지 않았던 까닭에 기묘사화己卯士禍에서 벗어날 수 있었다.

翊, 字翊之, 成宗五年甲午生, 弘治十七年燕山十年, 甲子式庭試文科, 官至軍資監正. 公世居鎭岑九峯下樹谷里, 平居律身接物, 子弟有法, 以文武之才, 不事表襮, 又篤孝友, 教各盡其器, 四子皆登科第, 世以公五父子一時科顯, 莫不榮艷. 晩年移於漢城之北 彰義門, 而始居焉, 家在景福宮 神武門外 大隱岩洞. 姓苑叢錄云, 公之妻男 閔壽千壽元等, 與南袞爲一隊, 欲援公入其黨, 誘百端, 公守正不撓, 一不踵袞門, 由是大忤, 不能顯於朝, 而性本純默, 行不矯激, 故能免於己卯士禍.

林川趙氏宗親會, 『林川趙氏大同世譜』 卷一, 翊條, 1988[참고9]

본디 대은암동大隱岩洞이라는 동네 이름은 중종 때 명문장名文章이자 간신奸臣으로 기묘사화를 일으킨 장본인인 영의정 지정止亭 남곤南袞이 이곳에 터 잡아 살았던 데서 유래한다고 한다. 어숙권魚叔權은 『패관잡기稗官雜記』 권2에서 그 사실을 다음과 같이 기술하고 있다.

남지정南止亭 곤袞(1471~1527)이 백악산록에 집을 지으니 그 북쪽 동산은 천석泉石의 빼어남이 있었다. 박취헌朴翠軒 은誾(1479~1504)이 매양 이용재李容齋 행荇(1478~1534)과 더불어 술을 가지고 가서 놀았는데, 지정止亭은 승지로 새벽에 들어가서 밤에 돌아오므로 문득 더불어 놀 수 없었다.

취헌翠軒이 장난으로 그 바위를 대은大隱이라 하고 그 시내를 만리萬里라 했다. 대개 그 바위가 주인이 알아주는 바 되지 못하니 그런 까닭으로 대은大隱이 되는 것이며, 시내는 만 리 밖 멀리에 있는 것 같다 해서 그렇게 일컬었다 한다.

南止亭袞, 家于白嶽山麓, 其北園有泉石之勝. 朴翠軒誾, 每與李容齋荇, 携酒從遊, 止亭以承旨, 晨入夜歸, 輒不得偕. 翠軒戲名其岩曰大隱, 瀨曰萬里. 盖岩未爲主人所知, 所以爲大隱, 而瀨若在萬里之遠云爾.

그래서 이후부터는 이 동네를 대은암동大隱岩洞이라 했는데 순조 때 유득공柳得恭(1748~1807)의 자제인 유본예柳本藝가 지은 『한경지략漢京識略』 권2에서는 이 대은암 곁에서 구봉龜峯 송익필宋翼弼(1534~1599)이 탄생했다 하고 있다. 송구봉은 율곡栗谷, 우계牛溪 양선생과 뜻을 같이하던 집우執友로 사실상 율곡학파栗

谷學派를 수립하는 막후 실력자였다.

불행하게도 그 부친 송사련宋祀連과 모친 막덕莫德이 재상 안당安塘(1460~1521)가家의 노비 출신이라 정면에 나서지는 못했지만 율곡의 수제자인 사계沙溪 김장생金長生(1548~1631)을 비롯하여 중봉重峯 조헌趙憲(1544~1592), 약봉藥峯 서성徐渻(1558~1631), 용계龍溪 이영원李榮元(1565~1623) 등 율곡학파의 맹장들이 거의 모두 그의 제자들이다.

그러니 대은암동에는 남곤의 집 외에도 안당의 집이 있었던 것을 알 수 있겠는데, 구봉이 출생했다는 안당가의 행랑채가 유본예 당시인 순조 때까지도 그대로 남아 있었다고 한다. 그 내용을 그대로 옮기면 다음과 같다.

> 대은암. 대은암은 옛날 남곤 집터인데 바위 곁에 행랑채가 있으니 곧 송구봉 익필의 소생처다. 그 행랑채가 아직도 있어 사람들이 지금도 널리 이를 일컫는다. 정송강 철, 성청송 수침의 옛집도 있다.
>
> 大隱巖. 巖卽舊時南袞家基, 而巖傍, 有屋廊, 乃宋龜峯翼弼所生處. 其廊屋 尙在, 人今博稱之. 又有鄭松江澈 成聽松守琛舊宅.
>
> 『漢京識略』 卷二, 各洞 孟監司峴.

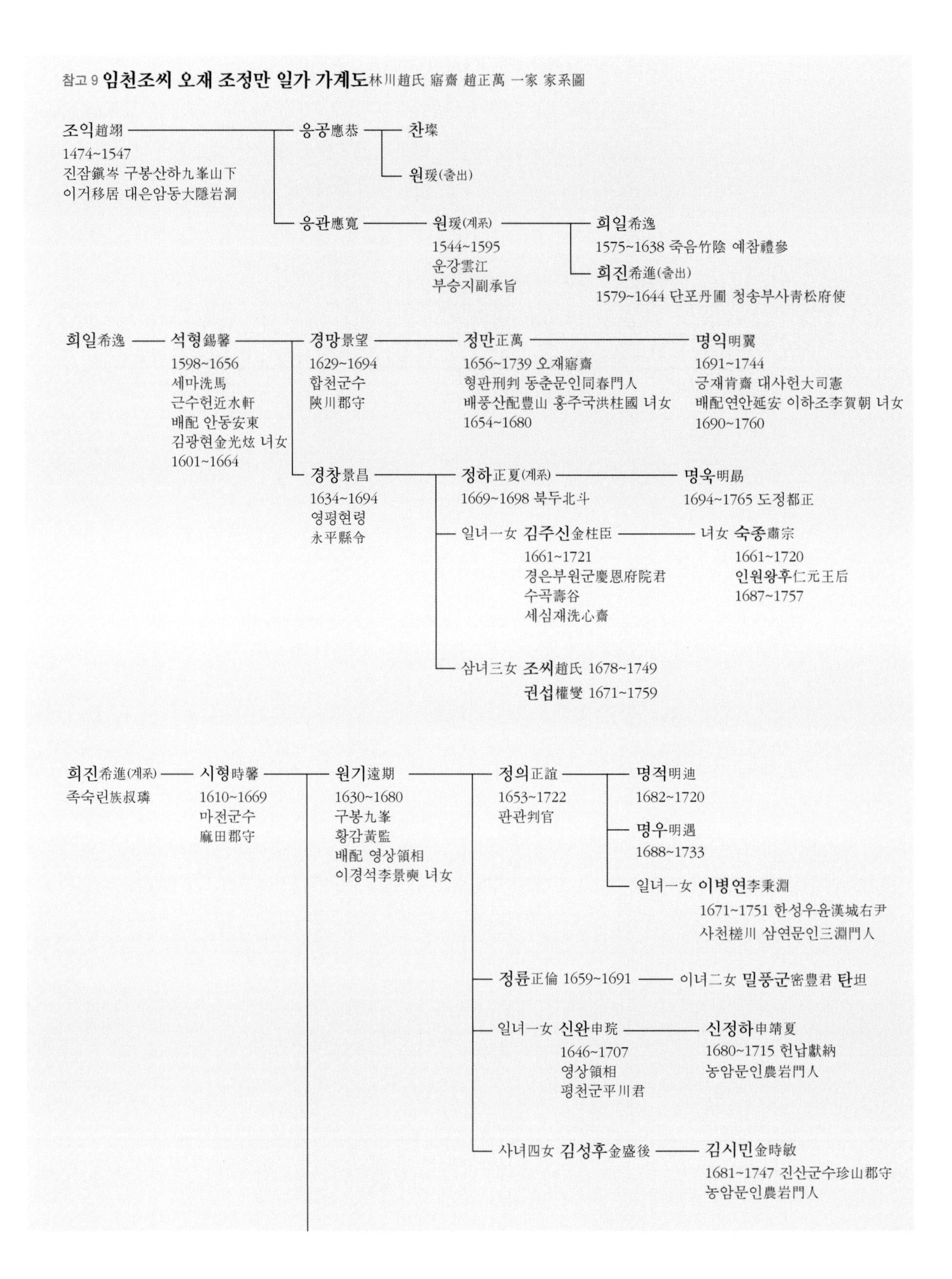

참고 9 **임천조씨 오재 조정만 일가 가계도** 林川趙氏 寤齋 趙正萬 一家 家系圖

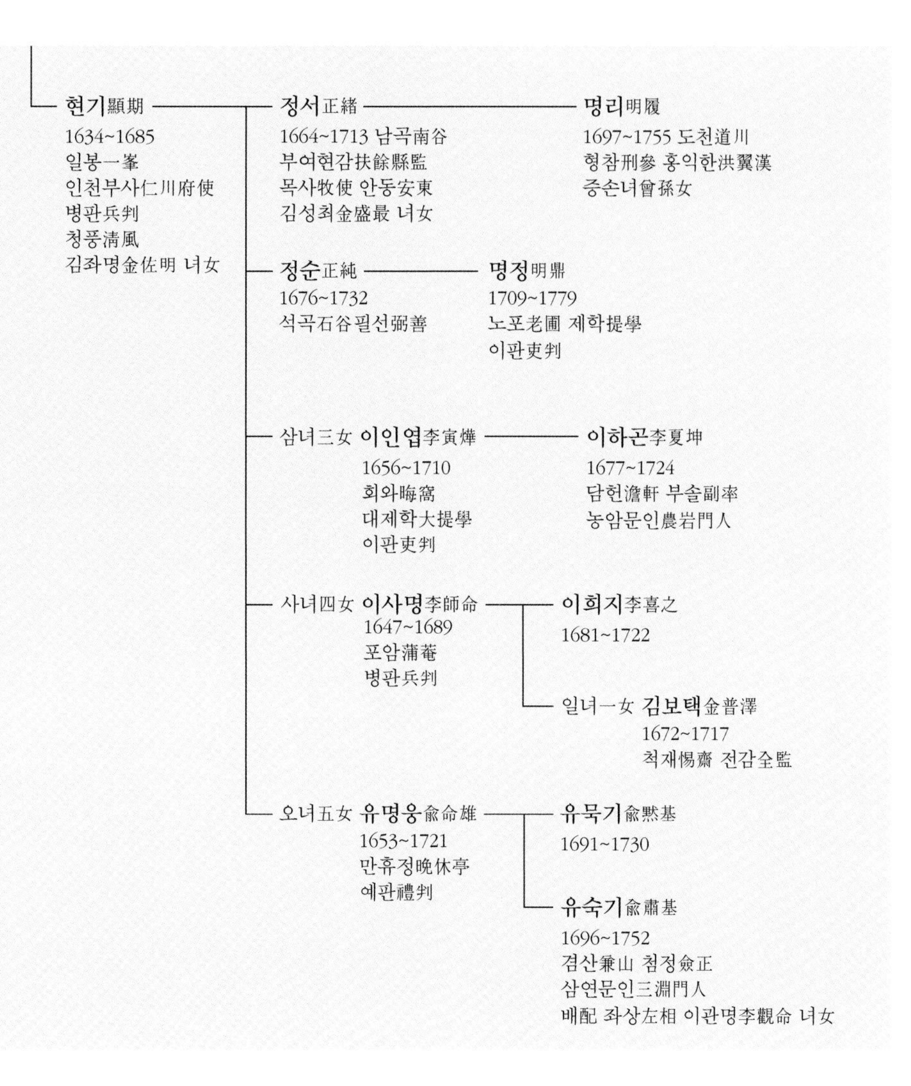
현기顯期
1634~1685
일봉一峯
인천부사仁川府使
병판兵判
청풍淸風
김좌명金佐明 녀女
정서正緖
1664~1713 남곡南谷
부여현감扶餘縣監
목사牧使 안동安東
김성최金盛最 녀女
명리明履
1697~1755 도천道川
형참刑參 홍익한洪翼漢
증손녀曾孫女
정순正純
1676~1732
석곡石谷 필선弼善
명정明鼎
1709~1779
노포老圃 제학提學
이판吏判
삼녀三女 이인엽李寅燁
1656~1710
회와晦窩
대제학大提學
이판吏判
이하곤李夏坤
1677~1724
담헌澹軒 부솔副率
농암문인農岩門人
사녀四女 이사명李師命
1647~1689
포암蒲菴
병판兵判
이희지李喜之
1681~1722
일녀一女 김보택金普澤
1672~1717
척재惕齋 전감全監
오녀五女 유명웅兪命雄
1653~1721
만휴정晩休亭
예판禮判
유묵기兪默基
1691~1730
유숙기兪肅基
1696~1752
겸산兼山 첨정僉正
삼연문인三淵門人
배配 좌상左相 이관명李觀命 녀女

3

조선성리학朝鮮性理學

원래 조선왕조는 개국 당초에 주자성리학朱子性理學을 국시國是로 천명하여 전대의 주도 이념이던 불교조차 강력하게 배척한 단일이념국가였다. 주자성리학은 우주생성원리를 불변적 요소인 이理와 가변적可變的 요소인 기氣의 상호작용으로 보고 인성人性과 물성物性이 모두 그에 의해 결정되니 부선억악扶善抑惡◆으로 인물人物의 성정性情을 다스려야 된다고 하는 유교철학이다. 그런데 주자朱子단계에서는 이기理氣의 상호작용 시에 불변적 요소인 이理 자체도 기氣의 작용에 감응하여 변화한다는 이기이원론理氣二元論이었다.

◆ **부선억악**扶善抑惡 선을 붙들고 악을 억제함

이런 성리학을 조선에서 완벽하게 이해하는 것은 퇴계退溪 이황李滉(1501~1570)대에 이르러서였다. 그런데 퇴계의 바로 다음 세대인 율곡栗谷 이이李珥(1536~1584)는 이를 발전적으로 계승하여 이기理氣의 상호작용 시에도 이는 불변하고 기의 작용에 편승할 뿐이라고 하는 기발이승설氣發理乘說을 주장하여 만물의 성정이 기의 변화에 따라 결정된다는 이기일원론理氣一元論으로 심화시킨다.

이는 중국사람들이 상상하지 못하던 신학설이었으므로 이제부터 율곡의 성리학은 조선 고유사상인 조선성리학朝鮮性理學이라고 부르지 않을 수 없게 되었다. 이런 혁신적인 고유사상 체계가 확립되자 이를 추종하는 학자들이 구름 모이듯 하여 한 학파를 형성하니 이들이 서인西人이다.

이에 반하여 보수적인 퇴계학설을 묵수하는 퇴계 제자군과 비순정 성리학자들인 화담花潭 서경덕徐敬德(1489~1546)이나 남명南冥 조식曹植(1501~1572)의 제자군들이 연합한 것이 동인東人인데, 그 중에서 순정주자학파인 퇴계계가 분리되어 남인南人을 표방하고 화담과 남명계가 북인北人이 된다. 북인은 다시 화담계의 소북小北과 남명계의 대북大北으로 나뉘어져 선조 말년과 광해군시대에 정권을 천단하지만 결국 혁신 이념 집단인 서인이 주축이 되고 보수적 순정성리학파인 남인이 동조해 일으킨 혁명인 인조반정仁祖反正으로 완전 타도된다. 이후 이들 북인들은 대부분 다시 남인으로 흡수되니 뒷날 기호남인畿湖南人들이란 대체로 보수 반동적인 색채가 농후한 소북계열이 주축을 이룬다.

어떻든 율곡에 의해서 고유사상인 조선성리학 체계가 확립되자 이를 바탕으로 하여 율곡학파에서는 문화 전반에 걸쳐 조선 고유색을 드러내는 운동을 전개하기 시작했다. 우선 문학에서 율곡의 평생지기인 송강松江 정철鄭澈(1536~1593)이 한글 가사문학으로 국문학 발전의 서막을 장식하고, 간이簡易 최립崔笠(1539~1612)은 독특한 문장 형식으로 조선 한문학의 선구를 이루었다.

조형예술 분야에서는 석봉石峯 한호韓濩(1543~1605)가 나와 조선 고유의 서체書體인 석봉체石峯體를 이루어 냈다.[삽도5] 그림에서도 조선 고유색을 드러내고자 조선성리학파들은 화원인 이신흠李信欽(1570~1631)에게 진경眞景사생을 부탁했지만 기법적으로 아직 중기 화풍의 형식주의를 탈피하지 못해 이는 실패로 끝나고 만다. 진경사생에 적합한 새로운 화법을 창안해 내는 것은 이제 능력 있는 사대부士大夫화가의 출현을 기다려야만 했다.

그런데 그런 사대부 화가가 조선성리학파에서 출현했다. 우계牛溪 성혼成渾의 제자인 풍옥헌風玉軒 조수륜趙守倫(1555~1612)의 자제로 인조반정에 약관 29세로 참여했던 창강滄江 조속趙涑이었다. 그는 광해난정시光海亂政時에 억울하게 옥사한 부친의 원수를 갚고 정당한 혁신이념을 사회에 구현해 내기 위해 인조반정에 참여는 했지만 그것이 성공되자 세속적인 명리를 초개같이 버리고 지극한 국토애를 가지고 전국의 명승지를 유람하면서 그 아름다운 산천을 시화詩畵로 사생寫生해 내는 것을 평생의 업으로 삼았다. 그래서 진경시화眞景詩畵의 선구를 이루면서 우리 산하山河를 표현하는 데 적합한 화법 창안에 골몰했던 듯하다.

창강이 진경산수화를 어떻게 그려 내고 있었으며, 그 내용과 형식이 어떤 것이었는지는 영의정 약천藥泉 남구만南九萬(1629~1711)의 자제로 서화를 몹시 좋아했던 회은晦隱 남학명南鶴鳴(1654~1722)이 남긴 기록들에서 확인할 수 있다.

그 첫째가 「조창강趙滄江이 손수 그린 화첩畵帖 뒤에 제題함題趙滄江江手畵帖後」이라는 글인데 옮기면 다음과 같다.

謂語助者
焉哉乎也
萬曆十一年正月 日副司果臣韓濩奉
教書

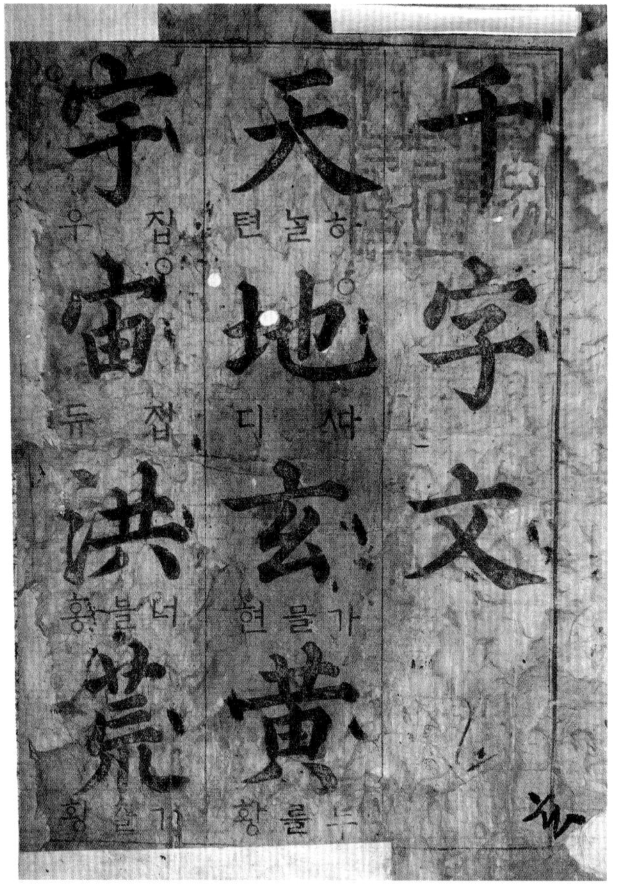
千字文
天地玄黃
宇宙洪荒

한석봉韓石峯 천자문千字文 삽도5
한호韓濩 봉교서奉教書,
1583년 초간본初刊本,
목판서책木板書册, 27.1×41.8cm,
김법안金法眼 소장.

오른쪽의 작은 종이에 그린 여러 종류의 그림 9폭은 창강滄江 조趙 공의 희필戲筆◆이다. 그 맏아들 운지耘之(조지운趙之耘의 자字, 1637~1691)는 내가 이를 몹시 좋아하는 성벽이 있으므로 기쁘게 나눠 주면서 이르기를 '이는 우리 선인(창강)이 사람들과 더불어 함께 좋아하시던 뜻이다' 라고 했다.

그리고 이어 이렇게 말했다. '공(창강)은 매양 나가 돌아다니다 비록 한 돌 한 물의 빼어남이라 하더라도 문득 말을 내려앉아서 꾸밈없는 마음으로 눈앞의 광경을 그려 냈었는데 이는 곧 금강산, 오대산 및 삼일포三日浦를 사생한 바의 것'이라고 했다.

그 쓸쓸하고 간결하며 아득한 모습과 한가로이 터득해 낸 뜻이 법식에 얽매이지 않아서 스스로 미칠 수 없는 것이 있으니 종이와 붓 쓰는 그 묘처를 의논해 형상 짓기에는 어려움이 있다. 「난정서蘭亭叙」의 초본에 스스로 정신이 모여 있었

◆**희필**戲筆
붓장난으로 그린 그림

던 것을 여기에서 더욱 증험하겠다.

계유(1693) 국추菊秋(9月)에 파담소정琶潭小亭에서 펼쳐 보고 생각을 날리며 흥에 겨워하기를 여러 날 하니, 진실로 그림에 있지 않고 그 경치에 있었으며 다만 경치에만 있지 않고 그 사람에 있었다. 어찌 선가禪家의 삼매법三昧法이라는 것이라고만 하겠는가.

右小紙雜畵凡九幅, 滄江趙公戲筆也. 其胤耘之, 以我癖於斯, 欣然分與曰, 此吾先人, 與人同好之意也. 仍言公每出遊, 雖一石一水之勝, 輒下馬而坐, 率意畵出眼前光景, 此卽金剛 五臺 及三日浦所寫者云. 其蕭散簡遠之態, 悠然自得之趣, 不拘拘於尺度之間, 而自有不可及者, 有難以楮毫蹊逕, 論狀其妙處. 蘭亭草本, 自有神會者, 於此益驗矣. 癸酉菊秋, 展閱於琶潭小亭, 緬想興嗟者累日, 固不在於畵, 而在於境, 不但在於境, 而在於其人. 豈禪家三昧法者耶.

南鶴鳴,『晦隱集』卷二, 題趙滄江手畵帖後

그 다음이 잡설雜說 속에 들어 있는 내용인데 옮겨 보겠다.

나는 일찍이 세번 풍악에서 노닐었다. 제일은 갑진(1664)년 가을이니 금성金城 현아로부터 조고祖考◆를 따라 입산했다가 정양사正陽寺에서 그치고 돌아왔다. 제이는 임자壬子(1672)년 가을에 가군家君◆의 관북얼사關北臬司◆로부터 서울로 돌아오면서 내처 들어가 마하연摩訶衍에 이르렀다 돌아왔다. 제삼은 갑인년(1674) 봄에 서울로부터 관북으로 들어가다가 추지령楸池嶺으로부터 총석정, 삼일포, 감호鑑湖 등지에서 놀고 온정溫井, 동석동動石洞으로부터 들어가 발연사鉢淵寺에 이르렀다 돌아왔다. 대개 내외산 맥락에 걸칠 수 있었다.

◆ **조고**祖考 돌아간 조부

◆ **가군**家君 부친

◆ **관북얼사**關北臬司 함경도 감영

이 산은 이름으로 천하를 움직였으니 마땅히 도경圖經◆이 있어 세상에 전해야 하련만, 우리 동쪽나라에 일 벌이기를 좋아하는 사람이 없었던지 고요해 들리지 않는다. 해주목사를 지낸 홍석구洪錫龜(1621~1679)가 문장력이 있고 겸해서 그림에 능했었는데 늘 말하기를 내가 죽기 전에 한 번 (금강)산중에 노닌다면 가히 그려 낼 수 있으리라 하더니 갑자기 돌아가고 말았다.

◆ **도경**圖經 그림책

신유년(1681) 여름에 마침 조운지趙耘之와 더불어 말하는데 그 선고 창강공이 그린 바 〈금강산도〉 여러 폭을 꺼내 보인다. 1은 〈장안사長安寺〉, 2는 〈장안사동북망長安寺東北望◆〉, 3은 〈벽하담碧霞潭〉, 4는 〈표훈사表訓寺〉, 5는 〈표훈사문루동망表訓寺門樓東望◆〉, 6은 〈자마하연북망自摩訶衍北望◆〉, 7은 〈마하연동남망摩訶衍東南望◆〉, 8은 〈삼일정동망三日亭東望◆〉으로 모두 각기 한쪽 면의 모습만 그려서 『해내기관海內奇觀』(명明 양이증楊爾曾 편)의 예와 같았다.

대개 금강산은 일만이천봉이 한데 모여 구름을 배출하니 굽이마다 풍취를 달리하는데 만약 한 폭으로 합쳐 그리면 서로 가리고 눌러서 그 면목을 모두 다 드러내지 못한다. 판서 이홍연李弘淵(1604~1683)이 일찍이 강원감사가 되어(1661년 6월~1662년 6월) 스스로 일컫기를 〈(금강산)묘리총도妙理總圖〉 큰 족자 하나를 얻었다 하고 창강에게 보이니 창강은 이렇게 말했다 한다.

'만약 솔개나 매가 공중에 뜬 것 같이 몸이 하늘에 있어 본다면 다 알 수 있겠지만, 지팡이 짚고 짚신 신어 찾아 나서면 그 봉우리와 골짜기를 돌아서고는 반드시 앉은 곳에 따라서 폭을 달리해야 본 바를 모사해 낼 수 있을 터인데 장차 이 그림을 어디에 쓰겠는가' 내가 병중에 그 그림을 쓰다듬으며 예전에 놀던 일을 생각하니 어느덧 심신이 맑고 시원해진다.

余曾三遊楓嶽, 第一於甲辰秋, 自金城縣齋, 隨祖考入山, 止正陽寺而歸. 第二於壬子秋, 自家君關北臬司, 歸京, 邐迤而入, 至摩訶衍而歸. 第三於甲寅春, 自京入北, 自楸池嶺, 遊叢石 三日浦 鑑湖等地, 自溫井 動石洞, 入至鉢淵寺而歸. 蓋領得內外山脈絡矣. 此山, 名動天下, 宜有圖經, 以傳於世, 而我東無好事者, 寂廖無聞. 洪海州錫龜, 有文兼能丹靑, 每言吾於未死前, 一遊山中, 則可以圖出矣. 遽歸泉下.

辛酉夏, 適與趙耘之話, 出示其先創江公所畵 金剛圖數幅, 一曰 長安寺, 二曰 長安寺東北望, 三曰 碧霞潭, 四曰 表訓寺, 五曰 表訓寺門樓東望, 六曰 自摩訶衍北望, 七曰 摩訶衍東南望, 八曰 三日亭東望, 皆各畵一面景色, 如海內奇觀之例. 蓋金剛 萬二千峰, 攢束排雲, 曲曲異趣, 若以一幅總圖, 則互相蔽壓, 無以曲盡面目. 李判書弘淵, 曾爲江原監司, 自謂得妙理總圖一大簇, 以示滄江, 滄江曰, 若如鴟鳶之浮空者, 身在天半而見之, 則可悉矣. 以笻鞋尋訪, 則當其峰回洞轉, 必隨所坐而異幅, 乃可摹出所見, 將焉用此圖云. 余於病裏, 撫其圖, 想舊遊, 不覺心身清爽.

南鶴鳴, 『晦隱集』 卷五, 雜說

◆**장안사동북망**長安寺東北望
장안사에서 동북쪽을 바라봄

◆**표훈사문루동망**表訓寺門樓東望
표훈사 문루에서 동쪽을 바라봄

◆**자마하연북망**自摩訶衍北望
마하연에서 북쪽을 바라봄

◆**마하연동남망**摩訶衍東南望
마하연에서 동남쪽을 바라봄

◆**삼일정동망**三日亭東望
삼일정에서 동쪽을 바라봄

이홍연이 창강에게 〈금강산묘리총도〉를 보이며 자랑할 수 있었던 것은 창강이 이홍연의 외숙부였기 때문이다. 뿐만 아니라 이홍연은 사계 김장생의 손자인 이조판서 창주滄州 김익희金益熙(1610~1656)의 처남이고 우암尤庵 송시열宋時烈(1607~1689)의 사촌처남이기도 했다.

위 기록들을 통해 보면 창강은 금강산 오대산을 비롯한 우리나라 명승을 두루 사생했으며 그것도 가시적인 대경對境을 과장 없이 화폭에 올리는 착실한 사생태도를 견지하면서 종래 전통산수화법이 가지는 형식주의에서 탈피하려는 확고한 의식을 가지고 새로운 화법 창안에 심혈을 기울였던 듯하다. 금강산을 부감한 총도 형식을 가시적인 것이 아니라 해서 불필요한 그림으로 간주하는 사실적인 태도에서 그 신법 창안의 의지를 감지할 수 있다. 이로 보면 조창강이야말로 진경화법 창안을 선도한 진경산수화의 선구자라 할 수 있다.

간송미술관에 수장돼 있는 겸재의 금강산 일대 진경산수화와 이 글 내용을 비교하면 겸재의 진경산수화법 창안이 결코 창강과 무관하지 않다는 사실을 절감하게 된다.

그의 진경산수화가 문헌에만 기록되고 현존하는 것이 없어 얼마나 그것에 성공했는지는 가늠할 수 없다. 다만 그의 다른 그림삽도6을 통해서 아직 초보 단계에 머물렀던 것을 짐작할 수 있는데 그 자제 매창梅窓 조지운趙之耘(1637~1691)이 그 화법을 계승하여 직간접으로 겸재에게 전해 준다.

그런데 겸재가 살던 시대는 중국에서 한족漢族이 세운 명明나라가 여진족女眞族 청淸에게 멸망당한 지(1644) 얼마 안 되는 시기이며 우리나라 임금인 인조가 병자호란(1636)을 당하여 청淸 태종太宗(재위 1627~1643)에게 무릎을 꿇는 치욕을 당한 지도(1637) 얼마 안 되는 시기였다. 그래서 율곡의 손제자로 율곡학파의 학맥 적전嫡傳을 이어 받아 사림士林 영수領袖가 되어 있던 우암尤庵 송시열宋時烈을 중심으로 한 율곡학파에서는 청淸에 대한 적개심으로 복수설치復讐雪恥를 부르짖으며 국제사회에서 청淸의 존재를 부정하려 든다.

우리보다 문화적으로 열등한 민족이 중화문화中華文化의 계승자가 될 수 없다는 것이다. 비록 무력으로 중원을 차지해서 변발호복辮髮胡服이라는 그들의 풍속을 강요하여 중국 대륙 전체를 여진화시켜 놓았지만 그렇기 때문에 오히려 중

호촌연응湖村煙凝 삽도6

조속趙涑 화畵, 지본담채紙本淡彩, 27.6×38.5cm, 간송미술관 소장.

화문화의 적통嫡統은 중화문화中華文化의 원형을 그대로 간직하며 성리학 이념을 발전적으로 계승하고 있는 조선으로 이어져야만 한다는 주장이었다. 그래서 명실상부한 중화문화의 주체였던 명明의 후계자를 자처하기 위해 우암의 제자들은 만동묘萬東廟를 지어 명 태조 이하 우리와 관계 있는 명나라 황제들의 제사를 지내고 조정에서도 대보단大報壇을 설치하여 그 제사를 지낸다.

이런 생각은 당시 우리보다 열등한 여진족에게 치욕을 당하고 그 힘에 눌려 살아야 한다는 민족적 자괴감을 보상해 주기에 충분한 것이어서 상하의 전폭적인 지지를 받게 되니 조선이 곧 중화中華라는 조선중화주의朝鮮中華主義가 사회에 팽배하게 된다. 그렇지 않아도 율곡학파에서는 조선성리학을 바탕으로 문화 전반에서 조선 고유색을 현양해 오고 있었는데 이제 조선이 곧 중화라는 주장을 떳떳하게 할 수 있게 되었으니 고유문화를 꽃피워 내는 데 조금도 주저할 필요가 없게 되었다.

그래서 삼연三淵을 중심으로 우리 산천의 아름다움을 찬양하는 진경시문학眞景詩文學이 크게 일어나니 그를 추종하던 이들이 대개 백악산白岳山과 인왕산仁王山 아래의 순화방順化坊에 세거世居하던 서인 자제들이었다. 그래서 이를 백악사단白岳詞壇이라 일컫는데 겸재는 바로 그 백악사단 출신이었다.

겸재 집안이 겸재의 증조부 정창문鄭昌門(1565~1604)으로부터 벼슬길에 나가지 못해 조락하기 시작하지만 창문昌門의 장자 찬纘과 막내 진縉 형제가 나주 고장故庄으로 내려가고, 다시 겸재 조부인 가운데 윤綸(1600~1668)의 네 아들 중 첫째 시설時卨(1621~1681)과 둘째 시열時說(1629~1677) 형제가 다시 나주 고장故庄으로 내려가는 것을 보면 창문에게 상속된 장토庄土가 막대했던가 보다. 그래서 경가京家를 지키는 겸재집도 겸재가 탄생할 당시까지만 해도 나주에서 올라오는 추수秋收로 가난 걱정은 없었던 듯하다.

그러나 장토庄土가 후손들에게 분배되면서 영세화되고 겸재 집안의 경제권을 장악하여 경향京鄕의 살림을 주관하던 겸재 백부 정시설鄭時卨이 겸재가 6세 나던 해인 숙종 7년(1689)에 61세 환갑 나이로 타계하자 겸재 집안은 경제적으로 큰 타격을 받기 시작하는 것 같다.

더구나 겸재가 9세 되던 숙종 10년(1684)에는 백부가의 장자인 종백형從伯

兄 정숙鄭潚(1655~1684)마저 30세의 젊은 나이로 요절하고, 11세 나던 숙종 12년(1686)에는 서울 겸재 집에서 모시고 있던 조모 청주정씨淸州鄭氏(1601~1686)마저 86세의 고령으로 작고하니 이제 나주 고향에서 겸재가 사는 경가京家를 더 이상 경제적으로 후원하지 않게 되었을 듯하다. 백부가의 형편도 형편이려니와 부모 봉양이라는 명분도 사라졌기 때문이다.

이렇게 가세家勢가 기울어 가기 시작하는데 설상가상으로 겸재가 14세 되는 숙종 15년(1689) 기사己巳 1월 3일 바로 겸재의 생일날에 그 부친 정시익鄭時翊이 52세로 타계한다. 겸재의 모친 밀양박씨가 46세 때의 일이다. 청천벽력과 같은 일을 당한 것이다. 그러나 겸재의 경악과 충격은 이에서 그치는 것이 아니었다.

1월 11일 장희빈張禧嬪(1659~1701) 소생의 왕자(뒷날 경종景宗)를 원자元子로 책봉하자 율곡학파의 수장首長인 우암尤庵 송시열宋時烈(1607~1689)은 자파自派의 의견을 수렴하여 2월 1일 아직 시기상조라는 반대 상소를 올리게 된다. 격노한 숙종은 우암을 삭탈관작削奪官爵◆하여 문외출송門外出送◆하고 문곡 김수항(1629~1689)의 중씨仲氏 영의정 김수홍金壽興(1626~1690)을 비롯한 우암 휘하의 서인西人들을 일체 파직시키고 장희빈과 밀착되어 있던 남인南人을 대거 등용한다.

◆**삭탈관작**削奪官爵
벼슬과 작위를 빼앗음

◆**문외출송**門外出送
도성의 문밖으로 쫓아 보냄

이에 숙종 6년 경신庚申(1680) 대출척大黜陟으로 8년여 동안 실세해 있던 남인들은 영의정 권대운權大運(1612~1699), 좌의정 목래선睦來善(1617~1704), 우의정 김덕원金德遠(1632~1704), 예조판서 민암閔黯(1636~1694), 이조판서 심재沈梓(1624~1693) 등을 중심으로 서인들에게 철저한 정치적 보복을 가하기 시작한다. 이것이 소위 기사환국己巳換局이다.

우선 서인 영수인 우암을 2월 4일 제주도에 위리안치圍籬安置시키고 2월 12일에는 경신대출척 당시의 영의정이던 문곡 김수항과 환국 이전의 영의정이던 퇴우당退憂堂 김수흥金壽興 형제를 각각 진도珍島와 장기長鬐에 안치시키고는 드디어 3월 18일에는 율곡학파의 비조인 율곡栗谷 이이李珥와 우계牛溪 성혼成渾을 문묘文廟에서 출향出享시킨다. 윤3월 7일에는 전임 병조판서 포암蒲菴 이사명李師命(1647~1689)을 경신대출척 당시의 원흉이라 하여 참형斬刑에 처하고 윤3월 28일에는 드디어 김수항도 진도에서 사사賜死한다.

그리고 뒤이어 4월 22일에는 문곡의 종손녀從孫女 귀인貴人 안동김씨를 폐출

하고 5월 2일에는 송시열, 송준길宋浚吉의 문인이며 송준길의 사위인 둔촌屯村 민유중閔維重(1630~1687)의 따님 인현왕후仁顯王后 여흥민씨를 폐위하며 이어서 6월 8일에는 83세의 우암 송시열에게 사사의 명命을 내린다.

이렇게 되자 율곡학파의 연수淵藪이던 백악산하白岳山下 순화방順化坊 일대는 그야말로 쑥밭이 되다시피 하여 겸재의 스승 삼연 김창흡도 영평永平 백운산白雲山 아래 곡운谷雲으로 낙향해 버린다. 삼연은 겸재가 7세 나던 해인 숙종 8년(1682)부터 백악산 남쪽 기슭에 낙송루洛誦樓를 지어 놓고 학문연구와 후진양성을 도모하고 있었는데 이제 낙송루의 문도 닫힐 수밖에 없었다.

낙송루 건립과 교육현황을 삼연은 다음과 같이 밝혀 놓고 있다.

> 창흡昌翕이 백악산白岳山 아래 영경전永慶殿 동남쪽에 집을 짓고 다락을 만들어 이름 하기를 낙송洛誦이라 하고 그 위에 올라가서 독서하니 창립昌立 또한 그 왼쪽에 방을 만들어 마주 대하고 이름을 중택재重澤齋라 하며 들어와서 외우고 나가면 낙송루 아래에서 공부했다. 조금씩 마을 안 자제들을 끌어들여 일을 더불어 함께 하자 비로소 마을 안 자제들이 배우지 않는 것을 창피하게 여기고 그 명성을 사모하여 떼 지어 모여드니 이에 중택재 안이 더욱 가득 차게 되었다.
>
> 昌翕家白岳下, 永慶殿東南, 作樓而名之曰 洛誦, 登其上讀書, 昌立亦於其左, 作室對之, 名重澤齋, 入而硏誦, 出則考業於樓下. 稍引里中子, 與共事, 始里中子, 猖披不學者, 慕其聲, 爭麇至, 於是齋中益充斥.
>
> 金昌立,『澤齋遺唾』卷下, 附錄, 金昌翕, 金昌立傳

그 사실은 「삼연선생연보三淵先生年譜」에서도 이렇게 기술해 놓고 있다.

> 임술壬戌(1682) 선생 30세. 낙송루洛誦樓를 짓다. 백악산 남쪽에 비로소 서울 집을 지으니 무릇 십여 간이었는데 그 동쪽 1간을 따로 해서 작은 다락으로 하고 장자莊子의 말을 취해서 낙송루로 이름 지었다. 앞에 세 못을 파서 삼부연三釜淵을 상징하고 날마다 동지 몇 사람과 더불어 그 위에서 독서하고 시를 지었다.
>
> 壬戌 先生三十歲. 搆洛誦樓. 白岳之陽, 始營京第, 凡十餘楹, 而別其東一間, 爲小樓,

取莊周語, 名以洛誦樓. 前鑿三池, 以象三釜淵, 日與同志數人, 讀書賦詩於其上.

金昌翕,『三淵集』附錄, 年譜上

겸재는 부친을 여읜 슬픔이 채 가시기 전에 다시 학당學堂이 폐쇄되고 스승과 이별하는 아픔을 당해야 했으므로 학업學業을 계속할 필요가 있는지조차 갈피를 잡을 수 없는 혼란과 절망 속에 빠져들게 되었다.

이때 겸재를 위로하고 격려하여 희망을 갖고 살도록 다독거린 이는 당시 65세의 노인으로 우암의 지우知遇를 받고 있던 외조부 박자진朴自振과 그 큰외숙 박견성朴見聖 등 외가 식구들뿐이었을 것이다. 외조부 박자진은 겸재가 탄생하기 2년 전인 숙종 즉위년(1674) 갑인甲寅 8월 추석에 이어 겸재가 7세 나던 숙종 6년(1682) 임술壬戌 11월 17일에도 우암이 무봉산에 은거해 있자 처가로부터 물려받은 퇴계退溪 친필親筆의 「주자서절요서朱子書節要序」 원본을 들고 찾아가서 재차 그 전수내력을 밝히는 발문을 받아 올 정도로 우암을 존숭尊崇하던 인물이었다.

따라서 박자진은 한 마을에서 같이 자라난 지기知己인 문곡과 존경하는 스승 우암이 동시에 사사되자 그 충격이 매우 컸을 터이지만 그 암울한 시기를 가문家門의 존장尊長답게 잘 참아 나가며 자손들을 단속하여 학업을 계속하게 함으로써 후일을 기약하고 있었던 듯하다.

이런 상황이니 겸재 집안은 전적으로 외가의 후원을 받아 끼니를 이어 갈 정도의 가난에 직면하게 되었고 겸재는 과거로 벼슬길에 나갈 수 있다는 희망조차 버려야만 했을 것이다. 이런 절망과 좌절이 바로 겸재로 하여금 화도畵道에 입문入門하게 하는 결정적인 요인이 되었을 것이다.

조선시대 사대부들은 과거를 통해 벼슬길에 나가지 못하는 한 농사짓는 일 이외에 상공商工의 어떤 생업에도 종사할 수 없는 것이 법도였다. 다만 학문學問과 서화書畵에 종사하는 길만은 허락하고 있었으므로 사대부화가士大夫畵家들은 대체로 자의든 타의든 간에 과거에 응시하는 것을 포기한 상태에서 출현하게 마련이었다.

조선 중기 화풍의 선구자인 양송당養松堂 김시金禔(1524~1593)는 중종조의 권신權臣 김안로金安老(1481~1537)의 자제로 김안로가 간흉奸凶으로 사사되어 벼슬길에 나갈 수 없게 되자 서화에 전념하여 일세를 울리는 대화가가 되었었다. 공재恭齋 윤두서尹斗緖(1668~1715)는 고산孤山 윤선도尹善道(1587~1671)의 증손자로 고산이 남인의 선봉장이 되어 서인과 치열한 예송禮訟을 벌이다 패배하여 벼슬길이 순탄할 수 없게 되자 화도畵道에 입문入門했으며, 현재玄齋 심사정沈師正(1707~1769)도 과거 부정사건을 저지르고 영조가 왕세제로 있을 때 이를 모해하려 한 대역죄인 심익창沈益昌(1652~1725)의 손자로 과거 응시가 허락되지 않았기 때문에 화도畵道에 전념하여 대성한 인물이다.

어떻든 겸재도 입지지년立志之年에 이처럼 절박한 가난家難과 시화時禍를 만나 천품天品으로 타고난 예술가적인 기질이 시키는 대로 화도畵道에 발을 들여놓게 되었던 모양인데 이는 어디까지나 학예學藝를 겸수하며 진경문화眞景文化를 주도해 가던 삼연학풍三淵學風이 결정적인 영향을 끼친 것이라 해야 할 것이다. 그러나 겸재가 19세 되던 해인 숙종 20년(1694) 갑술甲戌 4월 1일에 정국은 다시 한 번 일변하여 남인정권이 축출되고 남구만南九萬을 중심으로 한 서인정권이 들어서게 된다. 왕비 장씨의 악행과 남인의 전횡에 싫증난 숙종의 결단에 의해서 단행된 정권교체였다.

이에 4월 2일에 김수항, 김수흥 형제 등을 복관復官하는 것을 시초로 4월 5일에는 폐비 민씨閔氏의 백부伯父 민정중閔鼎重을 복관하고, 4월 6일에는 우암 송시열을 복관 사제賜祭하여 서인 정권의 재집권을 내외에 천명한다. 드디어 4월 12일에는 폐비 민씨를 복위하고 귀인貴人 안동김씨를 복작復爵하며 왕비 장씨를 희빈禧嬪으로 강등시키게 되니 겸재 스승 집안도 다시 백악산 아래 옛집으로 돌아오게 된다.

이에 6창昌 중 첫째와 둘째인 김창집金昌集과 김창협金昌協은 각기 병조참판과 호조참판으로 서용敍用되기 시작하고 이어 승지와 대사간의 요직을 맡게 된다. 6월 23일 율곡과 우계가 다시 문묘에 복향復享되는 것으로 서인의 재집권은 일단락되었다. 이로부터 사실상 남인은 정권에서 완전히 밀려나게 되어 이후 200년 동안은 율곡학파인 서인, 즉 조선성리학파朝鮮性理學派가 정권을 오로지해 나간다.

겸재로서는 이 갑술환국甲戌換局이 얼마나 반가운지 모를 일이었다. 스승의 가문이 복권되고 자파의 승리가 분명해졌으니 이제는 벼슬길에 나갈 희망도 가질 수 있게 되었으며 쑥밭이 되었던 백악동부白岳洞府도 활기를 되찾아 옛날의 영화로운 모습으로 돌아갈 수 있었기 때문이다. 그러나 호사다마好事多魔일까. 겸재는 이해 9월 25일 이제껏 믿고 의지해 오던 외조부 박자진을 여의게 된다.

생원 진사 양시를 동시 입격했으나 벼슬에 뜻이 없어 대과도 치르지 않고 평생 은일로 지내던 박자진이 향년 70세의 천수를 누리고 서인이 재집권하는 환희를 만끽한 다음 여한 없이 세상을 떠난 것이다. 이제 겸재도 장정이 되어 한몫을 감당할 수 있는 대장부로 성장했고 서인의 재집권으로 그 후원세력도 든든해졌으니 겸재의 전정을 크게 걱정하지 않아도 되었기 때문에 안심하고 눈을 감을 수 있었던 모양이다.

이에 겸재는 역시 진사 시험에 합격하여 현감을 지내게 되는 큰외숙 박견성朴見聖(1642~1728)의 후원 아래, 그 외사촌 형제들과 삼연 김창흡, 농암 김창협 형제의 문하에 드나들며 학예수련에 열중한다. 이들 형제는 환국 이후에도 서울에 머무는 것을 꺼려 하여 농암은 선대의 위패가 모셔져 있는 미호渼湖 석실서원石室書院에서 강학하고 삼연은 설악산에 백연정사百淵精舍를 지어 놓고(1698) 학예에 잠심潛心하는데 특히 삼연은 전혀 벼슬에 뜻을 두지 않고 전국의 명승지를 유람하며 설악산에 숨어 살다 바람처럼 잠시 서울을 스쳐 가는 생활을 한다.

그 대목을 학산鶴山 신돈복辛敦復(1692~1779)은 『학산한언鶴山閑言』에서 다음과 같이 기록해 놓고 있다.

> 내가 일찍이 들으니 삼연옹은 용모가 검다 했는데 이제 그를 보니 용모가 심히 맑고 밝다. 또 들으니 그 갓과 의복이 거칠고 헤졌다 했는데 이제 보니 갓과 의복이 모두 새롭고 깨끗하다. 속으로 남의 말을 의아하게 생각했는데 옹이 가기에 미쳐서 이상태李尙泰 어르신이 이르기를, '이 사람은 새로 산중에서 오면 얼굴 모습이 맑고 윤택하며 하얀데 성에 머물기를 조금만 오래하면 벌써 누렇고 검어져서 드러나게 야위니 참으로 사슴의 성품이다' 라고 하여 내 의심이 비로소 풀렸다. 그 담론談論이 밝고 시원하며 안색과 웃음이 즐겁고 편안하여 한 점 먼지 낀 속기가 없으니 곧바로 오래 대하여 떠나고 싶지 않다.

余嘗聞淵翁容貌黧兆, 今見之, 容貌甚淸朗. 又聞其冠服麤弊, 今見, 冠服皆新潔. 窃訝人言, 及翁去, 李丈(尙泰)曰, 此人新自山中來, 則顔貌淸潤白晳, 住城稍久, 則已黃黑顯頟, 眞麋鹿之性也, 余疑始解. 其淡論明爽, 色笑樂易, 無一點塵俗氣, 直欲長對不離矣.

辛敦復,『鶴山閑言』

제2장

화도입문과 진경화법 창안

4

화도입문畵道入門

율곡세대 이래 우리 산천의 고유한 아름다움을 그에 알맞는 화법으로 그려 내는 진경산수화법眞景山水畵法의 창안이 율곡학파들에게는 항상 숙제로 남아 있었다. 이제 백악사단에서 삼연이 나와 진경시문眞景詩文을 대성해 냈으니 진경화법眞景畵法을 누구든 창안해 내어 대성시킬 차례가 된 것이다.

그런 상황에서 겸재가 예술적 천품을 타고나 화도畵道에 입문했으니 스승인 삼연을 비롯한 백악사단의 선후배들이 겸재에게 거는 기대는 지대했을 것이다. 그래서 겸재는 삼연과 노가재의 지도 아래 화론畵論의 정경正經이라 할 수 있는 곽희郭熙의 「임천고치林泉高致」를 외울 정도로 탐독하며 빼어난 경관을 가진 백악산과 인왕산 일대의 진경을 사생하는 화도수련에 전심전력을 기울인다.

그 정황을 뒷날 이조판서 종산鍾山 이원명李源命(1807~1887)은 이렇게 표현해 놓고 있다.

> 일찍이 말하기를 산수山水를 그리는 데 법도가 있으니 넓게 펴서 큰 그림으로 하되 남음이 없어야 하고, 축소해 소경小景으로 해도 빠지지 않아야 한다. 산수를 보는 데도 역시 법도가 있으니 임천林泉의 마음으로 그것에 임하면 가치가 높고, 오만한 눈으로 그것에 임하면 가치가 떨어진다. 또 이르기를 봄산은 고와서 웃는 듯하고, 여름산은 짙푸르러서 뚝뚝 흘러 떨어질 듯하며, 가을산은 맑고 깨끗해서 화장한 듯하고, 겨울산은 어두침침하여 자는 듯하다. 모두 화가의 묘결妙訣인데 많이 송宋나라 곽희郭熙의 「임천고치林泉高致」에서 얻었다고 했다 한다.
>
> 명화名畵로 일컬어지던 사람이 있었는데 겸재가 그 그림을 보고 이렇게 말했다. 이 그림은 참으로 잘 그렸다. 다만 천취天趣가 부족할 뿐이다. 마땅히 먼저

허물어진 담장을 구하여 비단 바탕을 펼쳐 걸어 놓고 아침저녁으로 깁바탕 너머에서 그것을 관찰하면, 무너진 담장 위로 높고 평탄하며 굽이치는 것들이 보일 터인데 모두 산수의 형세를 이루리라. 정신이 깨달아서 뜻이 만들어 내되 황홀한 속에 사람과 새와 풀과 나무가 날아 움직이며 오가는 형상이 있거든 곧 마음 내키는 대로 붓에 맡겨라. 자연 경치가 모두 천취天就가 되어 인위人爲와 같지 않으리니 이러면 활필活筆이 된다.

嘗曰 畵山水有體, 鋪舒爲宏圖, 而無餘, 消縮爲小景, 而不少. 看山水, 亦有體, 以林泉之心, 臨之, 則價高, 以驕侈之目, 臨之, 則價低. 又曰春山艶治而如笑, 夏山蒼翠而如滴, 秋山明淨而如粧, 冬山慘淡而如睡. 皆畵家妙訣, 而多得於宋郭熙林泉高致云. 有一人以名畵稱, 謙齋見其畵曰, 此畵信工, 但少天趣耳. 當先求一敗墻, 張絹素, 朝夕觀之隔素, 見敗墻之上, 高平曲折, 皆成山水之勢. 神領意造, 怳然 見有人禽草木飛動往來之象, 則隨意命筆. 自然景, 皆天就, 不類人爲, 是爲活筆.

李源命,『東野彙輯』卷二, 投錦裳高僧爭價

또 겸재를 가장 잘 알고 있던 관아재觀我齋 조영석趙榮祏은 겸재의 화법수련 과정을 다음과 같이 요약하고 있다.

공公은 그림으로 세상에 이름을 날리었고 나 역시 그림을 좋아하는 병이 있어서 대략 그 삼매경三昧境을 이해했었다. 그러나 나는 곧 매달려 하지 않았고 공은 날마다 정진하고 익혀서 육요육법六要六法을 정밀하게 이해하지 않음이 없었으니, 대개 우리 동쪽나라 그림 그리는 사람으로는 이것을 아는 이가 없었는데 공에 이르러서 고화古畵를 널리 보고 공부를 또한 독실히 해 앞 사람들이 이해하지 못하던 바의 것들을 많이 내놓았다.

이런 까닭으로 이름도 날로 무거워지고 비단은 날로 쌓여서 스스로 한가할 틈이 없었는데 예운림倪雲林과 미남궁米南宮 동화정董華亭을 배워 대혼점大混點으로 신속하게 응대하는 것으로 법을 삼으니 세상의 그림 그리는 사람들은 다만 공 중년中年의 권필倦筆*만 보고 그림은 마땅히 이와 같아야 한다고 하며 다투어 서로 찡그린 것을 흉내 내려 했다. 그러나 그 임리淋漓하고 윤택潤澤함은 세상

* 권필倦筆
마구 휘두르는 필법

이 미치지 못하는 것이다.

公以畵名於世, 余亦癖好畵, 略解三昧. 然余則不爲從事, 而公則日益精熟, 六要六法, 無不精解, 盖我東畵者, 未有識此者, 至公, 博覽古畵, 工夫且篤, 多出前人所未解者. 是故名日益重, 縑素日益積, 而不自暇, 則又學倪雲林 米南宮 董華亭, 用大混点, 爲應猝之法, 世之學畵者, 但見公中年倦筆, 意謂畵當如此, 競相效嚬. 然其淋漓潤澤, 世無及焉者.

趙榮祏,『觀我齋稿』卷四, 謙齋鄭同樞哀辭

그리고 또 이렇게 이야기하고 있다.

원백元伯은 일찍이 백악산白岳山 아래에 집이 있어 살았는데 뜻이 이르면 문득 산을 대하여 사생하니 준皴치고 먹 쓰는 데 마음속에서 스스로 터득한 것이 있었다.

元伯嘗家居白岳山下, 意至輒對山而寫, 掠皴行墨, 有自寤於心者.

趙榮祏,『觀我齋稿』卷三, 丘壑帖跋

그러는 사이 겸재는 주부主簿 송규병宋奎炳(1651~1740)의 장녀인 연안송씨延安宋氏에게 장가들어 29세 되는 숙종 30년(1704) 갑신甲申에는 장자 만교萬喬를 얻는다. 그런데 이해는 명나라가 멸망한 지 만 60년이 되는 주갑년周甲年에 해당했다. 이에 1월 10일 숙종은 임진왜란 때 우리를 도와줬다는 명분을 내세워 명 신종神宗(재위 1573~1620)의 사당 건립을 의논하게 한다.

그러자 한성판윤 민진후閔鎭厚(1659~1720)는 이미 그 스승인 우암 송시열의 유명으로 충청도 괴산 화양동華陽洞에 만동묘萬東廟를 건립하고 명나라 신종과 의종毅宗(재위 1628~1644)의 제사를 받들고 있음을 아뢴다. 이 사실이 알려지자 1월 22일 성균관 유생 정형익鄭亨益(1664~1737) 등 160여 명이 명 신종 사당 건립을 청하는 상소를 올리고, 3월 6일에는 사직司直 유성운柳成運(1651~1710)이 지난 갑신년(1644) 3월 19일에 명나라 수도가 함락되고 의종이 자결했으니 으슥한 곳에 단壇을 세우고 그날 의종의 제사를 지내자고 하는 구체적인 방안을 내놓는다.

드디어 숙종은 3월 7일 한성부에 명하여 창덕궁 후원 춘당대春塘臺에 제단을 설치하게 하고, 3월 19일 백관을 거느리고 나가 천자天子의 예로 제사를 올린다. 조선이 명의 후계국임을 천명한 것이다. 내처 3월 19일 백관을 거느리고 나가 제단 설치 장소를 창덕궁 후원 서쪽 담장과 그 서쪽 별대영別隊營 일대로 정하고 제단의 규모도 본국 사직단社稷壇 넓이에 중국 사직단 높이로 하는 절충방안을 택하도록 했다. 넓이 사방 25척, 높이 5척의 규모였다.

11월 25일 대제학 송상기宋相琦(1657~1723)가 단의 이름을 '대보단大報壇'이라 지어 올리고 천자 제사의 제례악祭禮樂인 구변九變의 악장樂章을 지어 올리자 호조판서 조태채趙泰采(1660~1722)는 단소壇所 문서에는 청나라 연호를 쓰지 않기를 청한다. 청의 존재를 부정하여 조선이 곧 중화中華임을 표방하려는 의도였다.

12월 20일 대보단 제사는 매해 3월 상순에 길일을 택해 지내되 신종과 의종을 함께 제사하도록 했다. 드디어 12월 21일 대보단이 완성되었다. 조선이 중화임을 공식 선포한 것이었다. 이해 2월 21일에는 제2왕자 연잉군延礽君 금昑(1694~1776)이 11세로 진사 서종제徐宗悌(1656~1719)의 따님인 13세의 달성서씨達城徐氏(1692~1757)에게 장가든다.

겸재 30세 때인 숙종 31년(1705) 을유는 겸재에게 조금 허전한 한 해였다. 8월에 스승 삼연이 모친母親 안정나씨安定羅氏(1630~1703)의 3년상(6월 22일)을 마친 다음 관동산수유람關東山水遊覽을 목표로 또 설악산으로 떠났고, 7년 전에 이웃 대은암동 남쪽으로 이사와 형제처럼 친하게 살던 사천槎川 이병연李秉淵(1671~1751) 일가가 모두 벼슬살이로 집을 비웠기 때문이다. 사천은 벌써 재작년 7월 19일에 순릉順陵참봉이 되어 떠나 있었는데 사천의 아우인 순암順菴 이병성李秉成(1675~1735)마저 그 부친 수암樹菴 이속李涑(1647~1720)이 가평加平군수로 나가게 되자 부친을 수행해 가평으로 떠나갔다.

이해 9월에 삼연三淵은 양양襄陽, 강릉江陵, 간성杆城의 식당천석食堂泉石, 토성폭土城瀑, 청학동青鶴洞, 낙산사洛山寺, 경포대鏡浦臺, 청초호青草湖, 향호香湖, 화암사華巖寺 등을 유람하고 「동유소기東遊小記」를 짓는다.(김창흡金昌翕, 『삼연집三淵集』 부록附錄, 삼연선생연보三淵先生年譜. 을유오십삼세구월乙酉五十三歲九月 참조) 여기서 삼연은 명明 만력萬曆 37년(1609)에 양이증楊爾曾이 편찬한 『해내기관

海內奇觀』을 언급하여 이미 그 책을 열람한 사실을 밝히고 있다. 겸재가 『해내기관』을 언제부터 접했던가를 짐작하는 단서端緖가 될 수 있으므로 그 부분을 옮겨 보겠다.

> 보문암普門庵은 설악산雪岳山 동쪽에 있다. 양양으로부터 설악으로 오르면 암자는 5분의 4에 의거하니 높다. 남쪽으로 설악을 대하면 1만 개의 봉우리가 세력을 업고 오르기를 다투는데 하나하나가 사납게 솟구치니 늠름하여 간섭할 수 없는 기색이 있다.
>
> 암자 앞의 가까운 땅에 향로대香爐臺가 있어 기이한 바위가 층층이 쌓여 있는데 그 위에 앉아 뭇 봉우리들을 바라보면 사람으로 하여금 소리를 다해 외치게 한다. 그 뭇 봉우리의 신묘한 형세를 한데 묶으면 정양사正陽寺와 봉정암鳳頂庵과 대략 같은데 만약 그 창칼 그림이 마음을 놀라게 하고 혼백을 움직이게 하는 것으로 논한다면 저들이 도리어 사양함이 있어야겠다.
>
> 설악 내산內山의 오세암五歲庵으로부터 재를 넘어 보문암 못 미쳐 6, 7리里쯤에서 재 마루를 타고 가다 동쪽으로 내려다보면 다만 그 1만 자루 칼의 묶어 놓은 칼날과 천 자루 창의 모아 놓은 창대만 보이는데 곧게 높이 솟구쳐 오르고 펄펄 날아 움직인다. 문득 이를 만나면 사람으로 하여금 몹시 놀라게 하나 끝내는 좋아져서 문득 아침에 보면 저녁에 죽어도 달겠다는 뜻이 있게 된다.
>
> 일찍이 『해내기관海內奇觀』을 열람했는데 오직 〈황산도黃山圖〉삽도7-1~3가 그를 닮았었다. 아마 그 맑고 빼어남이나 삼엄하고 소산疏散함은 이(〈황산도〉)를 이길 듯하나 알 수 없다. 보문암은 동쪽으로 큰 바다를 깔고 앉아서 일출日出을 볼 수 있는데 아래에 만 길의 수렴폭垂簾瀑이 있으니 그 명승을 갖추게 됨은 멀어서 미칠 수 없다.
>
> 普門菴, 在雪岳東側. 自襄陽登岳. 菴據五分之四而高焉. 南對雪岳, 萬峰負勢競上. 箇箇竦厲. 凜然有不可干之色. 菴前近地, 有香爐臺, 奇巖層積, 坐其上, 指點羣峰, 令人叫絶. 其捴攬衆妙之勢, 與正陽鳳頂略同, 而若論其劍戟圖畵, 可以驚心動魄, 則彼反有遜焉. 自內山五歲菴, 踰嶺而未及普門六七里許. 行跨嶺脊而東向俯視, 但見其萬劍束鋩, 千戟攢枝, 屹屹直上, 騰騰飛動. 乍遇之. 令人錯愕, 終焉喜忭, 便有朝睹甘夕死之意. 嘗

황산도黃山圖 삽도7-1

『삼재도회三才圖會』 지리地理 7권.

황산삼십육봉총도黃山三十六峯總圖 삽도7-2

『도서편圖書篇』 권60.

황산黃山 삽도7-3

『해내기관海內奇觀』 권2.

覽海內奇觀, 惟黃山圖似之. 或恐其瑩秀森疎勝此, 而有未可知矣. 普門菴東臨大海, 可觀日出, 下有萬丈簾瀑, 其爲具勝, 邈不可及.

金昌翕,『三淵集』卷二十四, 東遊小記

겸재가 31세 되는 숙종 32년(1706) 병술丙戌 2월 3일에는 드디어 김창집이 우의정이 되고 2월 5일에는 김창협이 대제학이 되니 이제 스승의 집안이 기사사화己巳士禍 이전처럼 다시 재상 가문으로 원상 복귀된 셈이었다. 그러나 이해에 스승 삼연은 설악산에 벽운정사碧雲精舍를 지어 오래 머물러 살 뜻을 보인다.

이때 정국은 기사사화(1689)의 최대 피해자인 노론老論이 갑술환국(1694)으로 가해자인 남인南人을 축출하는 과정에서 노론과 남인측 모두에게 잘잘못이 있다는 양시양비론자兩是兩非論者인 소론少論에게 주도권을 빼앗기고 울분에 차 있는 상황이었다. 이에 혹심한 피해 당사자들인 숙종의 첫째 둘째 왕비 인경仁敬왕후 광산光山김씨(1661~1680)와 인현仁顯왕후 여흥민씨驪興閔氏(1667~1701) 및 영빈寧嬪 안동김씨安東金氏(1669~1735)의 친정붙이들은 숙종에게 불만을 품고 직언을 서슴지 않는 이들이 많았다. 그 중 대표적인 인물이 인경왕후의 둘째 오빠인 죽천竹泉 김진규金鎭圭(1658~1716)[삽도8]였다.

그는 사계沙溪 김장생金長生(1548~1631)의 현손이며 우암尤庵 송시열宋時烈(1607~1689)의 제자로 시문서화에 능통하여 당대를 대표하는 문예인文藝人이었다. 일찍이 겸재 21세 때인 숙종 22년(1696) 병자丙子 12월 25일 회양淮陽부사로 도임해서 2년 뒤인 숙종 24년(1698) 무인戊寅 8월 27일까지 재임하는 기간 동안 비로봉毘盧峯을 세 번씩이나 오르며 손수 〈금강산도金剛山圖〉를 그렸던 진경산수화의 선구자이기도 했다.(어유봉魚有鳳, 1672~1744,『기원집杞園集』권20,「유금강산기遊金剛山記」참조)

이런 김진규를 소론 강경파인 조태일趙泰一(1665~1707)이 당쟁의 원흉으로 탄핵하자 숙종은 대보단 설치 후 노론의 독주가 지나칠까 염려하여 4월 2일 김진규를 충청도 덕산德山에 중도부처中道付處한다. 그러자 소론에서는 이참에 노론의 기세를 꺾어 놓으려고 5월 29일 덕산 인근의 결성結城에 사는 유생 임부林溥(?~1707) 등으로 하여금 상소를 올려 소론의 권익을 보장받으려 한다.

김진규金鎭圭 **초상**肖像 **삽도8**
견본담채絹本淡彩, 42.0×52.0cm,
김용우 소장.

그들의 수장인 명재明齋 윤증尹拯(1629~1714)을 중용하고 숙종 27년(1701) 신사辛巳 장희재張希載(1651~1701) 옥을 다스릴 때 노론 중진들이 추국하면서 '모해동궁謀害東宮' 네 글자를 빼 버린 사실이 있다며 이를 밝혀 주도록 청한 것이다. 숙종은 이를 당쟁으로 보고 소론이 가장 꺼리는 정적인 김진규 장조카 김춘택金春澤(1670~1717)삽도9과 임부를 제주와 흑산도로 8월 22일 동시에 귀양 보낸다.

이렇게 되자 갑술환국(1694)과 장희재옥(1701)으로 큰 타격을 받아 정계에서 축출돼 있던 기호남인들은 정계복귀의 희망을 가지고 송시열과 김진규·김춘택 등 노론 핵심인물들을 정면 공격하는 극렬한 상소를 올린다. 9월 17일 유학幼學 이잠李潛(1660~1706)이 올린 상소가 그것이다. 명분론자의 수장인 송시열이 주장하는 대로 명분名分과 의리義理가 사회정의라면 세자보호가 오늘날의 명분과 의리라는 것이다.

김춘택金春澤 초상肖像 삽도9
견본담채絹本淡彩, 42.0×60.0cm,
김광순 소장.

숙종은 이 상소가 몰락한 남인의 대반격 시발임을 감지하고 정치적 위기감으로 그날 밤에 이잠을 잡아들여 인정문仁政門에서 친국한다. 불손할 정도로 강경하게 항의하는 이잠의 태도에 격노한 숙종은 17일부터 20일 사이에 무려 18차의 형추刑推를 가해 때려죽이고 만다. 이러는 사이 8월 10일에 사천 이병연이 사포서봉사司圃署奉事(종8품)가 되어 대은암동 옛집으로 돌아왔고 다음 해인 숙종 33년(1709년) 정해丁亥에는 이병성마저 서울집으로 돌아왔다. 이해 9월 3일에는 14세의 연잉군이 아랫동네인 창의리彰義里에 사저私邸를 마련한다. 숙종이 은화 2천 냥으로 효종 제4부마인 인평위寅平尉 정제현鄭齊賢(1642~1662)의 궁을 사서 하사한 것이다.

한편 숙종은 이해 1월 10일에 임부를 때려죽인다. 그러고 나서 1월 12일에 소론 영수인 최석정崔錫鼎(1646~1715)을 영의정, 노론 영수인 김창집金昌集(1648~

1722)을 좌의정으로 임명해 노소연합정국을 꾸미려 하니 모두 사양해서 최석정은 5월 7일에 사임하고 김창집은 5월 23일에 사임한다.

이후 7월 13일에 최석정을 다시 영의정에 임명하고 10월 12일에는 김창집의 고종사촌형인 이유李濡(1645~1721)를 좌의정, 서종태徐宗泰(1652~1719)를 우의정에 임명하여 다시 소론 주도의 노소연합정국을 구상한다. 이 중 이유만 노론이다. 숙종은 현실론자들인 소론에게 대권을 맡겨 왕세자의 친위세력으로 군림하게 하면서 명분론자들인 노론으로 하여금 이를 견제해 나가도록 하는 이상 정국을 도모하려 했던 것이다.

그래서 숙종 34년(1708) 무자戊子 윤3월 4일에는 우암의 수제자인 수암遂庵 권상하權尙夏(1641~1721)를 이조판서에 임명하고 5월 21에는 김진규의 덕산 귀양살이를 푼다. 그리고 11월 5일에는 도성 내에서 사저로는 가장 좋다는 정명貞明공주(1603~1685) 저택을 은화 3천 냥을 주고 억지로 사서 이제 10세 된 연령군延齡君 훤昍(1699~1719)에게 내려 준다. 왕실의 권위를 극대화시키려는 무리한 처사였다.

그런데 이해 4월 11일에 농암 김창협이 불과 58세로 서거하고 만다. 육창 중 성리학 연구에 가장 조예가 깊어 삼연과 학예쌍벽學藝雙璧을 이루며 진경문화를 주도해 가던 대학자라서 삼연과 농암의 문하제자들은 그 형제 문하를 넘나들며 스승으로 모셨었는데 겸재는 이제 그 한 스승을 사별한 것이다. 설상가상으로 10월에는 삼연의 설악산 은거처인 벽운정사가 불타는 재앙이 겹치기도 한다.

숙종 35년(1709) 기축己丑은 겸재가 34세 되던 해이다. 이해 5월 25일에는 상고당尙古堂 김광수金光遂(1699~1770)의 조모이자 연령군의 처조모인 풍산홍씨豊山洪氏(1642~1709)가 돌아간다. 이조판서를 지내는 낙건정樂健亭 김동필金東弼(1678~1737)의 모친이자 사천 이병연의 이모였다. 7월 26일에는 이병연이 사헌부 감찰(종6품)이 되고 7월 27일에는 이병성이 영소전永昭殿참봉(종9품)을 제수받는다. 이제 57세가 된 스승 삼연은 지난해 설악산 벽운정사가 불에 타자 다시 설악산 백담사 계곡에 영시암永矢庵을 짓기 시작했는데, 9월에 완성되었다. 영주할 계획이었다.

숙종 36년(1710) 경인庚寅에 겸재는 차자次子 만수萬遂(1710~1795)를 얻는 기쁨을 안는다. 또 5월 6일에는 단금斷金의 벗인 사천槎川 이병연李秉淵(1671~1751)이 금화현감金化縣監으로 내려가는 경사가 겹치기도 한다. 이미 3월 28일에 임명을 받고 있었다.

사천은 겸재보다 5세가 연장이었지만 삼연문하에서 동문수학했을 뿐만 아니라 둘의 집도 스승댁의 좌우에 있어 항상 백악산 기슭에서 조석상봉하며 지냈으므로 그 친분은 남달랐다. 특히 사천과 겸재가 삼연의 진경문화 정신을 가장 착실히 계승하여 장차 사천은 진경시풍眞景詩風을 대성하고 겸재는 진경화풍眞景畵風을 대성해 내게 되니 삼연문하의 용상龍象으로 좌사천左槎川 우겸재右謙齋라는 시화쌍벽詩畵雙璧의 평가를 받는 사이이기도 했다. 사천은 28세 때인 숙종 24년(1698)에 대은암동으로 이사와 81세로 돌아갈 때까지 그곳에서 살았다.

이런 관계로 해서 두 사람의 우정은 매우 각별했고 두 사람이 서로 상대방의 시화를 존중함은 타의 추종을 불허했다. 그런 사천이 금강산金剛山의 초입인 금화金化의 현감이 되어 내려가게 된 것이다. 아마 3월 26일에 농암 장녀의 시부媤父이며 우암 문인인 수촌睡村 이여李畬(1645~1718)가 영의정이 되고 김창집이 우의정이 된 까닭에 금강산에 자주 드나들며 마음껏 진경시를 읊고 겸재를 초청해다 진경산수화를 그리게 하도록 배려한 인사발령이었던 것 같다.[참고10]

이에 이해 58세의 나이로 봄에 강릉을 비롯한 관동팔경을 여행하고 잠시 서울에 들렀던 스승 삼연은 8월에 설악산에 들렀다가 곧바로 금강산으로 떠나서 사천을 불러내어 제4차의 금강산 유람을 즐긴다. 삼연은 벌써 19세 때인 현종 12년(1671) 신해辛亥 초여름에 제1차 금강산 여행을 단행한 이래 숙종 5년(1679) 3월에 27세로 제2차, 숙종 11년(1685) 2월에 33세로 제3차에 걸친 금강산 편답을 마치고 있었다.

그리고 다음 해인 숙종 37년(1711) 신묘辛卯 8월에도 삼연은 시제자詩弟子인 청풍계靑楓溪 주인 모주茅洲 김시보金時保(1658~1734)와 송애松崖 정동후鄭東後(1659~1735)를 데리고 제6차 금강산 유람을 떠나는데 이때 겸재를 수행시키는 듯하다. 그때 그렸다고 생각되는 그림 13폭이 현재《신묘년풍악도첩辛卯年楓岳圖帖》이란 이름으로 국립중앙박물관에 수장되어 있다.

참고 10 **사천 이병연 가계도**槎川 李秉淵 家系圖

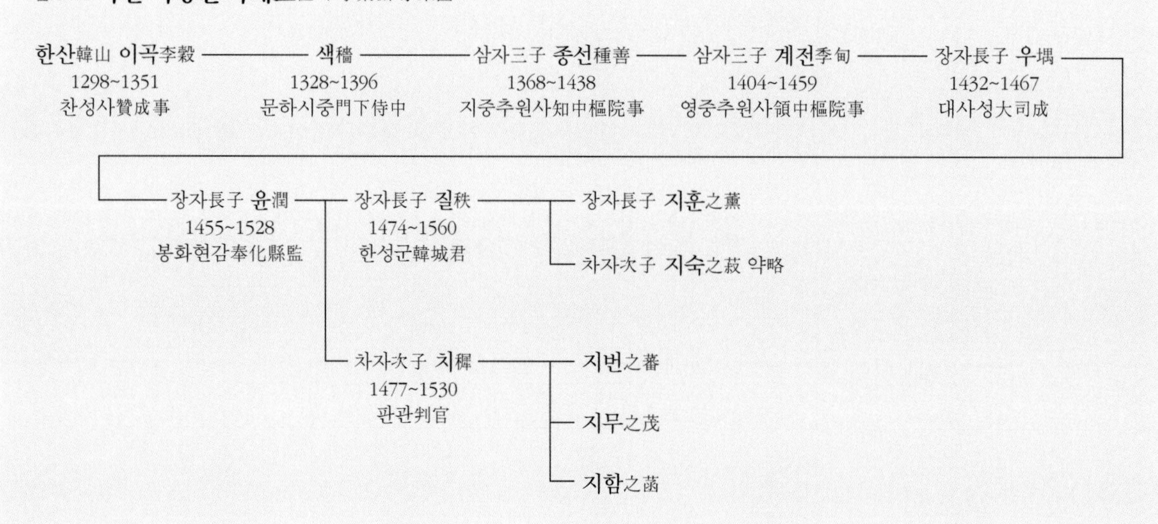

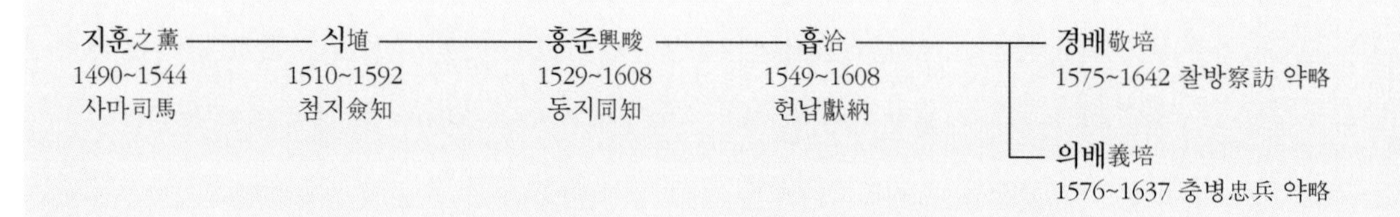

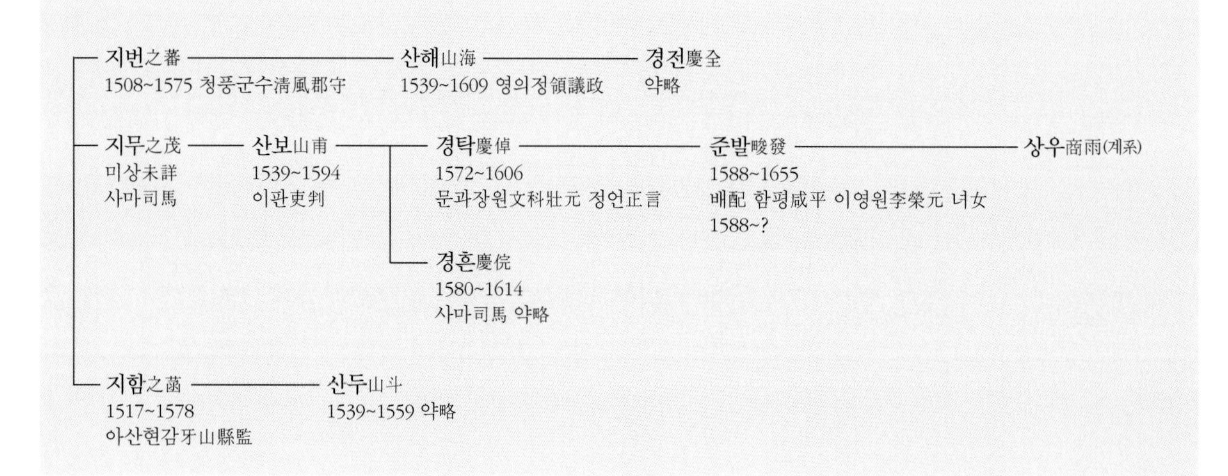

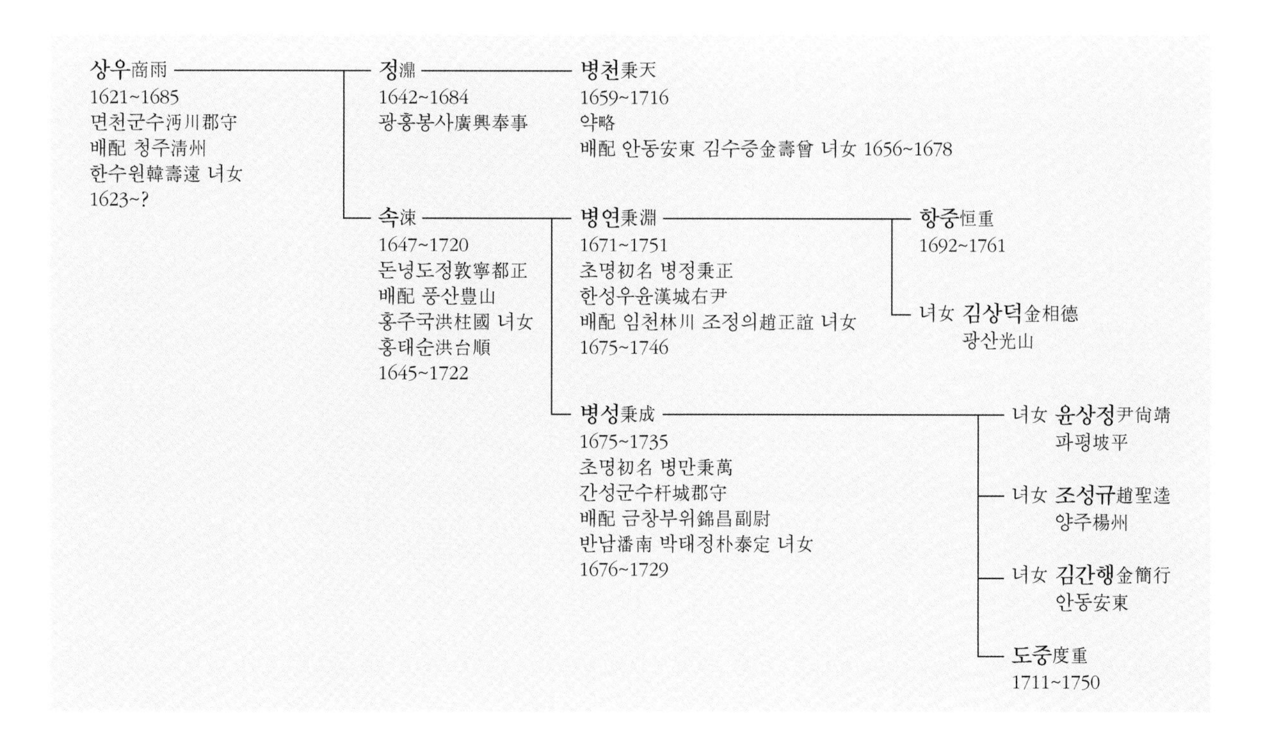
상우商雨
1621~1685
면천군수沔川郡守
배配 청주淸州
한수원韓壽遠 녀女
1623~?
정瀞
1642~1684
광흥봉사廣興奉事
병천秉天
1659~1716
약略
배配 안동安東 김수증金壽曾 녀女 1656~1678
속涑
1647~1720
돈녕도정敦寧都正
배配 풍산豊山
홍주국洪柱國 녀女
홍태순洪台順
1645~1722
병연秉淵
1671~1751
초명初名 병정秉正
한성우윤漢城右尹
배配 임천林川 조정의趙正誼 녀女
1675~1746
항중恒重
1692~1761
녀女 김상덕金相德
광산光山
병성秉成
1675~1735
초명初名 병만秉萬
간성군수杆城郡守
배配 금창부위錦昌副尉
반남潘南 박태정朴泰定 녀女
1676~1729
녀女 윤상정尹尙靖
파평坡平
녀女 조성규趙聖逵
양주楊州
녀女 김간행金簡行
안동安東
도중度重
1711~1750

신묘년풍악도첩 辛卯年楓岳圖帖

그 내용은 1.〈금성피금정金城披襟亭〉, 2.〈단발령망금강산斷髮嶺望金剛山〉, 3.〈금강내산총도金剛內山摠圖〉, 4.〈장안사長安寺〉, 5.〈벽하담碧霞潭〉, 6.〈불정대佛頂臺〉, 7.〈백천교百川橋〉, 8.〈해산정海山亭〉, 9.〈삼일호三日湖〉, 10.〈고성문암관일출高城門岩觀日出〉, 11.〈옹천甕遷〉, 12.〈총석정叢石亭〉, 13.〈시중대侍中臺〉의 진경사생도인데 어느 폭에도 겸재의 낙관落款이나 자호字號 서명이 남겨져 있지 않다.

그러나 일견해서 겸재 그림이라는 것을 바로 알아볼 수 있을 만큼 겸재 해악첩海嶽帖 특유의 토산골봉土山骨峯화법이 분명하고 진경의 제명題名 글씨가 붓끝을 곱게 거두어 들여 힘차게 마무리 짓는 겸재 고유의 단아정려端雅正麗한 서체여서 의심의 여지는 없다. 다만 이 화첩은 이미 이왕가李王家박물관에 수장될 때부터 파첩破帖돼 있었던 듯 지금은 모두 낱장으로 분리돼 있다. 다행히 그 별폭에 해당하는 한 폭에 이 그림의 유래를 밝히는 발문[삽도10]을 남기고 있다.

> 왼쪽 명주바탕 풍악도楓岳圖 13폭幅은 곧 우리 고조고高祖考 백석공白石公께서 만년에 금강산의 내외 명승을 다시 편답하시면서 정겸재鄭謙齋와 더불어 마음대로 그리시며 폭마다 품평品評을 붙이시고 또 당시의 사우詞友 제공諸公과 더불어 시를 주고받으신 것이다.
>
> 나는 어려서부터 광주리 속에 전해 오는 옛 기록들을 넘겨다보았었지만 시는 시로만 보고 그림은 그림으로만 보았을 뿐 함께 본 연후에라야 의취意趣가 있다는 것을 알지 못했다. 지금에 이르러 다시 완상하니 시詩 가운데 그림이 있고 그림 가운데 시가 있구나.
>
> 바야흐로 합쳐 꾸미고자 하나 백석공의 시와 평문評文의 초본草本들과 제공이 창화唱和한 수묵手墨들은 이미 선대에 꾸며 놓은 수창록酬唱錄에 실려 있어 이제 다시 찾을 수 없다. 삼가 이를 별지別紙에 등사하여 원도原圖의 아래에 붙이고 그 제운題韻과 기평記評은 그 해당폭의 좌우에 옮겨 적어서 함께 보는 데 편케 했다.
>
> 아아 삼가 햇수를 헤아려 보건대 그 일이 또한 두 번 신묘년辛卯年을 보냄이 있

었으니 이제 햇수로 97년이 되는구나.

때는 당저當宁 정묘丁卯 7월 상순이다.

근방芹坊 별서別墅에 세장世藏하노라.

左紬本楓岳圖十三幅, 卽我高祖考 白石公, 晩年再遍金剛內外名勝, 而與鄭謙齋, 隨意圖寫, 逐段題品, 又與當時詞友諸公酬唱. 余自髫齔, 從篋笥間, 窺見世藏舊錄, 而詩自詩看, 畵自畵看, 不知合見然後意趣. 到今更翫, 則詩中有畵, 畵中有詩. 方謀合粧, 而白石公詩若評本草, 暨諸公唱和手墨, 已載先粧酬唱錄, 今無由更覔. 謹此謄寫于別紙, 付諸原圖之下, 其題韵記評, 移錄于當幅之左右, 以更合觀. 噫 謹稽星霜, 事亦在再去辛卯, 今歲九十又七年矣. 時當宁丁卯流火之上澣也. 芹坊別墅世藏.

이 기록의 내용으로 보면 기록자의 고조부가 되는 백석白石이 만년에 겸재와 더불어 금강산의 내외 명승지들을 편람하면서 겸재가 마음대로 그려 낸 그림들에 제시題詩와 품평品評을 곁들이고 다시 여러 사우詞友들과 이를 소재로 시를 주고받은 다음 이를 함께 갈무려 두었던 모양이다. 그런데 기록자의 선대에 벌써 시화詩畵를 분리해 시사詩詞는 수창록酬唱錄으로 분장分粧하고 그림만 따로 보관하는 어리석음을 범했던 듯하다.

그래서 기록자는 시화합관詩畵合觀하는 것이 의취意趣 있음을 깨닫고 수창록에서 그 내용을 등사해 그림의 해당폭 아래와 좌우에 이를 붙여서 합장合粧한다고 했다. 그리고 때는 백석과 겸재가 금강산을 편람한 신묘년辛卯年이 다시 한 번 지나가서 97년째 되는 정묘년丁卯年이라 했다. 이를 겸재 생존연대에 맞춰 계산해 보면 겸재가 36세 나던 숙종 37년 신묘辛卯(1711)에 해당하니 이 글은 순조純祖 7년 정묘丁卯(1807)에 써진 것이라고 보아야 하겠다.

그러나 이 그림이 이왕가박물관으로 들어올 때 벌써 기록자가 등사해 합장해 놓은 백석과 그 사우들의 제시, 품평 등 필적筆蹟은 다시 분리되고 만 듯하다. 이는 환전換錢의 필요에 따라 그림은 내놓되 조상의 문필文筆만은 차마 내줄 수 없다고 생각한 조선 사대부가의 최후 양심과 글씨는 돈이 안 된다는 골동심리가 묘하게 일치되어 빚어진 불행이었다.

그래서 이 그림의 회화사적 자료가치를 반감시켜 놓았다. 이것이 겸재 그림

左紬本楓岳圖十三幅即我 高祖考白石公晩年再遊金剛內外名勝而與鄭謙齋隨意
圖寫逐段題品又與當時詞友諸公酬唱余自髫齔從篋笥間窺見世莊舊錄而詩
自詩看畫自畫看不識合見然後有意趣到今更翫則詩中有畫畫中有詩方謀合粧而
白石公詩若諱本草暨諸公唱和手墨已載先粧酬唱錄今無由更覓謹此謄寫于別
紙付諸原圖之下其題韵記評移錄于當幅之左右以便合觀噫謹稽星霜事亦在再
去辛卯今爲九十又七年矣時
當宁丁卯流火之上澣也
萍坊別墅世藏

신묘년풍악도첩辛卯年楓岳圖帖 발문[삽도10]

찬자撰者 미상未詳, 발문, 주본묵서紬本墨書, 23.0×33.0cm, 국립중앙박물관 소장.

이라는 것을 증명하기 위해 한 장만 남겨 놓은 상기上記 별폭의 기록도 기록자의 성명조차 밝히고 있지 않아 이 기록의 신빙성을 다른 곳에서나마 보충 추적할 수 있는 길조차 아득하게 만들어 놓고 있다.

백석白石이란 아호雅號를 가진 인물로 겸재 당시 생존했던 저명인사를 꼽는다면 박태유朴泰維(1648~1686)가 쉽게 떠오르지만 그는 숙종 12년 병인丙寅(1683) 3월 26일에 서거하니 겸재 11세 때의 일이라 이에 합당치 않다. 겸재가 36세 시인 신묘년에 금강산에 갔다면 이미 그 전년 경인庚寅 5월 금화현감金化縣監으로 나가 있던 사천 이병연과 무관하게 다녀오지 않았을 것이다.

그런데 사천의 시문집에는 물론 사천이 금화현감으로 부임해 가던 경인년 그 해 가을에 네 번째로 금강산에 가서 제자인 사천을 금강산으로 불러 함께 유람하고 그 다음 바로 신묘년 8월에도 송애松崖 정두경鄭斗卿(1659~1735)과 함께 다섯 번째로 금강산에 갔던 겸재의 스승이기도 한 삼연三淵 김창흡金昌翕(1653~1722)의 문집에도 겸재의 신묘년 금강산행에 관해서는 전혀 언급이 없다.

뿐만 아니라 백석이란 아호를 가진 인사와의 수창시酬唱詩도 찾아볼 수 없다. 따라서 신묘년 백석과의 금강산유람 사실은 이를 방증할 만한 다른 자료의 출현을 기다려야만 그 사실성을 인정받을 수 있겠다. 원래 기록이라는 수창록이나 그 고손이 등사해 합장했었다는 파첩본破帖本이 혹시 후손가에 전해진다면 더없이 다행한 일일 것이다.

그러나 이 《신묘년풍악도첩》은 그 동반 기록의 이 같은 불확실성에도 불구하고 겸재 진경산수화의 가장 초기 화법을 보이면서 그 화법의 기본 골격을 구비하고 있음으로 해서 겸재 진경산수화풍을 연구하는 데 있어서 현재로는 최초의 기준작으로 삼아야 할 중요한 자료이다.

겸재는 37세 되는 임진년壬辰年(1712) 8월 초에 분명히 금강산을 사천 일가와 함께 유람하고 있다. 그러므로 이 그림들은 신묘작辛卯作은 아닐지라도 다음 해 임진년 작이거나 그에 준하는 겸재의 금강산 초대면 시기의 작품으로 보아야 하겠다.

그 첫 번째 이유는 이 그림들이 한결같이 초창의 열기와 조심성으로 가득 차 있고 초행의 미숙성과 대담한 실험정신이 화폭마다 싱싱하게 넘쳐흐르기 때문이다.

그리고 삼연 김창흡과 후계后溪 조유수趙裕壽(1663~1749)를 비롯한 사천 이병연, 담헌澹軒 이하곤李夏坤(1677~1724), 서암恕菴 신정하申靖夏(1680~1715) 등 당대 일급문사들이 남긴 제시, 제사 및 발문의 내용이 이《신묘년풍악도첩》의 그림 내용과 거의 일치하고 있는 것이 그 다음 이유다. 이제 그 대강을 맞춰 보겠다.

> 드리운 길 구불구불 용이 오르듯, 드높은 절정엔 쌍송雙松◆이 표 난다. 홀연히 만난 천지 밝은 세계라, 봉래산 일만봉을 처음 보겠네.
>
> 아침이 신선 궁궐 금자물쇠 열면, 아리따운 허공에 가을이 백부용白芙蓉◆ 묶어 놓겠지.
>
> 어떤 사람 이곳에 와 미치게 좋아하다가, 머리 깎고 표연히 세상 등졌나.
>
> 垂路蜿蜒若聳龍, 岧嶢絶頂表雙松. 忽逢天地昭明界, 初見蓬萊一萬峯.
>
> 仙闕曉開金鎖鑰, 瑤空秋束白芙蓉. 何人到此狂歡喜, 斷髮飄然出世蹤.

◆**쌍송**雙松
두 그루의 소나무

◆**백부용**白芙蓉
흰 연꽃

이것이 사천의 「단발령망금강산斷髮嶺望金剛山」 시다. 내용과 이《신묘년풍악도첩》의 〈단발령망금강산〉의 그림 내용이 일치한다. 구불구불 드리워진 단발령 고갯길이 용 오르듯 하는 것이나, 고갯마루에 쌍송이 표나게 서 있는 모습, 그리고 멀리 운무雲霧 속에 흰 연꽃봉오리들을 묶어 놓은 듯 운무 속에 자태를 드러낸 금강산의 백화강암白花崗岩 군봉群峯들. 이런 모든 표현이 그대로 사천의 시어詩語와 일치하는 것을 확인할 수 있다.

또한 〈장안사〉에서 삼연은 이런 제시를 붙이고 있다.

> 기원祇園◆에 금을 깔던 넓이와, 범전梵殿◆이 구름에 닿는 웅걸함이, 모두 한 다리에 눌리는 바 되었으니, 그 무지개 날고 달이 눕는 형세 높기도 해라.
>
> 사람이 반공중에 있으니, 왕교王喬◆의 학을 탄 바나 응진應眞◆의 석장錫杖 탄 바가◆, 그 모두 이로 말미암아 출입하겠다.
>
> 祇園布金之廣, 梵殿參雲之傑, 摠爲一橋所壓, 其虹飛月偃之勢, 危乎.
>
> 人在半空, 王喬之所控鶴, 應眞之所飛錫, 其皆由是而出入矣.
>
> 金昌翕, 『三淵集』 卷二十五, 題李一源海嶽圖後, 長安寺

◆**기원**祇園
불교 최초의 사원인 기원정사祇園精舍. 터를 사기 위한 대금으로 그 터 위에 깔아 덮을 만큼의 금을 주었다는 고사가 있다.

◆**범전**梵殿
사찰 건물을 가리키는 말. 깨끗하게 수행하는 무리인 범중梵衆, 즉 승려들이 사는 전각이란 의미이다.

◆**왕교**王喬
주周 영왕靈王의 태자. 교喬가 직간을 하다가 폐서자가 된 다음 신선이 되어 백학을 타고 다녔다고 한다.

◆**응진**應眞
부처님의 제자인 아라한의 뜻 번역. 짚고 다니는 석장錫杖을 타고 날아다닌 이야기가 불경에 많이 보인다.

◆**왕교**王喬 **~ 바가**
왕교와 응진 이야기는 진晋나라 손작孫綽의 유천태상부遊天台山賦에서 따온 내용이다.

담헌의 제사는 이와 같다.

산영루 앞에, 다만 이삼봉二三峯이 있어, 높게 빼어나 사랑스러우니, 이 화폭은 모아 싸 놓은 듯하지 않다. 어찌 원백元伯이 흥이 났을 때, 팔 가는 대로 휘둘러서, 다만 그 의취意趣를 구하고, 그 형사形似를 구하지 않은 것이 아니겠는가. 이는 곧 화가의 말상 보는 법과 같으니, 검고 누른 것이나 암수를 가려야 하나, 이를 생략한들 무엇이 해로우랴!

山映樓前, 只有二三峰, 巉秀可愛, 此幅微似攢疊. 豈非元伯興到時, 信手揮洒, 只求其趣, 不求其形似歟. 此乃畵家相馬法, 驪黃牝牡, 略之何害.

李夏坤,『頭陀草』卷十四, 題一源所藏海岳傳神帖, 長安寺

이 역시 그림내용과 제사의 내용이 너무 일치하니 비홍교飛虹橋가 전경前景에서 크게 부상浮上하여 장안사를 압도하고, 장안사 전면에 세 개의 암봉岩峯 뒤로 작은 암봉들이 겹겹이 모여 있는 것이 그것이다.

〈벽하담〉에도 삼연은 이런 제사를 남긴다.

금강대金剛臺의 솟음과 보덕굴普德窟의 걸림은 그 사잇길이 너무 높고 좁아서 겨우 지팡이 짚고 나막신 신어야 오를 수 있다. 만약 주자朱子로 하여금 품제品題하게 한다면 월수越水, 민산閩山 등만 못하다고 하지 않으리라. 벽하담도 통쾌하지만 중향성衆香城이 그림자 드리우는 것은 더욱 기이하니 이 역시 얻기 어려울 뿐이라.

金臺之聳, 普德之懸, 其間太峻隘, 僅通杖屐. 若使朱子品題, 得無與越水閩山等貶乎. 碧霞始快意, 衆香之倒影尤奇, 斯亦難得也已.

金昌翕,『三淵集』卷二十五, 題李一源海嶽圖後, 碧霞潭

왼쪽 아래 근경近景에 금강대가 높이 솟아 있고 오른쪽 중경中景으로 보덕굴이 아득히 걸려 있는 사이로 큰 물줄기가 흐르면서 벽하담을 만들어 놓고 있는 이 그림과 너무 방불하게 묘사하고 있다. 또한 〈불정대〉에서 사천은 이렇게 읊고 있다.

천추千秋에 빛날 송강松江 노인의 가요歌謠에 있듯, 불정대佛頂臺 앞에는 외나무 다리.

다병多病한 중년이라 심력心力이 약해서, 지팡이 의지하고 산중턱 되내려오네.

千秋松老有歌謠, 佛頂臺前獨木橋. 多病中年心力弱, 挾笻却下半山腰.

澗松美術館 所藏, 『海嶽傳神帖』 原蹟

겸재의 이 〈불정대〉 그림과 일치하는 내용이다.

금계金鷄가 울었느냐. 사람이 높은 정상에 올라오니 눈길이 미치는 곳에 붉은 물결이 만경萬頃이구나. 멀리멀리 바라보나 밝은 빛 오히려 더디고, 헛바퀴 자주 나타나더니 태양이 비로소 날아오르네. 상하上下가 떨어질 때, 변하는 모습이 여기 있구나.

金鷄唱耶. 人上高頂, 目力所及, 紅漲萬頃. 迢迢其望, 杲杲猶遲, 幻輪頻呈, 翔陽始躋. 陸離上下之際, 變態在玆矣.

金昌翕, 『三淵集』 卷二十五, 題李一源海嶽圖後, 高城門岩觀日出

삼연이 고성문암관일출高城門岩觀日出에 붙인 제사이다. 겸재의 이 그림 내용과 역시 일치한다. 이외에 남은 그림도 모두가 사천의 《해악전신첩》 제시, 제사 내용과 합치되고 있다. 따라서 이 《신묘년풍악도첩》 13폭은 겸재가 36,7세 때에 처음 그려 낸 금강산진경도의 일부라고 보아야 하겠다.

따라서 이 그림이 현존한 겸재 진경산수화 중 가장 초기의 그림에 해당한다. 그동안 연마한 기량을 모두 발휘, 열성을 다해 그린 그림들로 한결같이 초창의 열기와 조심성이 배어 있으나 벌써 암봉岩峯은 서릿발 같은 상악준霜鍔皴을 쓰고 토산土山은 미가운산법米家雲山法을 써 가며 암봉과 토산을 대비시키는 음양조화陰陽調和의 화면구성법을 시도하고 있는 것을 확인할 수 있다.

이는 중국회화사에서 아직 미해결의 장으로 남아 있던 북방화법과 남방화법의 특장特長을 이상적으로 조화시킨 새로운 기법이며 성리학의 기본 경전인 『주역周易』의 음양陰陽 조화調和 원리를 과감히 도입시킨 실험의 성공이라 할 수 있으니 그간의 겸재 화도수련이 어느 경지에 이르렀던지를 짐작할 수 있게 해 주는 척도이다. 이때 겸재 나이 36세였고 삼연 59세, 모주茅洲는 54세, 송애松崖는 53세였다.

5

진경화법眞景畵法 창안創案

관아재觀我齋가 지적했듯이 겸재는 이미 어려서부터 백악산白岳山 아래에 살면서 화흥畵興이 일면 문득 산을 대하여 사생했다 하는데 북악산과 인왕산이 마주하여 있는 이곳 청운동 일대는 서울에서도 제일 승구勝區일 뿐만 아니라 나라 안에서도 이와 비길 만한 곳이 없는 명승 중의 명승이다.

북악과 인왕이 모두 한 덩어리 백화강암白花崗岩 암봉岩峯으로 이루어진 듯한 암산岩山이면서도 골이 깊고 모양은 백부용白芙蓉인 양 수려단아秀麗端雅하며 산세는 하늘을 찌를 듯 골기탱천骨氣撑天하되 암반에 뿌리박은 만년송림萬年松林이 기세를 숨겨 주고 깊은 골짜기에서는 사시장철 맑은 시냇물이 끊임없이 흘러내리는 곳이니, 여기에 사시四時의 변화와 운연煙雲의 변멸變滅, 조석朝夕 채하彩霞가 점철點綴된다면 늘상 한 폭의 그림을 사출寫出해 놓은 것과 같았을 것이다. 이런 곳에 천부의 화재畵才를 타고난 겸재가 나서 자라면서 사생을 통한 화도수련을 거쳤으니 준치고 먹 쓰는 데(약준행묵掠皴行墨) 자득처自得處가 없을 수 없었을 것이다.

거기에다 겸재는 당시 조선성리학朝鮮性理學의 굳건한 사상적 기반 아래 조선중화의식朝鮮中華意識을 과감하게 실천하기 위해 고질적인 보수적 누습陋習으로부터 과감하게 탈피하는 일에 앞장서 있던 삼연三淵의 문하에서 그 혁신적인 자연관自然觀에 절대적인 영향을 받고 자랐으므로 일체 선입관에서 벗어나 자연을 관조觀照하되 거기서 체득한 이치를 체계화시키는 데는 고전적古典的인 방법을 빌리는 것이 가장 합리적이라는 사실까지도 깨닫는 듯하다.

이에 겸재는 고전을 익히는 데 심혈을 기울여 박람博覽으로 일컬어졌으며 자연의 원리를 궁구하기 위해 『주역』 연구에 잠심潛心했던 모양이다.

그래서 금강산을 초대면하는 감흥 속에서 그는 이미 금강산의 정신을 간파하고 그것을 어떤 방법으로 표현해야 하는가를 순간적으로 터득해 냈으리라고 생각된다. 고전古典에 대한 해박한 지식과 그것을 자기 것으로 만드는 피나는 노력이 있었기 때문에 금강산을 보는 순간 겸재의 천재적 순발력瞬發力은 영감靈感으로 작용했고 작동한 영감은 곧 그의 축적된 화기畵技에 의해서 능숙하게 표현됐을 것이다. 이렇게 해서 이루어진 것이《신묘년풍악도첩辛卯年楓岳圖帖》이고 사천槎川이 꾸며 가지고 있었던《해악전신첩海岳傳神帖》이었을 것이다.

그렇다면 이《신묘년풍악도첩》이나《해악전신첩》에는 겸재가 익혀 왔던 고전의 흔적이 비록 변형된 채로나마 분명히 남아 있었을 것이다. 이제 이를 확인하기 위해 겸재가 분명히 화법수련畵法修鍊의 전거로 삼았을『고씨화보顧氏畵譜』나『당시화보唐詩畵譜』등 남종문인화南宗文人畵 우위론優位論을 주장하는 오파계吳派系에서 편찬해 낸 화보와 우선《신묘년풍악도첩》의 그림들을 비교 검토해 보지 않으면 안 되겠다.

『고씨화보』는 절강성浙江省 전당錢塘(현재 항주杭州) 출신 오파계 화가인 고병顧炳이 만력萬曆 31년(1603)에 편찬한 중국 역대 명화가들의 그림집이고,『당시화보』는 안휘성安徽省 신안新安(현재 흡현歙縣) 출신 황봉지黃鳳池가 당시唐詩를 소재로 화가 채원훈蔡元勳으로 하여금 그림을 그리게 해서 천계天啓년간(1621~1627)에 간행했던 화보이다.

겸재는 이 어름에 명나라 말기에 출간된『삼재도회三才圖會』나『도서편圖書篇』같은 백과전서百科全書나『해내기관海內奇觀』,『명산도名山圖』따위의 관광觀光 유람용游覽用 지리서地理書도 읽을 기회가 있었던 듯하다. 여기에 수록된 지리부도地理附圖인〈황산삼십육봉총도黃山三十六峯總圖〉,〈구화산총도九華山總圖〉및〈숭산도嵩山圖〉,〈서악화산지도西嶽華山之圖〉,〈역산도歷山圖〉,〈석종산도石鐘山圖〉,〈무이산구곡지도武夷山九曲之圖〉등의 시점視點과 필법筆法이 겸재 진경산수화법과 상당한 연계성을 연상시키기 때문이다.

『삼재도회』106권 10갑 63책은 만력萬曆 37년(1609)에 강소성江蘇省 송강부松江府(화정華亭) 상해上海 출신의 왕기王圻가 편찬 간행했고『도서편』127권 64책은 강서성江西省 남창南昌 사람 장황章潢(1527~1608)이 15년 걸려서 만력萬曆 5년(1577)에 완성하고, 천계天啓 원년(1623)에 그 문인 만상열萬尙烈이 편찬해 냈으며

『해내기관』 10권은 만력 37년(1609)에 전당錢塘인 양이증楊爾曾이 편집 발간했다.

우선 〈단발령망금강산斷髮嶺望金剛山〉도판2에서 단발령斷髮嶺의 임리淋漓한 미점토산米點土山 양식은 『당시화보唐詩畵譜』 권5 제17판 〈미법토산米法土山〉삽도11이나 『해내기관海內奇觀』 권3 사영서호십경詞詠西湖十景 중 〈양봉출운兩峯出雲〉을 약간 변형시킨 것이고 금강산金剛山의 백색白色 암봉岩峯들은 『당시화보』 권6 제27판 선면扇面 〈상악霜鍔〉삽도12와 『도서편圖書篇』 권62 〈서악화산지도西嶽華山之圖〉 및 『명산도名山圖』 중 〈황산黃山〉삽도13 양식을 그대로 옮겨 온 것이다. 여기에 백색 암봉들의 밑자락을 운무雲霧로 가리는 법은 『당시화보』 권2 제26판의 〈차운遮雲〉삽도14 양식이다.

그리고 〈백천교百川橋〉도판7를 보면 천변川邊 양안兩岸이 모두 암벽岩壁일 터인데 마치 토안土岸인 것처럼 느껴지니 이는 상하 윤곽을 분명히 하고 쇄찰刷擦로 조심스럽게 위에서 쓸어내린 『당시화보』 권5 제4판의 〈토안법土岸法〉삽도15을 원용援用해 썼기 때문이다.

다음 수직 절벽을 이룬 〈벽하담碧霞潭〉도판5의 〈금강대金剛臺〉와 〈보덕굴普德窟〉 및 〈불정대佛頂臺〉, 〈총석정叢石亭〉 등의 수직 절벽 표현은 『당시화보』 권6 제5판 선면扇面의 〈벽대준법劈臺皴法〉삽도16과 같은 책 제8판 선면扇面의 〈절대준법折帶皴法〉삽도17을 원용하면서 토안土岸 쇄찰刷擦을 가미해 쓰고 있다. 『해내기관』 권8 〈아미산도峨眉山圖〉삽도18 나 『명산도』 중 〈오대산도五臺山圖〉삽도19의 벽대준법도 참고했을 듯하다.

〈옹천瓮遷〉도판11과 〈총석정〉의 해파海波는 『당시화보』 권5 제42판 〈해도기암海濤奇巖〉삽도20의 해파식海波式을 적용했다고 보여진다. 『삼재도회三才圖會』 지리地理 권6 〈남해자도南海子島〉나 『해내기관』 권8 〈동정추월洞庭秋月〉삽도21의 해파식海波式도 참고했을 것이다. 이런 여러 가지 요소들이 이렇게 적재적소에 응용되어 쓰이려면 이에 대한 이해와 기법수련이 몸에 밸 정도로 익숙해 있은 연후에라야 가능하다.

그러나 고전古典에 박통博通하다 해도 그를 응용해서 창신創新해 낼 수 있는 기량을 모두 가지는 것은 아니다. 창조의 의욕과 대단한 순발력을 가진 진취적인 기상이 있어야 한다. 이것은 천부天賦의 자질資質인데 이를 갖춘 인물의 출현은 몇 백 년 만에 하나가 나올까 말까 하고, 나왔다 하더라도 그를 요구하는 시대 여건이 성숙되지 못하면 그 기량을 발휘하지 못하는 것이다.

그런데 겸재는 이런 천부의 자질을 타고나서 그를 절실히 요구하는 시대환경을 만나게 되었으니 무엇을 주저할 필요가 있었겠는가. 성실한 법고法古의 바탕을 가지고 누구도 생심生心조차 할 수 없었던 창신創新의 경지를 대담하게 열어 갔던 것이다.

단발령망금강산斷髮嶺望金剛山 도판2

1711년, 견본담채絹本淡彩, 39.0×34.3cm, 《신묘년풍악도첩辛卯年楓岳圖帖》, 국립중앙박물관 소장.

미법토산米法土山 삽도11
『당시화보唐詩畵譜』 권5 제17판.

황산黃山 삽도13
『명산도名山圖』 제15판.

차운遮雲 삽도14
『당시화보唐詩畵譜』 권2 제26판.

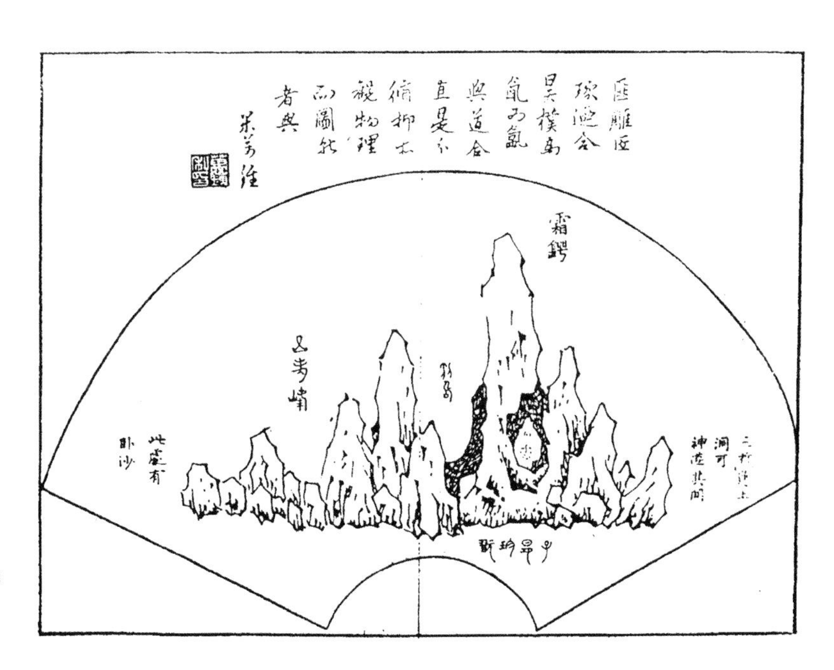

상악霜鍔 삽도12
『당시화보唐詩畵譜』 권6 제27판.

백천교百川橋 도판7

1711년, 견본담채絹本淡彩, 33.2×37.7cm, 《신묘년풍악도첩辛卯年楓岳圖帖》, 국립중앙박물관 소장.

토안법土岸法 삽도15
『당시화보唐詩畵譜』 권5 제4판.

벽하담碧霞潭 도판5

1711년, 견본담채絹本淡彩, 26.1×36.1cm, 《신묘년풍악도첩辛卯年楓岳圖帖》, 국립중앙박물관 소장.

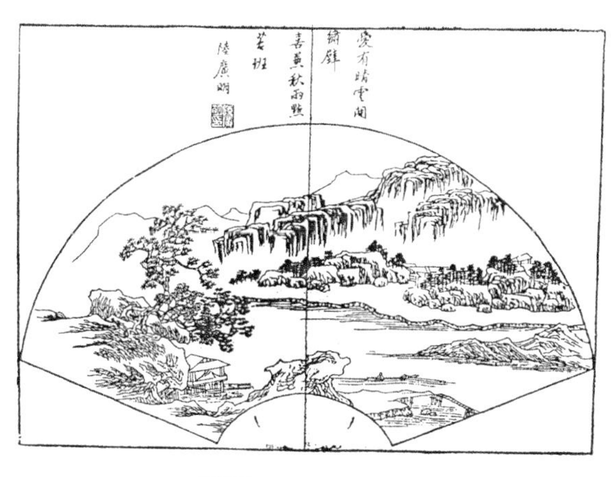

벽대준법劈帶皴法 삽도16

『당시화보唐詩畫譜』 권6 제5판 선면扇面.

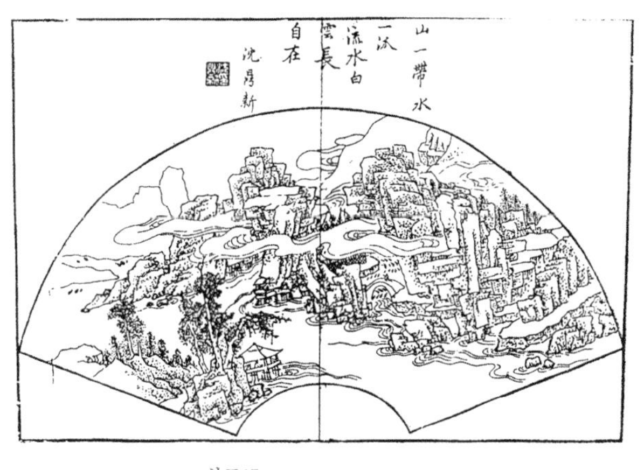

절대준법折帶皴法 삽도17

『당시화보唐詩畫譜』 권6 제8판 선면扇面.

아미산도峨嵋山圖 삽도18

『해내기관海內奇觀』 권8.

오대산도五臺山圖 삽도19

『명산도名山圖』 제25판.

옹천甕遷 도판11

1711년, 견본담채絹本淡彩, 37.6×26.5cm, 《신묘년풍악도첩辛卯年楓岳圖帖》, 국립중앙박물관 소장.

해도기암海濤奇巖 삽도20
『당시화보唐詩畫譜』 권5 제42판.

동정추월洞庭秋月 삽도21
『해내기관海內奇觀』 권8.

〈피금정披襟亭〉도판1은 서울에서 금강산으로 가는 길목에 있는 정자이다. 미가운산법米家雲山法으로 시종일관된 화법인데 이런 화법도 겸재 진경산수화법의 한 요소가 되어 특히 토산土山 처리에 잘 쓰인다. 그러나 이곳의 잡수법雜樹法은 황대치黃大癡나 예운림倪雲林으로부터 비롯되는 오파계吳派系의 그것이다.

피금정披襟亭 부분

피금정披襟亭 도판1

1711년, 견본담채絹本淡彩, 33.6×35.8cm, 《신묘년풍악도첩辛卯年楓岳圖帖》, 국립중앙박물관 소장.

〈단발령망금강산斷髮嶺望金剛山〉도판2이 비록 화보畵譜에서 그 기법을 빌려 왔다 하나 북방화법北方畵法의 근본根幹인 필묘筆描와 남방화법南方畵法의 기본인 묵묘墨妙가 음양대비陰陽對比의 자연섭리에 따라 한 화면에서 조화를 이루게 한 화면 구성법이나 임리淋漓한 묵법墨法과 강경剛硬한 선묘線描가 보이는 뛰어난 필묵법筆墨法에서 가위 남북화법南北畵法이 이상적으로 조화되는 그 첫 성공을 보는 듯한 느낌이 드니 이는 고전을 바탕으로 한 대담한 창신創新이라 하지 않을 수 없다.

단발령망금강산斷髮嶺望金剛山 도판2

1711년, 견본담채絹本淡彩, 39.0×34.3cm, 《신묘년풍악도첩辛卯年楓岳圖帖》, 국립중앙박물관 소장.

〈금강내산총도金剛內山摠圖〉도판3 역시 마찬가지다. 소위 일만이천봉이라고 하는 백색화강암봉이 비로봉毘盧峰을 주봉으로 하여 날카롭게 끝을 세워 상악霜鍔처럼 화면 가득히 열립列立해 있고 그 좌측 주변으로부터 전면前面 아래로는 미가운산법米家雲山法으로 그려진 토산들이 이를 부드럽게 감싸서 음양陰陽의 조화를 이루어 놓았는데 암봉岩峯들 사이의 골골마다 물길 따라 역시 편점극원소수扁點極遠小樹를 배열配列하여 정취情趣와 풍운風韻을 배가하고 있다.

금강내산총도金剛內山摠圖 도판3

1711년, 견본담채絹本淡彩, 37.5×35.9cm, 《신묘년풍악도첩辛卯年楓岳圖帖》, 국립중앙박물관 소장.

〈장안사長安寺〉도판4는 겸재가 금강산을 들어가는 초입인 비홍교飛虹橋를 보는 순간 벅차게 느꼈던 감흥을 그대로 표현한 진경眞景이다. 그래서 비홍교가 전경前景을 가로막아 사우寺宇를 압도하는 이상한 구도가 되었는데 그로 말미암아 산만해진 구도를 바로잡기 위해 석가봉釋迦峯, 지장봉地藏峯, 관음봉觀音峯의 큰 암봉셋을 상악준법霜鍔皴法으로 예리하게 용출聳出시켜 절 뒤의 토산土山과 대칭적 조화를 이루게 했다.

그러나 이것이 도리어 화면을 양분시키는 결과를 가져와 구도 면에서는 실패를 보게 되니 겸재는 이후에 장안사를 그리면서 결코 이런 대칭적 구도를 쓰지 않는다. 여기서 대미수법大米樹法과 소미수법小米樹法으로 근산近山 송림松林을 표현하고 원산소수遠山小樹는 편점扁點과 대미수법大米樹法을 혼용混用하는 수법樹法 표현을 시도하는데 이 수법들은 장차 겸재 진경산수에 창울임리蒼鬱淋漓한 유수감幽邃感을 더해 주게 된다.

장안사長安寺 도판4

1711년, 견본담채絹本淡彩, 37.5×36.6cm,《신묘년풍악도첩辛卯年楓岳圖帖》, 국립중앙박물관 소장.

〈벽하담碧霞潭〉도판5도 대담한 실험정신을 가지고 그려 본 진경이다. 층암절벽으로 이루어진 독립봉인 금강대金剛臺를 전경前景에 두어 반쯤만 드러내고 왼쪽으로는 소향로봉小香爐峰, 대향로봉大香爐峰과 사자암봉獅子岩峯을 필봉筆峰 모양의 가파른 삼각봉으로 중첩시켜 놓았으며 오른쪽에는 보덕굴의 깎아지른 절벽으로 연결되는 암봉들로 가득 채운 다음 화면의 주축을 이룬 담묵조淡墨調의 삼각봉과 절벽암봉 뒤로 상악세霜鍔勢의 백색 암봉들을 병풍처럼 둘렀다.

큰 물줄기가 삼각봉과 절벽암봉 사이의 화면畵面 중앙中央을 대담하게 관통하는데 그 물줄기의 중앙에 벽하담을 포치시켰다. 금강대의 절대준折帶皴과 절벽암봉의 부벽준斧劈皴, 삼각봉의 중산준重山皴 등은 겸재가 대상의 특징에 따라 실험적으로 고루 시도해 본 준법皴法이라고 생각이 되니 이 중에서 부벽찰법斧劈擦法이나 중산준重山皴 따위는 이후에 다시 금강산 진경에 쓰이지 않고 있기 때문이다.

벽하담碧霞潭 도판5

1711년, 견본담채絹本淡彩, 26.1×36.1cm, 《신묘년풍악도첩辛卯年楓岳圖帖》, 국립중앙박물관 소장.

송강松江 정철鄭澈(1536~1593)이 그의 가사 「관동별곡關東別曲」에서

마하연摩訶衍 묘길상妙吉祥 안문재 너머디어, 외나무 썩은 다리 불정대佛頂臺 올라 하니.
천심절벽千尋絶壁을 반공半空에 세워 두고, 은하수銀河水 한 구비를 촌촌히 버혀 내어.
실같이 풀쳐 이서 베같이 걸었으니, 도경圖景 열두 굽이 내봄에는 여러히라.
이적선李謫仙 이제 있어 고쳐 의논하게 되면, 여산廬山이 여기도곤 낫단 말 못하리니.

라고 읊었던 〈불정대佛頂臺〉[도판6]는 겸재가 이 가사의 묘사력에 감복했던지 그 내용에 부합하도록 그려 놓고 있다. 독립봉으로 높이 솟은 불정대에 왼쪽 토산인 박달령朴達嶺 중턱까지 까마득히 올라간 오솔길이 외나무다리로 이어지고, 맞바라다보이는 절벽에서는 십이폭十二瀑이 굽이쳐 떨어진다. 천 길 벼랑 아래로는 외원통암外圓通庵이 송림 속에 싸여 아찔하게 내려다보인다.

그래서 후계后溪 조유수趙裕壽(1663~1741)는

천추千秋의 불정폭佛頂瀑, 두 정씨鄭氏 드러내니.
뒤에는 원백元伯의 그림이 있고, 앞에는 계함季涵(정철鄭澈의 자字)의 가사가 있네.
千秋佛頂瀑, 二鄭發揮之. 後有元伯畵, 前有季涵詞.
趙裕壽, 『后溪集』 卷二, 題四帖小屛五絶 佛頂臺

라고 읊어 사천槎川과 동감을 나타냈던 모양이다. 사천은 벌써

천추千秋에 빛날 송강松江 노인의 가요歌謠에 있듯, 불정대佛頂臺 앞에는 외나무 다리.
다병多病한 중년이라 심력心力이 약해서, 지팡이 의지하고 산 중턱 되내려오네.
千秋松老有歌謠, 佛頂臺前獨木橋. 多病中年心力弱, 挾筇却下半山腰.

불정대佛頂臺 도판6

1711년, 견본담채絹本淡彩, 34.5×37.4cm, 《신묘년풍악도첩辛卯年楓岳圖帖》, 국립중앙박물관 소장.

澗松美術館 所藏, 『海嶽傳神帖』 原蹟

라고 읊고 있었다.

그러나 십이폭이 있는 절벽의 표현을 상악세霜鍔勢의 백옥봉白玉峰으로 처리한 것은 폭포의 인상을 상대적으로 약화시켰고, 병풍처럼 그 절벽을 화면에 가득 채운 것 역시 답답한 구도여서 지나치게 욕심낸 창작실험이었다고 여겨진다. 다만 불정대를 처리한 절대준折帶皴과 부벽준斧壁皴의 절충법은 수직암벽 표현에 매우 적절한 것으로 이후 겸재 진경화법의 한 근간을 이루게 되니 큰 수확이라 하지 않을 수 없다.

〈백천교百川橋〉도판7는 겸재가 미가수법米家樹法으로 운무雲霧에 싸인 침엽수림針葉樹林의 창울임리蒼鬱淋漓한 모습을 성공적으로 표현해 낸 진경이다. 이런 운림법雲林法은 바로 이하곤이 지적했던 대로 황공망의 〈부춘산도富春山圖〉에서 얻은 화법畵法이었던 모양인데, 원시림지대가 많던 당시 하산夏山 진경眞景에는 매우 적절한 표현기법이었으니 이곳에서 얻은 성공의 결과로 겸재는 이후 이런 창울한 운림수법을 많이 구사하게 된다.

수림樹林을 사방에 가득 채워 유수幽邃한 정취를 고조시키는 화면구성의 대담성도 겸재 아니고는 시도해 보기 어려운 것이었으니 이것도 이후 겸재 진경화법의 한 가지 특징이 되어 관아재觀我齋가 그 지나침을 흠집으로 지적하고 있을 정도이다. 옮기면 다음과 같다.

> 또 그 포치鋪置도 때때로 너무 모두 빽빽하고 답답하게 화폭에 가득 차서 언덕과 골짜기에 한 가닥 빈 하늘빛도 없으니 원백元伯의 그림은 경영수단에서 아직 미진한 것이 있는 듯하다. 원백元伯은 어떻게 생각하는지 모르겠구나.
>
> 且其鋪置, 往往太皆密塞滿幅, 丘壑無一竅天色, 元伯之畫, 於落�手段, 似猶有所未盡者. 未知元伯以爲如何.
>
> 趙榮祏, 『觀我齋稿』 卷三, 丘壑帖跋

〈백천교〉는 삼연이 이렇게 읊고 있다.

백천교百川橋 도판7

1711년, 견본담채絹本淡彩, 33.2×37.7cm,《신묘년풍악도첩辛卯年楓岳圖帖》, 국립중앙박물관 소장.

보내는 자 중이니 남여籃輿를 되돌리고, 맞는 자 말이니 시내 향해 울부짖네.

다리의 동서쪽이 그 호계虎溪라던가. 고래 사는 바다 경계일세.

흥興은 남고, 실은 시 아직 주머니에 차지 않는다. 달려라, 십주十洲가 앞에 있구나.

送者僧, 以輿返, 候者馬, 向溪嘶. 橋東橋西, 其虎溪. 鯨海之畛乎. 興有餘, 馱詩未盈囊. 僊僊乎, 十洲在前矣.

金昌翕,『三淵集』卷二十五, 題李一源海岳圖後 百川橋出山

이곳은 금강산을 하직下直하는 출산처出山處로 승려들은 태우고 다니던 남여들을 되돌려 가고 기다리던 말과 구종驅從들이 주인을 대신 뫼셔 내가는 교대가 이루어졌던 모양이다.

그 정경을 겸재는 초기 사생답게 인마人馬 하나하나를 꼼꼼히 그려 내고 있다. 젊은이다운 성실성과 패기가 엿보이는 면모인데 인물화를 되도록 기피하고자 했던 겸재가 이후에는 반복하지 않는 기법 중의 하나다. 부득이 인물을 배치해야 할 경우는 항상 한두 사람에 그쳤다.

그러나 여기에서는 조선 의관衣冠을 갖춘 사대부士大夫와 승려 및 구종驅從들을 사실적으로 묘사해 풍속화의 선구를 이루어 놓고 있으니 이제까지 보지 못하던 혁신적 표현기법으로 진경 표현과 함께 조선중화사상에 입각해 조선 고유색을 드러낸 대담성의 발로라 할 수 있겠다. 아직 조속趙涑(1595~1668)의 〈계림고사도鷄林古事圖〉(1655년경)[삽도22]나 한시각韓時覺(1621~?)의 〈북새선은도北塞宣恩圖〉(1664, 국립중앙박물관 소장) 및 〈이경석사궤장연회도첩李景奭賜几杖宴會圖帖〉(1668, 경기도박물관 소장)[삽도23], 〈동문송별도東門送別圖〉(1682, 규장각 소장) 등에 나타난 인물의 의관 표현이 이처럼 적나라하게 조선 고유색을 나타내지 못하고 있었는데 이제야 비로소 겸재가 이를 실감나게 표현해 낸 것이다.

백천교百川橋 부분

계림고사鷄林故事 삽도22

조속趙涑 화畵, 1655~1656 병신丙申,
견본채색絹本彩色, 56.0×105.5cm,
국립중앙박물관 소장.

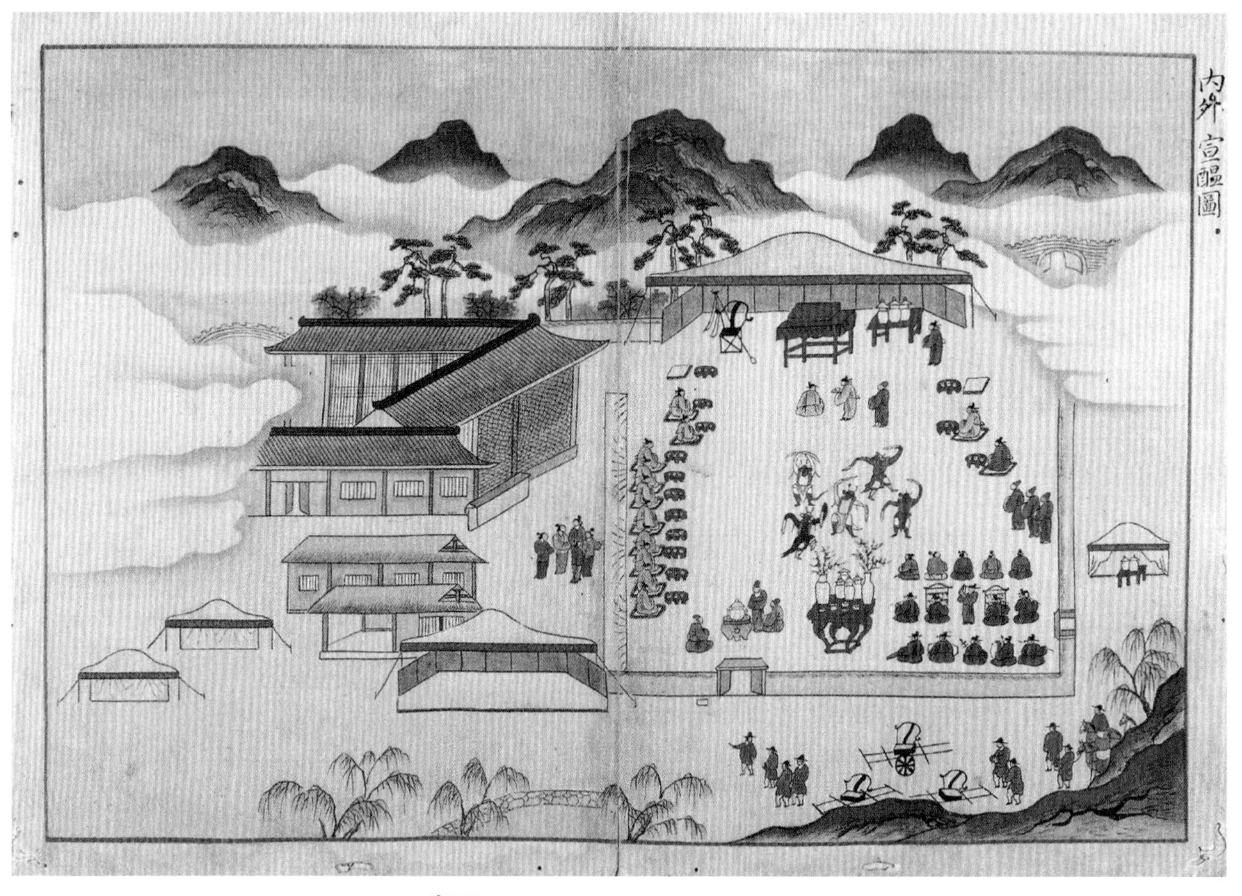

이경석사궤장연회도첩李景奭賜几杖宴會圖帖 [삽도23]
1668년, 지본채색紙本彩色, 60.8×42.5cm, 경기도박물관 소장, 보물930호.

〈해산정海山亭〉[도판8]은 해금강海金剛 남대천변南大川邊에 자리 잡은 고성읍高城邑 주변 전경을 화폭에 담은 광활한 지역의 진경이다. 겸재는 이렇게 시력이 미칠 수 있는 범위까지의 산천경개를 작은 화폭에 압축 표현해 보려는 대담한 실험을 감행했던 것이다. 멀리 비로봉과 중향성 등 금강산 일만이천의 백색 암봉들이 열립해 있는데 그 아래 중경中景으로 외금강外金剛 연봉을 촉립矗立시킨 다음 고성읍 내외와 해산정을 벌여 놓고 남대천南大川과 동해의 칠성암七星巖까지 표현하려는 욕심을 부렸다.

해산정海山亭 부분

해산정海山亭 도판8

1711년, 견본담채絹本淡彩, 37.6×26.8cm, 《신묘년풍악도첩辛卯年楓岳圖帖》, 국립중앙박물관 소장.

정말 해산海山 승경勝景의 진수眞髓를 일폭상一幅上에 구현해 보려 한 것이다. 겸재의 이런 통 큰 구도감각은 장차 겸재 진경화법의 한 특징으로 성공하니 서울 장안을 한눈으로 조감鳥瞰해 대담하게 압축해 놓는 〈삼승조망三勝眺望〉도판44이나 〈장안연우長安烟雨〉도판74, 〈장안연월長安烟月〉도판80 등이 그 대표적인 예이다.

삼승조망三勝眺望 도판44
1740년 경신庚申 6월, 견본담채絹本淡彩, 66.7×39.7cm, 개인 소장.

장안연우長安烟雨 도판74

1741년 신유辛酉, 지본수묵紙本水墨, 39.8×30.0cm,《경교명승첩京郊名勝帖》하, 간송미술관 소장.

장안연월長安烟月 도판80

1741년 신유辛酉, 지본수묵紙本水墨, 41.0×28.2cm,《경교명승첩京郊名勝帖》하, 간송미술관 소장.

〈삼일호三日湖〉도판9 역시 전경全景을 한 폭에 담은 것으로 호수 전체를 화면에 가득 채우고 사방에 호수를 둘러싸고 있는 산봉우리들을 둘러놓는 특이한 구도를 보인다. 그러나 호수 중앙에 사선정四仙亭이 있는 호중도湖中島가 있어 화면의 중앙이 공허하게 비워지지 않게 되고 원경遠景에 낮게 깔린 산봉우리 너머로 동해바다가 떠올라서 광활한 중에 아기자기한 정취가 배어 나온다.

이런 구도는 이후 겸재뿐 아니라 삼일호를 그리는 모든 진경화가들이 한결같이 따라 쓰는 기법이 된다. 삼일호 자체가 가지는 그림 같은 면모를 그대로 사생한 데서 이루어진 자연스런 구도감각이라고 쉽게 생각해서는 안 된다. 이를 일경一景으로 소화해 낼 수 있는 겸재의 배포가 아니고서는 이런 구성이 언뜻 이루어지기 힘들기 때문이다.

삼일호三日湖 도판9

1711년, 견본담채絹本淡彩, 37.3×36.2cm, 《신묘년풍악도첩辛卯年楓岳圖帖》, 국립중앙박물관 소장.

삼일호三日湖 서북쪽에 있는 문암門岩에서 일출日出을 보는 장면인 〈고성문암관일출高城門岩觀日出〉[도판10]은 문암 자체가 가지는 원형성圓形性 때문에 겸재는 동원董源의 산두소석법山頭小石法에 방불한 원형석圓形石의 표현을 시도하는데 이는 기암괴석奇岩怪石이 많은 조선의 진경을 표현해 내는 데 반드시 개발해야 하는 화법이었다. 중경에 산자락을 중첩시킨 것이나 오른쪽 하단에 사선정四仙亭을 배치한 것은 있는 대로 다 표현하려는 젊은이다운 진솔한 태도겠으나 화면구성 상으로는 일출의 장관을 방해하는 요소들이니 화법창안기의 미숙성이라 하겠다.

고성문암관일출高城門岩觀日出 도판10

1711년, 견본담채絹本淡彩, 37.9×36.0cm,《신묘년풍악도첩辛卯年楓岳圖帖》, 국립중앙박물관 소장.

〈옹천甕遷〉도판11은 통천읍通川邑 남쪽 7리 지점에 있는 항아리 모양의 원형 절벽이다. 그 절벽이 바다로 들어가서 부득이 절벽 허리를 돌아 길을 내게 됐는데 발 아래는 천 길 낭떠러지 밑에 파도 일렁이는 동해의 깊은 물이 내려다보이므로 담약한 사람은 지나기 어렵다는 곳이다. 그래서 임진왜란 때는 왜적을 이곳에서 밀어 떨어뜨려 막았으므로 왜륜천倭淪遷이라 한다고도 한다.

이런 절벽을 묵찰墨擦로 음영陰影을 붙이며 쓸어내리는 방법으로 표현해 내고 있다. 이는 아마 어려서부터 바위산인 인왕산과 북악산을 사생하면서 터득한 암벽표현법이었을 것이다. 겸재 진경화법의 대표적인 독창기법이다.

옹천甕遷 부분

옹천甕遷 도판11

1711년, 견본담채絹本淡彩, 37.6×26.5cm, 《신묘년풍악도첩辛卯年楓岳圖帖》, 국립중앙박물관 소장.

〈총석정叢石亭〉[도판12]은 송강가사에서

> 금란굴金幱窟 돌아들어 총석정叢石亭 올라하니, 백옥루白玉樓 남은 기둥 다만 네
> 히 서 있고야.
> 공수工倕의 성녕인가 귀부鬼斧로 다듬은가. 구태여 육면은 무엇을 상象톳던고.

라고 읊고 있는데 겸재는 이 내용대로 총석 네 기둥을 충실히 표현해 놓고 있다. 무수한 각주角柱를 한데 모아 놓은 듯 층층이 쌓여 올라간 이 사주四柱 이외에 무수한 총석더미가 총석정이 서 있는 총석봉 주변에 널려 있다. 겸재는 이를 부감법府瞰法으로 모두 그려 냈다. 총석의 표현법은 역시 〈금강대〉나 〈불정대〉처럼 부벽찰斧劈擦과 절대준折帶皴을 절충해 썼고 이 법은 총석 표현에 가장 알맞는 듯하다.

총석정叢石亭 도판12

1711년, 견본담채絹本淡彩, 37.5×38.3cm, 《신묘년풍악도첩辛卯年楓岳圖帖》, 국립중앙박물관 소장.

〈시중대侍中臺〉[도판13]는 흡곡歙谷 북쪽 7리쯤에 있는 해변海邊 호중湖中 명승으로 삼면이 호수로 둘러싸여 있고 그 호수 밖으로는 동해바다가 둘러 있으며 바다에는 천도穿島·묘도卯島·우도芋島·승도僧島·석도石島·송도松島·백도白島의 일곱 개 섬이 떠 있어 원래 칠보대七寶臺라 하던 것을 세조 때 강원도 순찰사巡察使로 와 있던 한명회韓明澮가 이곳에 놀러 왔다가 우의정右議政에 배수하는 왕명을 받은 후로 시중대侍中臺라 고쳐 부르게 된 것이다.

이곳을 겸재는 『당시화보唐詩畵譜』 권1 제5판 〈운중해도법雲中海島法〉[삽도24]을

운중해도법雲中海島法[삽도24]
『당시화보唐詩畵譜』 권1 제5판.

시중대侍中臺 도판13

1711년, 견본담채絹本淡彩, 26.5×36.8cm,《신묘년풍악도첩辛卯年楓岳圖帖》, 국립중앙박물관 소장.

시중대 侍中臺 부분

원용援用하여 도군島群을 호해간湖海間에 벌여 놓았다. 호해湖海의 광활함을 드러내기 위해 역시 산자락을 좌우로 몰았는데 왼쪽에 무게를 둔 것은 실경이 그렇기도 했겠지만 호해에 점철된 섬들과 평형을 유지하기 위한 겸재의 구도감각에서 말미암은 소치일 것이다. 섬들이 마름모처럼 예리하게 표현된 것은 겸재의 젊은 기백의 상징이라고 생각되는 미숙성이다.

이상으로《신묘년풍악도첩辛卯年楓岳圖帖》13폭을 통해서 겸재가 어떻게 진경화법眞景畵法을 창안創案해 내는가 하는 것을 대강 살펴보았다.

제3장

성공적 반응

6

명문천하名聞天下

겸재가 이렇게 삼십대 후반에 전통적인 중국 고전화법을 충분히 소화하여 그 요체를 터득한 다음 남북화법南北畵法의 장처長處를 융회融會하여 금강산金剛山 주변의 해산승지海山勝地를 사생하면서 창안해 놓은 진경화법眞景畵法은 당시 투철한 조선중화朝鮮中華 의식으로 조선 고유색 현양에 열중해 있던 사회 각계 각층으로부터 열광적인 환영을 받게 된다.

우선 겸재와 백악산 밑에서 이웃해 살면서 삼연문하三淵門下에서 동문수학同門修學하고 지기지음知己知音으로 형영상수形影相隨하며 진경문화를 함께 주도해 나가던 사천槎川 이병연李秉淵(1671~1751)이 겸재의 이런 진경화법에 크게 공명共鳴한다. 이에 겸재의 화명畵名을 천하에 떨치게 하려는 특별한 계획을 세우게 된다. 즉 그가 금화현감으로 부임해 간 지 세 해째 되는 숙종 38년(1712) 임진壬辰 8월에 그의 부친인 수암樹庵 이속李涑(1647~1720)을 모시고 금강산을 유람하면서 그의 아우 순암順庵 이병성李秉成(1675~1735)과 지기知己이며 시우詩友인 국계菊溪 장필문張弼文 응두應斗(1670~1729), 그리고 겸재를 이에 수행케 한 것이다.

이들은 모두 형제처럼 한 동네인 백악동부白岳洞府에서 살며 진경시화眞景詩畵로 일세를 울리던 백악사단白岳詞壇의 맹장들이었다. 사천은 이들이 가족적인 분위기 속에서 화기애애하게 금강산을 유람하며 마음껏 읊고 그리게 하기 위해 이런 자리를 마련했다. 하지만 사실 그 목적은 3인의 진경시인들이 겸재를 진경시로 격발시켜 겸재로 하여금 해악海嶽의 승경을 진경산수화로 그려 내게 하려는 데 있었던 듯하다.

그래서 이때 그려진 겸재의 그림들은 모두 사천이 독점하여 한 권의 화첩畵帖으로 꾸미고 자신이 각 폭마다 제화시題畵詩를 붙인 다음 스승인 삼연三淵에게 보이어 다시 각 폭마다 제화시를 붙이게 하여《해악전신첩海嶽傳神帖》이라는 진경시화합벽첩眞景詩畵合璧帖을 꾸며 놓는다. 그 정황을 사천은「정원백鄭元伯이 안개 속에서 비로봉 그리는 것을 보고鄭元伯霧中畵毘盧峰」라는 제화시題畵詩에서 이렇게 읊고 있다.

내 벗 정원백鄭元伯은, 주머니에 화필畵筆도 없어.
때때로 화흥畵興이 일면, 내 손에서 빼어 간다네.
금강산을 들어갔다 나온 뒤로는, 휘둘러 그리는 것 너무 방자해.
백옥白玉 일만이천봉, 하나하나 먹칠당하니.
놀라 깬 아홉 못 용들, 어지러이 비바람만 일으키더군.
비로봉 기대 누워, 종이에 내려오지 않으려 해서.
사흘을 머리 내기 아까워하니, 깊고 깊은 푸른 안개 속일 뿐.
원백元伯이 문득 한 번 웃고는, 먹 쓰는 데 대략 물을 타 내니.
그림은 더욱 기절奇絶해져서, 엷은 구름 달을 가린 듯.
흥 오르자 붓 던지고 일어나, 산과 더불어 즐기기만 할 뿐.
날 보고 또 가져가라니, 군재郡齋 창 안에 갖다 두었네.

吾友鄭元伯, 囊中無畵筆. 時時畵興發, 就我手中奪.
自入金剛來, 揮洒太放恣. 白玉萬二千, 一一遭點毁.
驚動九淵龍, 亂作風雨起. 偃蹇毘盧峰, 不肯下就紙.
三日惜出頭, 深深蒼霧裏. 元伯却一笑, 用墨略和水.
傳神更奇絶, 薄雲如蔽月. 興闌投筆起, 與山聊戲耳.
顧我且收去, 郡齋窓中置.

澗松收藏《海岳傳神帖》第十四 金剛內山, 槎川自書題詩 및『槎川詩抄』卷上, 四十一板

이때 수암은 66세의 노인이었고 국계는 43세, 사천이 41세, 순암이 38세, 겸재가 37세였으며 삼연은 60세였다. 때마침 수암의 8촌아우인 이집李潗(1670~1727, 43세)은 흡곡歙谷현령으로 있고, 수암의 구우舊友인 심정로沈廷老(1653~1712, 60세)는 고성高城군수, 그 아우 심정구沈廷耉(1656~1714, 57세)는 통천通川군수로 있었으며, 삼연의 제자로 겸재와 동문인 청풍계淸風溪 주인 모주茅洲 김시보金時保(1658~1734, 55세)는 간성杆城군수로 있었으니 이 사생여행의 호사와 아취가 어떠했을지 대강 짐작이 간다.

이렇게 진경문화를 애호하는 사우士友들의 극진한 권면勸勉과 공명共鳴 속에서 이루어진《해악전신첩海嶽傳神帖》이 금화현감 사천의 수장으로 들어가 세상에 알려지기 시작하자 겸재의 진가眞價가 진신간縉紳間에 점차 널리 알려지기 시작한다.

우선 이《해악전신첩》을 보고 매우 대견한 심정으로 제화시를 붙이고 난 삼연三淵이 다음과 같은 제화송題畵頌으로 제자인 겸재의 진경산수화법 창안을 흔쾌하게 인가印可해 겸재의 재능을 인정한다.

「정생鄭生의 금강도金剛圖에 제題함」

다섯 번 봉래산 밟고 다리 이미 피곤하여, 쇠약한 몸 영원히 악령嶽靈과 사별辭別하려 했었네.

화가삼매畵家三昧에 융신融神이 있으니, 무명버선 푸른 짚신 다시 무엇하겠나.

五踏蓬萊脚已疲, 衰軀永與嶽靈辭. 畵家三昧融神在, 布襪靑鞋更何爲.

金昌翕,『三淵集』拾遺 卷九, 題鄭生金剛圖

겸재가 그린 그림만 보면 금강산을 다시 밟을 필요가 없다는 극찬이다.

이렇게 겸재가《해악전신첩》으로 스승인 삼연에게 인가를 받고 평생지기인 사천으로부터 아낌없는 공명共鳴을 얻어 내고 있을 때 겸재에게는 또 다른 행운의 기회가 다가오고 있었다. 그동안 좌의정과 우의정을 오르내리며 정승 자리를 지키던 김창집金昌集이 이해 9월 28일 고종사촌형인 녹천鹿川 이유李濡(1645~1721)가 영의정이 되자 종형제간으로 함께 정승의 반열에 있는 것은 서로 꺼리는 일이라 하여 사직을 청하매 10월 25일 허락이 떨어져 홀가분한 마음으로 이미 예정되어 있던 동지사冬至使의 정사正使가 되어 11월 3일에 청나라 연경燕京으로 떠나게 된다.

이에 시화詩畵와 검기劍技, 마술馬術에 능하여 일필일검一筆一劍을 지니고 말을 놓아 천하를 달려 보고 싶어 하던 겸재의 그림 스승 노가재老稼齋 김창업金昌業(1658~1721)이 이미 55세의 노경임에도 불구하고 65세의 백씨伯氏 김창집金昌集(1648~1722)의 자제군관子弟軍官이 되어 이 사행使行에 수행해 간다.

노가재老稼齋는 겸재와 관아재를 길러 낸 사대부화가답게 당시 조선 화단에서 이름을 날리고 있던 몇몇 화가의 그림을 가지고 가는데, 중국의 감식안들에게 보이고 품평을 받아 보기 위해서였다. 연경에 도착한 노가재는 역관 오지항吳志恒이 3년 전인 숙종 35년(1709) 기축년己丑年 사행시에 연경에 왔다가 인연을 맺었다는 서화書畵 애호가 마유병馬維屛을 만나 이 그림들을 내보인다. 피차 왕래하며 사귀어 본 다음 그 감식안을 인정할 수 있었기 때문이었다. 그 정황을 노가재는 『가재연행기稼齋燕行記』에서 이렇게 기록하고 있다.

> 정생鄭生 선敾, 조생趙生 영석榮祏, 화사畵師 이치李穉가 그린 바의 산수와 윤진사尹進士 두서斗緖의 인물人物을 가지고 온 것이 있어서 드디어 모두 내보이니, 유병維屛이 정선鄭敾의 그림이 뛰어나다 하므로 드디어 그것을 증여했다. 윤두서의 그림은 작은 종이에 한 사람의 승려를 그린 것인데, 유병은 의문衣紋이 생경한 것으로 그것을 허물 잡았다.
>
> 鄭生敾 趙生榮祏 畵師李穉所畵山水, 尹進士斗緖人物, 有所持來者, 遂皆出示, 維屛以鄭畵以勝, 遂與之. 尹畵卽小紙畵一僧者, 維屛以衣紋生短之.
>
> 金昌業,『稼齋燕行記』 癸巳 二月 初八日

현재 조선화단에서 최고의 화가로 군림하고 있는 공재恭齋 윤두서尹斗緖(1668~1715)삽도25의 그림 솜씨보다 자신 형제들이 낙송루洛誦樓를 중심으로 백악사단白岳詞壇에서 길러 낸 정겸재의 그림이 훨씬 좋다고 하니 얼마나 기분이 좋았겠는가.

더구나 율곡栗谷, 우암尤庵으로 내려오며 낙촌駱村 윤의중尹毅中(1524~1590), 고산孤山 윤선도尹善道(1587~1671)로 이어지는 공재가계恭齋家系와는 세혐世嫌이 있는 까닭에 아무리 공재가 율곡학파인 서인西人과 우호를 도모하려 해도 그 간격을 뛰어넘을 수 없어 아쉬워하던 차에 율곡학파에서 그렇게 염원하던 회화분

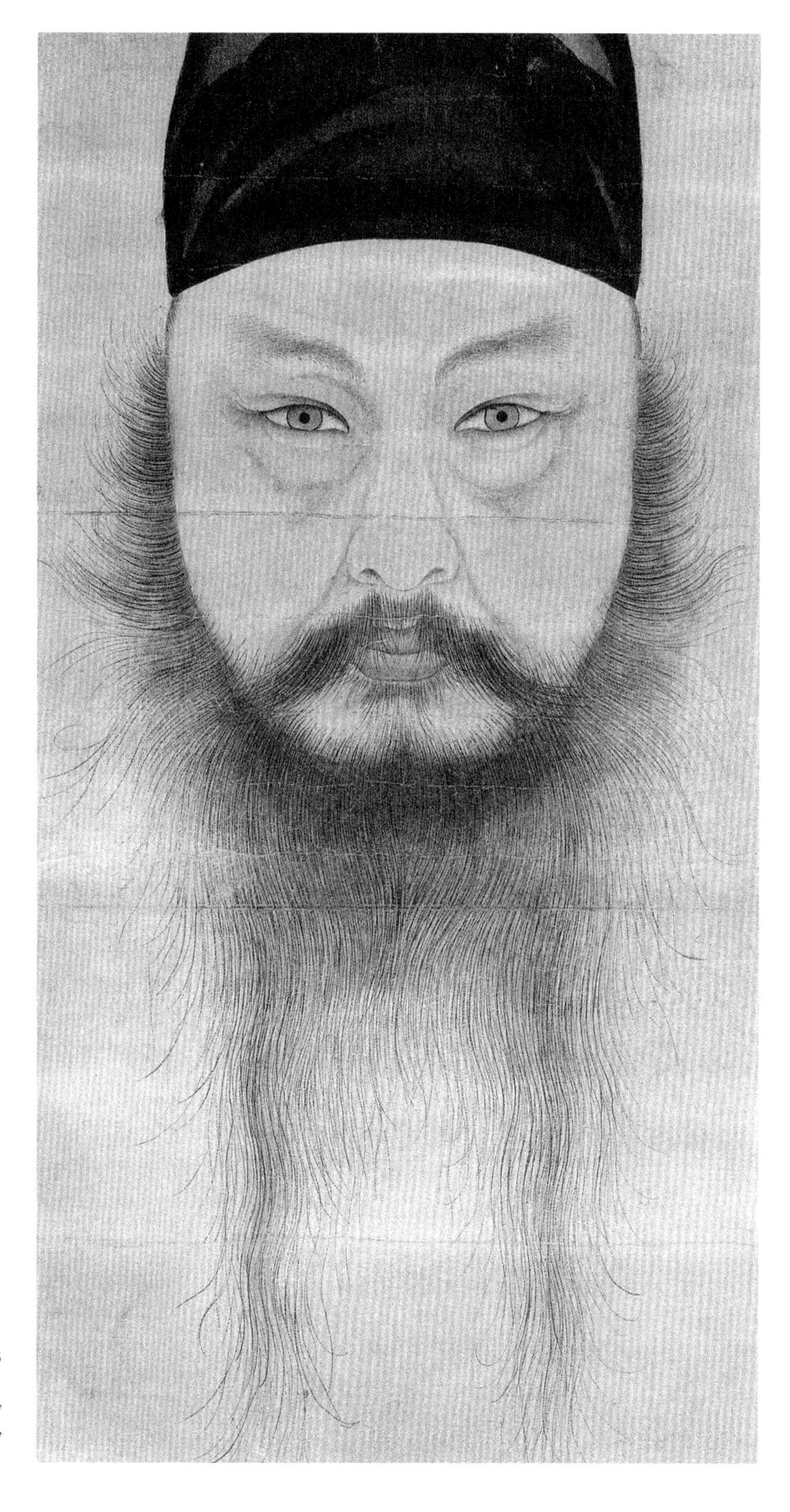

윤두서尹斗緖 **자화상**自畵像 삽도25
1710년경, 지본채색紙本彩色,
20.5×38.5cm, 해남 윤씨종가 소장,
국보240호.

야에서의 조선 고유색 표출을 성공시킨 겸재의 진경산수화가 바야흐로 조선화단을 주름잡기 시작한 공재의 신사대부화풍新士大夫畵風을 능가하는 것이라고 중국의 믿을 만한 감식안鑑識眼이 결론지었으니 노가재가 얼마나 통쾌했겠는가.

이것은 단순히 겸재의 승리에 그치는 것이 아니라 율곡 이래 우암과 자신들에게로 이어지는 율곡학파의 승리이고 더 나아가서는 조선이 곧 중화라고 부르짖는 조선중화주의의 공인일 수 있기 때문이었다.

노가재는 연행燕行 중에 한족漢族 지식층을 만날 때마다 의관衣冠이나 음식, 학문이나 예술 등 각 분야에 걸쳐 조선문화의 우수성을 그들로 하여금 인정시키려는 시도를 감행하여 대개 성공하고 있는데, 바로 조선 고유색 짙은 진경산수화에서조차 그들이 그 우수성을 인정하게 되었으니, 이제는 더 이상 조선성리학을 바탕으로 이룩해 낸 조선 고유의 진경문화眞景文化가 중화문화를 계승할 만한 자격이 있는가에 대한 일말의 의구심도 가질 필요가 없게 되었다. 여기서 노가재는 중화문화의 적통嫡統을 조선만이 잇고 있다는 자신들의 주장을 확실하게 재확인할 수 있었다.

겸재는 그림을 통해 진경문화의 우수성을 천하에 공인시킨 셈이다. 이를 계기로 겸재의 화명畵名은 점차 연경燕京 화단에 전파되기 시작해 장차 전 중국으로 확산되어 갔으니 이런 행운이 없었다. 한편 국내에서는 노가재가 숙종 39년(1713) 3월 30일 귀국하여 이 사실을 서울 화단에 공표하자, 진경문화를 주도해 가던 농암農巖, 삼연三淵 문하의 백악사단白岳詞壇 사우士友들이 우선 쾌재快哉를 부르며 환호작약喚呼雀躍하고, 겸재를 재평가하기 위해 《해악전신첩海嶽傳神帖》을 다투어 감상하고자 한다.

그러나 이제 46세의 한창 나이로 대대로 세혐世嫌이 있는 율곡학파栗谷學派와의 화해를 도모해 가면서까지 진경문화에 동조하는 새로운 화풍삽도26을 창안해 내어 상당한 공명을 얻어 가던 공재에게는 청천벽력晴天霹靂과 같은 소식이었다. 이에 심기가 불편해진 공재는 마침내 양모養母인 청송심씨靑松沈氏(?~1712)의 서거 후에 가세家勢가 기울었다는 핑계로 전 가족을 이끌고 해남으로 귀향해 버린다.

그 대목을 공재 자제인 낙서駱西 윤덕희尹德熙(1685~1766)는 「공재행장恭齋行

수탐포어 手探捕魚 삽도26
윤두서尹斗緖, 견본담채絹本淡彩,
25.5×27.0cm, 간송미술관 소장.

狀」에서 이렇게 기술하고 있다.

> 임진년(1712) 심숙인沈淑人 상喪을 만나 장례도구의 마련을 본디부터 정문情文(상례문喪禮文)에 빠짐없이 하니 경사卿士 대부大夫로부터 의관醫官 역관譯官 아전에 이르기까지 다투어 와서 조문하여 거리를 메우고 골목을 막았다. 손님이 많이 오기로는 비록 공경公卿 재상宰相이라도 같지 못했으리라. 드디어 전부공典簿公 묘소에 부장祔葬했다.

대상大喪을 만나면서부터 집안 살림이 점점 기울어 많은 식구가 살아나갈 계책이 없어 계사년(1713) 봄에 권속을 이끌고 남쪽으로 내려왔다.

壬辰丁沈淑人憂, 終送之具營辦, 有素無缺於情文, 自卿士大夫, 以至醫譯吏胥, 爭來赴弔, 塡街咽巷. 致客之盛, 雖卿宰不如. 遂祔葬于典簿公墓. 自遭大喪, 家道滂落, 百口濟活無策, 癸巳春, 擧眷南下.

尹德熙, 先府君行狀, 『海南尹氏文獻』 卷十六

그러니 겸재는 이제 약관 38세로 서울 화단을 주도하는 독보적인 존재로 부상하게 되었다. 그런데 이보다 앞서 벌써 이해 3월에는 당세 문원文苑의 대가大家로 자타가 공인하는 대사백大詞伯 후계后溪 조유수趙裕壽(1663~1741)가 흡곡歙谷 현령으로 도임해 가던 중 금화에 들러 사천이 보장하고 있는 《해악전신첩海嶽傳神帖》을 보고 빌려 가지고 가서 또 각 폭마다 제화시를 붙인다.

그 내용은 『후계집后溪集』 권8에 「이일원李一源 해산일람첩海山一覽帖에 발跋함李一源海山一覽帖跋」이란 제목으로 수록되어 전해 오고 있다. 〈입산도入山圖〉부터 〈용공사동구龍貢寺洞口〉에 이르는 20수에 걸친 제화시이니 아마 마음에 드는 그림만 골라 선별적으로 제화시를 붙인 모양이다. 말미末尾에는 「또 이일원李一源의 영동시권嶺東詩卷에 제題함又題李一源嶺東詩卷」이라는 발문跋文에 해당하는 제사題詞를 남겨 놓고 있는데 그 내용은 이렇다.

이 시화권詩畵卷 속의 삼연三淵이 붙인 짧은 제화시는 이미 명산名山, 명화名畵와 더불어 삼절三絶을 갖춰 놓았거늘 그래도 나에게 사족蛇足을 그리라고 요구하니 어째서인가. 또한 해산海山을 그렸는데 당포唐浦 등을 빼지 않은 것은 조금 펼쳐 내려는 뜻인가. 드디어 사양하지 않고 학림鶴林(흡곡歙谷의 별호別號) 현재縣齋에서 쓰노라.

此卷中三淵小題, 已與名山名畵, 三絶備矣. 猶要余畵足何哉. 是亦圖海山, 而不遺唐浦等, 小鋪敍之意耶. 遂不辭而書於鶴林縣齋.

趙裕壽, 『后溪集』 卷八, 又題李一源嶺東詩卷

이미 후계后溪는 삼연三淵의 제화시와 겸재 그림 그리고 금강산을 시詩, 화畵, 경景 삼절三絶로 꼽아 겸재의 진경산수화를 당대 제일의 화절畵絶로 치고 있는 것이다.

한편 사천은 겸재로 하여금 이《해악전신첩》과 같은 진경산수화법으로 남종화의 시조로 떠받들고 있는 당나라 명화가 왕유王維 마힐摩詰(699~759)의〈망천십이경도輞川十二景圖〉를 그리게 하여 다시 화첩으로 꾸며 자랑하게 되는데 당시 백악사단에서 그림 좋아하기로 소문난 대감식안 서암恕庵 신정하申靖夏(1680~1715)에게 이를 제일 먼저 보이는 듯하다. 서암恕庵은 현석玄石 박세채朴世采 문인인 영의정 평천군平川君 경암絅庵 신완申琓(1646~1707)의 차자로 농암農巖 문인이 되어 사천이나 겸재와는 동문지의同門之誼가 있는 사이였다. 이 화첩을 빌려 본 서암恕庵은 얼마나 이 화첩이 탐이 났던지 이런 장난기 어린 제발題跋을 붙여 속맘을 털어놓는다.

> 일원一源이 화강花江(금화金化의 별칭)을 다스림에 두 가지 좋은 인연이 있었으니 금강산 면목을 본 것이 한 가지요, 정군鄭君의 이 화첩을 얻은 것이 두 가지이다. 일원一源이 관리가 되어서 능히 일마다 속되지 않게 하는 것이 이와 같다. 김삼연金三淵이 이르기를 요즘 시 잘 짓는 사람은 많이들 예전의 일 번 가는 전배들보다 멀리 뛰어나다고 했는데, 나는 회소가繪素家(화가畵家)도 또 그렇다고 하겠다. 정군鄭君의 이 화첩 같은 것을 어찌 나옹懶翁(이정李楨)이나 허주虛舟(이징李澄) 같은 무리들이 꿈속에선들 본 바 있으랴![삽도27]
>
> 나는 어려서부터 그림 좋아하는 병이 있어서 남의 집 소장이라도 반드시 스스로 가져다 쌓아 놓고야 말았었는데 요즘에는 자못 그렇지 않아 속으로 좋아하는 것이 시들해졌나 보다 했더니, 이제 이 화첩을 봄에 심히 사람으로 하여금 그것을 욕심내게 한다. 앞에서 이른바 그렇지 않았다는 것은 곧 세상에 좋은 그림이 없었음으로이지 내 병이 나은 것은 아니었음을 비로소 알겠다.
>
> 내가 이 화첩을 보니 용필用筆이 지극히 속되지 않아 드디어 마땅히 보장寶藏할 만하다. 일원一源이 그림 모르는 것으로서는 이 화첩을 가지는 것이 합당치 않으니 특히 그 시의 절묘함으로 이 그림에 짝해 놓기나 해야 하리라. 정보正甫.

설산심매雪山尋梅 삽도27
이징李澄, 견본담채絹本淡彩,
21.0×31.0cm, 간송미술관 소장.

一源之宰花江, 有兩箇好因緣, 見金剛面目, 一也, 得鄭君此帖二也. 一源之爲吏, 而能事事不俗如此. 金三淵謂, 近日工詩者, 多遠過曩時一番前輩. 余謂, 繪素家亦然. 若鄭君此帖, 豈懶翁 虛舟輩, 所夢見耶.

余自幼病於嗜畵, 人家所藏, 必自蓄之後已, 近頗不然, 意謂嗜好已退, 今見是帖, 甚使人欲之, 始知前所謂不然者, 乃以世無佳畵, 非余病之瘳也. 余觀此帖, 其用筆極不俗, 遂當爲寶藏. 以一源之不知畵, 不合有此帖, 特以其詩之妙, 堪配此畵耳. 正甫.

李夏坤, 『頭陀草』 卷十四, 題一源所藏鄭敾元伯輞川渚圖後

『서암집恕庵集』 권12, 「이일원李一源이 소장한 정생鄭生 선敾의 망천십이경도첩輞川十二景圖帖에 발跋함李一源所藏鄭生敾輞川十二景圖帖跋」에는 이 내용의 앞뒤 일부분이 실려 있는데 상기上記 『두타초頭陀草』에는 전문이 모두 수록되어 있어 『서암집』 편찬 당시 《망천십이경도첩輞川十二景圖帖》에 기재된 내용을 모두 옮겨 싣지 못한 듯하다.

여기서 신정하는 아직 맹목적인 중국화풍의 추종을 완전히 청산하지 못하고 있던 조선 중기 화풍의 대가들인 이정李楨(1578~1607)이나 이징李澄(1581~?) 같은 화가들이 겸재의 진경산수화 같은 그림을 꿈속에서조차 상상할 수 없었을 것이라고 겸재화풍의 절대 우위론을 구체적으로 언급하고 있다. 그런데 숙종 40년(1714) 갑오甲午 봄에는 백악사단白岳詞壇의 또 다른 대감식안인 담헌澹軒 이하곤李夏坤(1677~1724)이 금강산 여행을 다녀오면서 이 두 화첩을 보고 날카로운 비평과 함께 극도의 찬사를 아끼지 않으니 겸재의 화명畵名은 더욱더 경향간京鄕間에 진동하게 된다.

담헌은 삼연三淵의 넷째 고모부 예조판서 제월당霽月堂 송규렴宋奎濂(1630~1709)의 큰 자제 이조판서 옥오재玉吾齋 송상기宋相琦(1657~1723)의 큰사위로 삼연과 농암農巖의 내당질서內堂姪壻에 해당해 일찍부터 농암문인이 되었었는데, 좌의정 화곡華谷 이경억李慶億(1620~1673)의 손자요 호조판서 회와晦窩 이인엽李寅燁(1656~1710)의 장자로 외가인 임천林川 조문趙門을 통해서 서암이나 사천과는 모두 6촌형제의 척분이 있었다. 외조부 일봉一峯 조현기趙顯期(1634~1685)의 백씨伯氏인 구봉九峯 조원기趙遠期(1630~1680)의 큰사위가 서암의 부친 평천군平川君 신완申琓이고 큰 손녀사위가 사천 이병연이었기 때문이다.[참고9]

동문지기에다 이런 형제의 척분마저 있었으니 이들 세 사람 사이의 우의가 어떠했으리라 하는 것은 짐작하고도 남음이 있겠는데, 거기에다 모두 진경시문의 대가로 서화書畵를 좋아하여 수장과 감식에 타의 추종을 불허하는 일세 통유通儒들이었음에랴! 탈속한 문사로 세련된 진경문화眞景文化를 주도해 가던 이들 난

형난제難兄難弟들은 경쟁적으로 겸재 그림을 칭송하고 앞다투어 좋은 그림을 그리게 하여 수장하려 했으니 이제 그 정황을 담헌의 금강산 여행기인 「동유록東遊錄」과 「이일원李一源이 소장한 정원백鄭元伯의 망천저도輞川渚圖의 뒤에 제題함題李一源所藏鄭元伯輞川渚圖後」 및 「이일원李一源이 소장한 해악전신첩海嶽傳神帖에 제題함題李一源所藏海岳傳神帖」을 통해 살펴보아야 하겠다.

『두타초頭陀草』 권14 「동유록東遊錄」에 의하면 담헌은 숙종 40년(1714) 갑오甲午 38세의 한창 나이로 철 좋은 3월 19일에 진천鎭川 두타산頭陀山 아래의 금계金谿(현재 충북 진천군 초평면 용정리 양촌)에 있던 그의 향저鄕邸를 출발해 금강산으로 유람길을 떠난다. 우선 3월 27일 사천이 현감으로 있는 금화에 도착해 사천의 영접을 받고 하룻밤을 묵은 다음 28일에는 사천이 보여 주는 겸재의 진경산수화권을 감상하게 되는데 본래 공재恭齋와 친분이 깊던 담헌은 공재를 해남으로 내려가게 한 원인이 겸재에게 있다고 생각하여 좋지 않은 감정이 있었던지 '골기骨氣가 부족하고 용묵用墨이 고조枯燥하니 공재보다 훨씬 못 미친다'는 당토 않은 악평을 남기고 떠난다. 그 대목을 옮겨 보겠다.

> 3월 28일. 일원一源이 소장한 화권畵卷을 내어 보이는데 그 가운데 정선鄭敾의 산수도 있다. 필법은 중국사람을 모방했으나 골기骨氣가 부족하고 용묵用墨이 메말라서 윤효언尹孝彦(두서斗緖의 자字)보다 훨씬 못 미친다. 밥 먹고 나서 일원一源과 작별하고 떠나니 바람 부는 날씨가 심히 나빠져서 기후가 자못 평탄치 않다.
>
> 三月二十八日, 一源出示所藏畵卷, 其中有鄭敾山水. 筆法摹唐人, 乏骨氣, 用墨又枯燥, 遠遜於尹孝彦矣. 飯罷, 別一源行, 風日甚惡, 氣頗不平.
>
> 李夏坤,『頭陀草』卷十四, 東遊錄

그러나 담헌澹軒은 삼연의 둘째 사위 이덕재李德載(1683~1739)의 부친인 회양부사 이징하李徵夏(1655~1727)와 서암恕庵의 재당고모부인 고성군수 송담松潭 박태원朴泰遠(1660~1722), 죽천竹泉 김진규金鎭圭(1658~1716)의 사위인 이도보李道普의 부친 간성군수 이정익李挺益, 우암 문인 직재直齋 이기홍李箕洪(1641~1708)의 당질인 통천군수 이기징李蓍徵(1650~1728) 등의 후대를 받으며 내외금강산과 해금강을 비롯한 동해안 일대의 명승지를 빠짐없이 유람하고 돌아오면서는 겸재의 진경산수화에 대한 종전의 견해가 크게 잘못된 것이었음을 자인한다.

이에 사천 소장의《망천십이경도첩輞川十二景圖帖》과《해악전신첩海嶽傳神帖》을 사천으로부터 빌어 가지고 와서 이를 충분히 감상한 뒤 삼연三淵과 서암恕庵의 평가에 공감共感하는 내용의 제사와 제화시를 보태는데 몹시 겸연쩍었던 듯 지나치게 꾸며서 선배들의 진박기미眞樸氣味를 잃지 않도록 하라는 등 허사虛辭로 입장을 얼버무린다. 그 내용 일부를 옮겨 보겠다.

이 화권畵卷(망천지도輞川渚圖)은 원백元伯의 극진한 득의필得意筆로 크게 형산衡山(문징명文徵明)과 화정華亭(동기창董其昌)의 의사가 있으니《해악전신첩》의 여러 그림에 비해서 더욱 뛰어나고 전아함을 깨닫겠다. 요즘 시와 그림은 과연 삼연과 정보正甫(신정하申靖夏의 자字)가 이른 바대로 전배前輩들보다 나은 곳이 있는 것 같다. 다만 깎고 새김이 너무 심하여 도리어 전배들의 진실하고 소박한 기미가 결핍되는 듯하니 이 뜻을 정보와 원백이 알지 않으면 안 된다.

정보正甫의 발문 중에 일원一源이 그림을 모르니 이 화권을 가지는 것이 합당치 않다고 한 한마디의 말은 지극히 절묘하다. 나와 정보는 능히 알 수 있는데 알지 못하는 이가 가지고 있으니, 바로 어진 이는 풍부하지 않다는 말과 같구나. 생각건대 일원이 이를 보면 다시 까무러치리라. 을미년(1715) 한여름 빗속에서 담헌澹軒이 원지당遠志堂에서 쓰다.

此卷, 是元伯極得意筆, 大有衡山 華亭意思, 比海岳諸圖, 更覺秀雅. 近日詩畵, 果如三淵 正甫所云, 似有勝前輩處, 但雕鏤太甚, 反乏前輩眞樸氣味. 此意, 正甫 元伯, 不可不知也. 正甫跋中, 一源不知畵, 不合有此卷. 一語, 極妙. 吾與正甫能知, 而不知有, 正類仁者不富也. 一源見此, 想更絶倒, 乙未仲夏雨中, 澹軒書于遠志堂.

李夏坤,『頭陀草』卷十四, 題李一源所藏鄭敾元伯輞川渚圖後

그리고《해악전신첩》에는〈금성피금정金城披襟亭〉부터 시작해〈단발령斷髮嶺〉,〈장안사長安寺〉,〈내산총도內山摠圖〉,〈출산도出山圖〉등의 금강 내외산을 거치고〈삼일호三日湖〉,〈통천문암通川門岩〉,〈총석叢石〉,〈용공사龍貢寺〉등을 거쳐 다시 〈금화백전金化栢田〉에 이르는 행로대로 21폭에 제화시를 덧붙이고 그림에는 없지만 자신의 여행 경험으로 보아 더 그려 넣고 싶은 화제畵題인 「통구通溝」를 시제詩題로 하여 1수首 첨가하기도 한다. 그런데 담헌은 비록 농암문인으로 겸재와 동문이기는 하나 아직까지 겸재와는 일면식一面識도 없었던 모양이다.

그래서 친교가 깊었던 공재를 겸재보다 높이 평가하려 했었던 모양인데 해악승경海嶽勝景을 답파踏破하며 시문詩文으로 사생해 보고 나서는 겸재의 진경산수화법이 얼마나 우리 산천의 아름다움을 표현해 내는 데 적합한 화법인가를 절감했던 듯 화가로서의 천재성을 높이 평가할 뿐만 아니라 그 인품에 대한 극도의 호감을 표현하여 지기知己의 상허相許를 자청한다.

명문 재상가 자손으로 진사장원에 생원시까지 휩쓴 문학文學 재사才士인 담헌은 벼슬조차 초개같이 여기며 탈속불기脫俗不羈의 오연傲然한 생활자세로 시문서화詩文書畵와 자연에 탐닉하며 진경문화를 주도해 가고 있어 범속凡俗한 문사는 안중에도 없었는데 그 높은 자존심을 굽혀 겸재에게 마음을 터놓는 벗이 되어 줄 것을 먼저 청했으니 겸재 그림에 얼마나 대혹大惑했으면 그랬었겠는가. 그 정황을 《해악전신첩海岳傳神帖》 중 〈내산총도內山摠圖〉에 붙인 제사를 옮겨 살펴보기로 하자.

> 내가 평생 원백元伯과 더불어 일면一面을 사귀지 않았었는데, 이번에 화권畵卷으로 인연해서 홀로 그 화법畵法만을 얻은 것이 아니라 겸해서 그 사람됨을 얻었다. 사경설색寫景設色의 공교工巧함이 진실로 기뻐할 만하고 그 살활殺活을 조종함은 정녕 스스로 미치기 어렵다. 정양사 앞에 만약 일만이천봉을 벌여 놓았더라면 한 폭의 분경도盆景圖(지도地圖)를 만들어 놓는 데 불과했으리라.
>
> 그런 까닭으로 연운烟雲으로 가린 모습을 그려서 그 공계본면목空界本面目을 돌려놓았는데, 특히 이 대목에서는 장인匠人의 마음으로 포치하여 무한한 옥부용玉芙蓉(백색 암봉白色岩峯)을 환출幻出함으로써 그 굳세고 빼어난 필법을 드러냈다. 이는 정녕 원백元伯이 살활殺活을 조종한 곳이니 오직 아는 이만 그것을 알리라. 나는 가장 임문중任文仲 규奎(1620~1687)의 글 가운데 '홍금보장紅錦步障*'이란 말을 사랑하는데 다만 이 광경이 적구나. 원백元伯은 능히 다시 나를 위해

* **홍금보장**紅錦步障
단풍이 붉은 비단步障을 두른 듯하다는 의미

붓을 댈 것인가 아닌가.

余平生, 與元伯, 不交一面, 今因此卷, 不獨得其畵法, 兼得其爲人. 寫景設色之工, 固可喜, 其操縱殺活, 正自難及. 正陽前, 若排却萬二千峰, 不過爲一幅盆景圖. 故作烟雲唵藹狀, 還他空界本面目, 特於此段, 匠心布置, 幻出無限玉芙蓉, 以逞其雄秀之筆. 此正元伯操縱殺活處, 唯知者知之也. 余最愛任文仲 紅錦步障語, 但少此光景. 元伯能更爲我下筆否.

李夏坤,『頭陀草』卷十四, 題一源所藏海嶽傳神帖, 內山摠圖

그러고 나서 다음과 같은 발어跋語로 다시 이《해악전신첩》을 몹시 욕심낸다.

이일원李一源이 금화를 다스릴 때 정선鄭敾 원백元伯을 끼고 동쪽에 가 놀며 해산海山의 기이한 곳을 만나면 문득 붓을 들어 묘사케 하여 무릇 삼십여 폭을 얻었었다. 그러고 나서 김선생金丈 자익子益(김창흡金昌翕의 자字)과 조사군趙使君 의중毅仲(조유수趙裕壽의 자字)에게 요청하여 폭마다 발어를 짓게 하고 또 나로 하여금 이어 붙이게 하니 사양하지 못하고 드디어 이를 써서 공백을 메운다. 재대載大가 쓰다.

가슴속에 모름지기 하나의 여벌 금강산이 있어서 이빨과 허파(입에서는 노래가 나오고 가슴속에서는 시가 나온다)라는 것이 모두 운람雲嵐과 목석木石으로 되어야만 그런 후에 바야흐로 금강산을 잘 보았다고 말할 수 있다. 그렇다면 곧 이런 그림이나 문자는 아울러 사족蛇足에 속하는 것이니 일원一源이 잘 본 사람이 되고자 한다면 꼭 이 화권을 나에게 주어야 한다. 한번 웃으며 담헌거사澹軒居士가 또 장난 섞어 쓰다.

李一源宰金化時, 挾鄭敾元伯東游, 遇海山奇處, 輒拈筆模寫, 凡得三十餘幅. 既要金丈子益, 趙使君毅仲, 逐段作跋語, 又俾余武着, 不獲辭, 遂書此塞白. 載大書.

胸中須有一副金剛山, 槎牙肺腑者, 俱爲雲嵐木石, 然後方可謂 善觀金剛山矣. 然則此等繪素文字, 幷屬蛇足, 一源欲作善觀人, 須以此卷, 與我. 一笑. 澹軒居士, 又戲題.

李夏坤,『頭陀草』卷十四, 題一源所藏 海岳傳神帖 跋文

뿐만 아니라 이해 여름 서암恕庵이 북평사北評事에 제수되어 함경도로 떠나게 되자 노가재老稼齋는 서암이 행로 중에 필연 금강산 유람을 거칠 줄 알고 이런 전별시를 지어 겸재의《해악전신첩》을 금강산 생긴 이후 최고의 걸작으로 칭송한다.

> 정생鄭生의 그림과 일원一源의 시, 금강산 있고부터 이런 기품奇品 없었지.
> 정보正甫도 이제 좋은 손 가지고 가니, 어찌 장차 뛰어난 일 남에게만 양보하려 하겠나.
>
> 鄭生之畵一源詩, 自有金剛無此奇. 正甫今携好手去, 寧將勝事讓他爲.
>
> 金昌業,『老稼齋集』卷五, 送申正甫赴北幕

이렇게 당대 일급 문사임을 자부하며 진경문화를 주도해 가던 백악사단白岳詞壇의 주역들이 겸재 그림을 한결같이 높이 평가하여 다투어 그림을 수장하고자 하니 행세하는 사대부士大夫 집에 겸재의 진경산수화 한 폭이 걸려 있지 않으면 이를 수치로 여길 정도였다고 한다. 이에 겸재의 화명畵名은 진신간縉紳間에 널리 전파되기 시작하여 국왕 대신 이하 시정상고市井商賈와 문리주졸門吏走卒에 이르기까지 그 명호名號를 모르는 사람이 없었다 하니 이름이 천하에 알려진다는 것은 바로 이를 두고 하는 말일 것이다.

7
천문학天文學 겸교수兼敎授로 서사筮仕

이렇게 화명畵名이 높아지자 진경문화를 주도해 가는 조선 성리학자들 사이에 겸재의 진가가 널리 알려지게 되어 겸재에게 벼슬길을 열어 주어야 한다는 여론이 형성되었던 모양이다. 그래서 겸재가 41세 되던 해인 숙종 42년(1716) 병신丙申 2월 상순경에 겸재를 관상감觀象監 천문학天文學 겸교수兼敎授(종6품)로 발탁한다.(강관식姜寬植, 「겸재謙齋 정선鄭敾의 천문학겸교수출사天文學兼敎授出仕와 〈금강전도金剛全圖〉의 천문역학적天文易學的 이해解釋」, 『미술사학보美術史學報』 제27집 및 「겸재謙齋 정선鄭敾의 사환경력仕宦經歷과 애환哀歡」, 『미술사학보美術史學報』 제29집 참조)

이 사실은 영조 5년(1729) 3월 21일 겸재가 한성주부로 윤대관輪對官이 되어 어전에 입시했을 때 자술한 이력(『승정원일기』 681책 참조)과 충청도 예산에 거주하던 강문팔학사江門八學士 중 하나인 관봉冠峯 현상벽玄尙壁(1670~1731)의 편지 내용을 종합해 보면 확인이 가능하다.

숙종 42년(1716) 병신 초가을에 관봉冠峯은 성진령成震齡(1682~1739) 자장子長에게 이런 편지를 보낸다.

> 삼가 덕망과 의리를 들어 온 지 여러 해러니 이해 봄 끝에 도성 서쪽에서 다행히 뵙고자 했던 소원을 이루었으나 많이 모인 가운데라 조용히 한 말씀 드릴 새가 없었습니다.
>
> 欽聞德義有年, 於此春末城西, 幸遂旣見之願, 而稠人中, 未暇款承一語.
>
> 玄尙壁, 『冠峰遺稿』 卷四, 與子成長震齡

여기서 관봉이 병신년 봄에 서울에 있었던 사실을 확인할 수 있다.

그런데 관봉이 다음 해인 숙종 43년(1717) 정유丁酉에 지난해 겨울 이인利仁찰방으로 내려와 있는(「승정원동부승지성공진령행장承政院同副承旨成公震齡行狀」, 윤봉구尹鳳九, 『병계선생집屛溪先生集』 권58 참조) 성자장成子長에게 보낸 답장에서는 다음과 같이 말하고 있다.

> 지난해(1716) 입도시入都時에 김진사 성중誠仲(김순행金純行, 1683~1722)의 초청으로 원심암遠心庵에서 만나 얘기했을 때 정鄭교수 선敾과 박朴사문 창언昌彦(1677~1731)이 모두 모여 있었습니다.
>
> 尙璧, 前歲入都時, 爲楓溪金進士誠仲所邀, 打話于遠心菴時, 鄭敎授敾, 朴斯文昌彦, 皆會焉.
>
> 玄尙璧, 『冠峰遺稿』 卷四, 答成子長

그러니 늦어도 숙종 42년(1716) 병신 늦봄에 이미 겸재가 관상감 겸교수로 특채돼 있었던 사실을 이로써 확인할 수 있다.

김순행은 당시 청풍계 주인이었던 모주茅洲 김시보金時保(1658~1737)의 장자이고, 박창언은 청풍계와 담을 맞대고 있던 이웃집 박견성朴見聖(1642~1728)의 셋째 아들이었다. 모주는 삼연의 제자였고 박견성은 겸재의 큰외숙이었으니, 이들의 모임은 당연한 일이었다.

겸재가 『주역周易』에 능통하여 천문학을 원론적으로 가르칠 수 있다고 판단한 때문이었다. 보통 소과 급제자라도 음직蔭職으로 서사筮仕*할 경우 종9품부터 시작하는 것이 관례인데 유학幼學인 겸재에게 첫 번에 종6품직을 제수했다는 것은 여간 파격적인 특채가 아니었다.

* **서사**筮仕 음적으로 처음 벼슬에 나감

다만 임시직으로 녹봉은 종9품 무반직武班職인 사용司勇에 준하도록 하고 30개월(2년 반)이 지나면 정식 6품직으로 승급한다는 조건이 붙어 있었다. 아마 스승 집안의 맏형인 좌의정 김창집이 천거하는 형식을 거쳤을 것이다. 이로부터 겸재의 벼슬길은 순탄하게 진행되니 43세 때인 숙종 44년(1718) 무술 윤8월 22일에는 임시직 30개월의 만기를 채우고 조지서造紙署 별제別提(종6품)의 정식 관원이 된다.

이런 파격적인 특채가 가능했던 것은 정국이 겸재에게 유리하게 전개돼 나갔기 때문이다. 갑술환국(1694) 이후 대권을 잡고 있는 소론은 강적인 노론의 기세를 꺾어 명분을 제압할 필요가 있었다. 현실론은 항상 원리론 앞에서 한낱 기교에 불과하기 때문이었다.

그래서 대권의 실세인 영의정 최석정崔錫鼎(1646~1715)은 『예기유편禮記類篇』을 지어 주자주朱子註를 바꿔 놓고 임금께 올리며 강의에 참고하라고 한다. 이에 명분론자인 노론이 들고 일어나 탄핵하니 결국 최석정은 벼슬에서 쫓겨나고 『예기유편』은 책판이 부서진다. 임금께 바쳤던 인쇄된 책 15권은 불태워졌다. 그것이 숙종 35년(1709) 기축己丑 정월부터 다음 해인 숙종 36년(1710) 경인庚寅 3월

윤증尹拯 초상肖像 삽도28
장경주張敬周, 1744년 갑자甲子, 견본채색絹本彩色, 36.2×59.0cm, 윤완식 소장, 보물1495호.

15일까지 사이에 일어난 일이었다.

뒤이어 숙종 40년(1714) 갑오甲午 1월 24일에 소론 영수인 윤증尹拯(1629~1714)[삽도28]이 죽자 또 최석정이 윤증의 제문을 지으면서 윤증이 스승인 송시열을 배반한 것을 합리화하기 위해 '빈말뿐 실천하지 않았고, 높은 의논은 이룬 게 없었다空言不躬, 高論無成' 고 송시열을 헐뜯었다. 큰소리만 치고 실천이 없는 이상론자였으니 윤증이 배반할 만하다는 말이다. 이에 성균관 태학생들부터 들고 일어나 최석정을 탄핵하니 최석정은 빗발 같은 여론의 질타를 받으며 숙종 41년(1715) 을미乙未 11월 11일, 70세로 죽는다.

그러자 노론에서는 윤증이 배사背師한 정황을 밝히기 위해 윤증의 또다른 스승인 시남市南 유계兪棨(1607~1664)가 지은 『가례원류家禮源流』를 간행하여 임금께 바친다. 유계가 제자인 윤증에게 교정을 맡겼더니 스승이 돌아가자 자기 저서라고 내놓지 않았다는 사실을 윤증과 동문이었던 권상하權尙夏(1641~1721)[삽도29]와 정호鄭澔(1648~1736)가 서문과 발문에 밝혀 간행한 책이었다.

처음에 숙종은 이 시비에 말려들지 않으려 했다. 그러나 발호하는 소론을 이대로 두어서는 자신의 혈통이 왕위를 계승해 가지 못하리라는 위기감을 느꼈던 듯, 숙종 42년(1716) 병신丙申 3월에 이 문제를 시끄럽게 거론하는 노론 중신들인 민진원閔鎭遠(1664~1736), 정호, 김창집, 권상하 등을 모두 파직시킨다. 그러고 나서 7월 2일에는 윤증이 송시열을 배사한 내용이 담겼다는 「신유의서辛酉擬書」와 「윤선거묘비문尹宣擧墓碑文」을 들여보내라 한다. 직접 보고 시비를 가리겠다는 것이었다.

숙종은 이를 보고 나서

> 신유의서에는 말에 조절할 곳이 많고
>
> 癸亥. 上下敎曰, 今玆擬書, 詳加披覽. 書中辭語, 果多操切.
>
> 『肅宗實錄』 卷五十八, 四十二年 丙申 七月 六日 癸亥條

> 묘비문 속에는 원래 윤선거에게 욕이 미친 일이 없다.
>
> 丁卯. 上下敎曰 墓文中 元無辱及尹宣擧之事.

권상하權尙夏 초상肖像 삽도29
김진여金振汝, 1719년 기해己亥,
견본채색絹本彩色, 92.0×128.0cm,
제천 황강영당黃江影堂 소장.

『肅宗實錄』卷五十八, 四十二年 丙申 七月 十日 丁卯條

는 판정을 내린다. 그리고 7월 17일 갑술에는 관학 유생 오명윤吳命尹 등이 장황하게 윤증을 위해 변명하자 숙종은 이렇게 특교特敎로 처분을 내린다.

예전의 하교는 이는 의서와 묘문을 보기 이전에 있었고, 오늘의 처분은 바로 의서와 묘문을 이미 본 뒤에 있다. 내 마음이 한 번 깨달았으니 시비는 자명하다.

下特敎曰, 昔年之敎, 是在擬書墓文, 未見之前, 今日處分, 正在擬書墓文, 旣見之後. 予心一悟, 是非自明.

『肅宗實錄』 卷五十七, 四十二年 丙申 七月 十七日 甲戌條

그리고 7월 25일에는 윤선거尹宣擧(1610~1669) 문집을 들여오라 해 보고 8월 24일에는 그 판목을 부수라고 명하고, 10월 14일에는 윤선거에게 선정先正의 칭호 쓰는 것을 금한다. 이것이 병신처분丙申處分이다. 이어서 다음 숙종 43년(1717) 정유丁酉 1월 12일에는 윤증에게 유현儒賢의 칭호 쓰는 것까지 금하고 2월 29일에는 명분론자들의 사표인 사계沙溪 김장생金長生(1548~1631)의 문묘 종사從祀를 허락한다. 노론, 즉 명분론자들의 정당성 내지 정통성을 인정한 것이다. 그래서 김창집 영의정, 권상하 좌의정, 조태채 우의정의 순수 노론 내각이 이루어진다.

이렇게 병신처분으로 의리義理 명분名分의 기준이 분명하게 판가름 나자 노론의 수장인 좌의정 김창집은 자신의 동네에 같이 살며 뜻을 같이하는 한 동네 기로耆老들이 모여 이 사실을 축하하는 공식 연회를 베풀도록 한다.

이웃 대은암동에 살던 지중추부사知中樞府事(정2품) 은암隱巖 이광적李光迪(1628~1717)이 마침 병신년(1716)에 회방년回榜年*이 됐으므로 이를 기념하는 연회를 국왕이 주도해 성대하게 베풀도록 주선한 것이다. 은암은 김창집의 부친인 영의정 문곡文谷 김수항金壽恒(1629~1689)과 한 살 터울의 동네 친구로 김창집에게는 부친과 다름없는 원로였다. 이에 병신년(1716) 9월 14일에 약방藥房 제조提調로 입시入侍하는 인현왕후 민씨의 큰오빠 민진후閔鎭厚(1659~1720)로 하여금 숙종에게 고하게 해 국왕이 잔치를 베풀어 주도록 유도했다. 그 대목을 실록에서 옮기면 다음과 같다.

* **회방년**回榜年 문과에 급제한 지 한 갑자, 즉 만 60년이 되는 해

약방藥房에 들어가 진찰하고 제조提調 민진후閔鎭厚가 이렇게 말했다.

"올해는 곧 지중추부사知中樞府事 이광적李光迪이 급제한 지 회갑回甲이 되는 해입니다. 일찍이 들으니, 전배前輩도 또한 이런 일이 있었는데 그때는 특명으로 꽃을 내려 줬다 합니다. 이것은 유전流傳하는 말이므로 잘 알 수는 없으나, 이제 만

약 특별히 노인을 우대하는 은전을 더한다면 합당할 듯합니다."

상감이 해조該曹에 명해 쌀·고기·포목·비단을 내리게 했다.

藥房入診, 提調閔鎭厚曰, 今年, 乃知中樞府事李光迪及第回甲之年. 曾聞前輩, 亦有如此事, 其時特命賜花云. 此是流傳之言, 有不可詳, 今若特加優老之典, 則似爲合宜. 上命該曹, 賜米肉布帛.

『肅宗實錄』 卷五十八, 肅宗四十二年 丙申 九月 十四日 庚午

민진후가 아뢰는 말을 듣고 숙종은 예조에 명해 쌀과 고기 및 포목과 비단을 내려 잔치에 쓰도록 했다는 내용이다.

드디어 9월 16일 잔칫날 당일에는 어사화御賜花가 내려지고 이광적은 신은新恩 때처럼 어사화를 쓰고 예궐해 전문箋文을 받들어 올리며 배사拜謝하고 숙종은 술상을 내려 위로한다. 그 내용을 실록에서 옮기면 다음과 같다.

이렇게 하교下敎했다.

"급제한 지 회갑이 되는 것은 참으로 드물게 있는 바이므로 참으로 귀하게 여길 만하다. 의당 옛일을 본떠 우대하는 특전을 보여야 하니, 지사知事 이광적李光迪이 사는 곳에 꽃을 만들어 내려 주도록 하라."

이광적이 드디어 꽃을 이고 전문箋文을 받들어 대궐에 나아가 배사拜謝하니, 상감이 "선온宣醞으로 위로하라" 고 명했다. 한때의 성대한 일로 전해진다.

下敎曰, 及第回榜, 實所罕有, 誠可貴也. 宜倣古事, 用示優異. 知事李光迪處, 造花以賜. 光迪遂戴花, 奉箋詣闕拜謝, 上命宣醞以勞之. 一時傳爲盛事.

『肅宗實錄』 卷五十八, 肅宗四十二年 丙申 九月 十六日 壬申

예궐하여 선온宣醞을 받고 나온 이광적은 자신의 대은암동 자택 사랑채로 순화방 장동 일대의 70세 이상 기로들을 모두 초청해 회방년 잔치를 크게 베풀었던 모양이다. 그리고 이 연회 장면을 겸재로 하여금 그려 남기게 했으니, 유홍준兪弘濬이 소개한 〈회방연도回榜宴圖〉[삽도30]가 그것이다.(『화인열전』 1, 학고재, 2001 참조) 그림을 살펴보겠다.

회방연도回榜宴圖 삽도30

정선鄭敾, 1716년 병신丙申 9월 16일, 견본채색絹本彩色, 75.0×57.0cm, 개인 소장.

대은암大隱巖이 보이는 북악산 아래로 네모반듯하게 터전을 잡은 은암댁이 보이는데, 회방연이 벌어지는 곳이 사랑채라서 동쪽 중문 안 별구에 지어진 사랑채가 중심에 그려졌다. 주인이 거처하는 서쪽 방 안에는 북벽 상석에 주인이 앉고 차례대로 갓 쓰고 도포 입은 기로耆老들이 좌우와 정면으로 늘어앉아서 주인공을 바라보고 있다. 주인공 곁에는 동자 하나가 시립하고 주인공 동쪽에 앉은 노인 곁에도 동자 셋이 앉고 서 있다.

대청 정중앙에는 높은 소반 위에 어사화를 꽂아 놓은 화병과 복두를 모셔 놓았고 대청 남쪽 가와 동쪽 끝벽 둘레에는 젊은 선비들이 열좌해 있다. 섬돌 위에는 반빗아치들이 주안상을 대령해 있고, 마당에는 남여를 내려놓고 대기하는 가마꾼과 행차를 수행해 온 수행인의 무리들이 모여 앉아 객담하는 모습도 보인다.

중문 안팎으로 상을 이고 이어지는 여인들의 행렬은 역시 주안상을 챙겨 오는 각 기로가의 찬비饌婢들일 것이다. 중문 밖 고목나무 아래에도 말과 마부가 주인을 기다린다. 안채는 서쪽 담장 밖에 구자口字 평면으로 지어진 듯하나 일부만 그려 그곳이 그림의 중심이 아님을 시사한다.

그에 비해 사랑채 앞마당은 빠짐없이 그려 놓고 있으니 네모반듯하게 둘러진 담장과 동쪽 담장 따라 심어진 낙락장송 및 해묵은 잡수 고목들이 이 댁의 풍류와 전통을 과시한다. 노송은 훌미끈하게 벋어 올라간 둥치에 송린松鱗이 선명하고 연지로 색을 올려 홍송紅松임을 과시하는데 솔잎은 자송점법刺松點法으로 부채꼴 모양을 지으니 이는 겸재 특유의 소나무그림법이다. 실제 서울 주변의 늙은 소나무들이 이렇게 운치 있고 아름답다.

오른쪽 하단 끝에 「정선鄭敾……추사秋寫」, 즉 「정선이……가을에 그리다」라는 관서가 있는데 손상되어 완전한 내용은 아니다. 아마 「병신丙申」이 떨어져 나갔을 듯하다. 겸재가 진경산수화법과 풍속화법을 겸용해 그려 낸 완벽한 진경시대 연회도宴會圖라 하겠다. 이 회방연이 병신처분을 기념하기 위한 노론의 자축연으로 김창집이 주선한 것이었기에 겸재로서는 당연히 그려 남겨야 할 그림이었다.

김창집은 여기서 만족치 않고 겸재의 큰외숙인 동네 선배 박견성朴見聖(1642~1728) 몽경夢卿에게 부탁해 10월 22일에 은암댁에서 북원기로회北園耆老會를 다시 한 번 더 개최하게 한다. 장동 기로들의 결속과 단합을 과시하고자 하는 의도였을 것이다. 이 사실은 박견성이 짓고 쓴 〈북원기로회첩北園耆老會帖 서序〉[삽도31]와 그때 작성된 〈북원기로회첩 좌목座目〉[삽도32] 및 박견성의 셋째 자제인 박창언朴昌彦(1677~1731)이 짓고 쓴 〈북원기로회첩 발跋〉[삽도33] 등에서 확인할 수 있다. 우선 〈북원기로회첩 서〉와 〈북원기로회첩 발〉의 내용을 차례로 옮겨 보겠다.

북원기로회첩北園耆老會帖 서序

기로회 자리 위에 받들어 드리며 아울러 머리에 쓰다.

대체 홍범洪範(『서경書經』 권6 주서周書) 오복五福의 범주에 수壽가 그 하나에 들어 있고 추서雛書(『맹자孟子』 공손축公孫丑 하下) 삼달三達의 차서次序에 나이齒가 덕德보다 먼저 있으니 수壽라는 것이 사람이 얻기 어려운 바요, 복福의 기본이 되는 까닭임을 믿을 수 있겠다.

아아! 지금과 예전의 인물을 아래위로 살펴보는 데 무슨 한계가 있으리오만 능히 오래 산 사람을 얻으려면 열에 한둘도 없으니 옛사람이 일컬은 바 '인생 70은 예전부터 드물다'는 것이 아니겠는가? 고금古今을 통해 그것을 논해도 오히려 또 이와 같거늘 하물며 금생今生에 한세상을 나란히 하고 한동네를 같이 사는데 70 이상 나이든 이가 열대여섯의 많음에 이르렀다면 이 어찌 인간의 희귀사稀貴事가 아니겠는가?

이에 좋은 날을 잡아 상서尙書어른 이李공댁에서 모이기로 약속하니 대나무 남여와 명아주 지팡이가 차례로 이르렀다. 동안童顔 학발鶴髮◆이 나이 순서로 앉아 술잔을 들어 서로 권하며 기쁘게 서로 즐기니 그 한때의 구경거리로 떠들썩함이나 뒷날의 얘깃거리로 빛나게 자랑함이 어찌 이보다 더 지나친 것이 있겠는가?

◆ **학발**鶴髮
학처럼 흰 머리칼

하물며 주인장은 90의 나이로 겨우 회방回榜 잔치를 지내고 경사스런 자리가 막 파해 남은 기쁨이 아직 끝나지 않았는데 뒤이어 이런 오늘의 모임이 있으니 이는 또 고금古今의 듣지 못하던 바다.

이 사람 역시 여러 노인의 대열에 끼어 그 한가운데에 있었으나 마귀가 장난친 바 있어 신병이 갑자기 심해 자리 끝에 끼일 수 없었으니 이 역시 운수가 있어 그 사이에 존재했던가? 병중에 바라다보며 섭섭함을 이기지 못해 이에 두 구절을 얽었으니 좌중 여러분은 모두 살펴보시라.

남극성 별빛이 이 자리를 비추니, 좌중의 여러 노인 동네 안의 신선일세.
까닭 없는 한 병으로 가약佳約 어기고, 동쪽 이웃 바라보자 배倍는 섭섭다.

북악산에 노인잔치 높이 차리니, 흰 머리 긴 눈썹 11신선이구나.

낙사洛社 기영耆英을 이제 다시 봤거늘, 풍류도 의당 송대宋代 사람 같아야 하리.

병신 양월陽月(10월) 하현下弦(23일) 전 1일에 75세 노인 응천凝川(밀양密陽) 박견성이 손수 써서 드린다.

奉呈 耆老會 席上 幷序

夫洪範五福之疇, 壽居其一, 鄒書三達之序, 齒居德先, 信乎壽者, 人之所難得, 而福之所以基也. 噫. 俯仰今古人物 何限, 而能得遐耈者, 十無一二, 古人所謂人生七十古來稀者, 非耶. 通古今論之, 尙且如此, 況今生並一世, 居共一洞, 七十以上之年者, 至於十五六之多, 此豈非人間稀貴事歟.

玆涓吉辰, 約會于尙書丈李公之第, 竹輿藜筇, 循次而至. 童顔鶴髮, 序齒而坐, 擧盃相屬, 怡然自樂, 其聳動一時之觀瞻, 夸耀後來之耳目, 豈有過於此者乎. 況主人丈, 以九袟之年, 纔經回榜之宴, 慶席甫罷, 餘歡未已, 繼有此今日之會, 此又古今之所未聞也.

不佞 亦忝諸老之列, 在於要束之中, 而魔有所戲, 身恙猝瓴, 不得厠於席末, 此亦有數, 存於其間耶. 病裡瞻望, 不勝慨悵, 玆搆二絶, 仰塵 僉照.

南極星光耀此筵, 坐中諸老洞中仙.

無端一疾違佳約, 翹首東鄰倍悵然.

北山高設老翁筵, 皓首厖眉十一仙.

洛社耆英今復見, 風流宜若宋人然.

柔兆涒灘 陽月 下弦前一日, 七十五歲老人 凝川 朴見聖, 手書仰呈.

今日之會此又古今之所未聞也不佞亦忝諸老之列在
於要束之中而魔有所戲身恙猝飜不得厠於席
末此亦有數存於其間耶病裡瞻望不勝慨悵玆構
二絶仰塵 僉照

南極星光耀此筵座中諸老洞中仙無端一疾
違佳約翹首東鄰倍悵然

北山高設老翁筵皓首厖眉十一仙洛社耆英
今復見風流宜若宋人然

柔兆涒灘陽月下弦前一日七十五歲老人嶷
川朴見聖手書仰呈

북원기로회첩北園耆老會帖 서序 삽도31

박견성朴見聖 찬서撰書, 1716년 병신丙申 10월 22일, 지본묵서紙本墨書, 57.2×30.4cm, 《북원기로회첩北園耆老會帖》, 손창근 소장.

奉呈

耆老會 席上 并序

夫洪範五福之疇壽居其一鄒書三達之序齒居

德先信乎壽者人之所難得而福之所以基也噫俯仰

今古人物何限而能得遐耈者十無一二古人所謂人

生七十古來稀者非耶通古今論之尚且如此況今

生並一世居共一洞七十以上之年者至於十五六之多

此豈非人間稀貴事歟玆涓吉辰約會于

尚書丈李公之第竹輿藜笻循次而至童顔鶴髮

序齒而坐擧盃相屬怡然自樂其聳動一時之觀瞻

止同中樞 通訓大夫行漢城府庶尹李公之星 癸未 七十四 生朝九月二十九日 壬戌司馬 咸平人 三子寅相 進士 顯相 道相

庚戌 辛官 止知中樞 通政大夫僉知中樞府事金公尚鉉 壬丙 癸未 七十四 生朝十一月二十四日 戊午司馬 光山人 五子命煥 參奉 啓煥 持平 奎煥 泰煥 雲煥

丁酉 辛官 止成川府使 通訓大夫前行成川府使金公昌國 元柱 甲申 七十三 生朝二月十七日 丙午司馬 安東人 病未赴席 繼子致謙 監役

通德郎李公恒蕃 長叔 乙酉 七十二 生朝正月二十五日 完山人 病未赴席 五子邦佐 進士 邦翊 邦協 邦燮 邦弼

戊戌 辛未 仕 通訓大夫前行加平郡守李公涑 樂而 丁亥 七十 生朝八月十九日 韓山人 二子秉淵 監縣 秉成 正郎

庚子

戊戌 辛官 止參奉 奉列大夫前行長寧殿參奉金公潡 澄源 丁亥 七十 生朝十月初七日 延安人 二子相戊 相丁 先歿

李衡輔 韓璛 朴廷珪 金奎煥 泰煥 李秉淵 秉成 及李奎臣 奎賓 隱岩 丙孫 崔普命 崔僉知 長孫 李恒重 李加平 長孫

童子永得 衡輔子 高壽 秉淵子 晩熊 秉成子 尹鐵壽 李加平 外孫 陪席 驪湖張詩人應斗亦參

洞中夢窩金相公 昌集 戊子生六十九 東原君 潗 宣廟三世孫 辛卯生六十六 三淵金先生 昌翕 癸巳生六十四 諸議

亦欲用狄秘監司馬公例邀三公入社而適皆有故未果可見吾洞先輩之盛

북원기로회첩北園耆老會帖 **좌목**座目 삽도32

1716년 병신丙申 10월 22일, 지본묵서紙本墨書, 60.5×41.2cm,《북원기로회첩北園耆老會帖》, 손창근 소장.

壯園壽會座目

丙申十月二十二日會于巖義洞隱巖李公之第非洞中諸賢不得預獨李富平丈以此洞爲其外家而又時居鄰洞邀請入會亦用洛社中王宣徽故例云

丁酉 辛官 止工判
資憲大夫前工曹判書李公光迪
輝古 號隱巖 戊辰 八十九 生朝九月二十九日
壬辰司馬兩場 丙申別試
星山人 二子 衡輔縣令 元輔 元先歿

甲辰 辛官 止同中樞
通政大夫僉知中樞府事崔公邦彦
美伯 甲戌 八十三 生朝九月初一日
完山人 四子 守綱 守紀 守經 守約 綱經先歿

乙亥辛 官止同 中樞清 興君
通訓大夫前行英陵參奉韓公載衡
平叔 乙亥 八十二 生朝正月二十日
清州人 五子 璘縣監 璵 球郡守 璞 庶子 珏

壬寅 辛官 止同 中樞
通訓大夫前行漢城府庶尹成公至行
汝敬 庚辰 七十七 生朝八月二十二日
昌寧人 退居坡州 二子 義錫縣監 禮錫 禮先歿

戊申 辛官 止同 中樞
通訓大夫行司宰監僉正朴公見聖
夢卿 壬午 七十五 生朝四月十一日
乙卯司馬
密陽人 病未赴席 四子 昌夏進士 昌遠 昌彦 昌迪 夏迪先歿

壬寅 辛官 止同 中樞
通訓大夫前行富平府使李公世瑜
仲獻 壬午 七十五 生朝十月初六日
癸卯司馬
星州人 二子 挺朝 挺

庚戌 辛官 止同 中樞
建功將軍行龍驤衛司勇朴公震龜
聖寶 癸未 七十四 生朝六月初八日
陰城人 一子 廷珪

官 止僉正
通訓大夫前行司僕寺僉正成公至敏
汝訥 癸未 七十四 生朝七月二十日
壬子司馬
昌寧人 三子 晉錫 桓錫 讓錫

戊戌 辛官 止都
通政大夫僉知中樞府事南公宅夏
敬伯 癸未 七十四 [illegible]
宜春人 二子 道揆司諫 道振

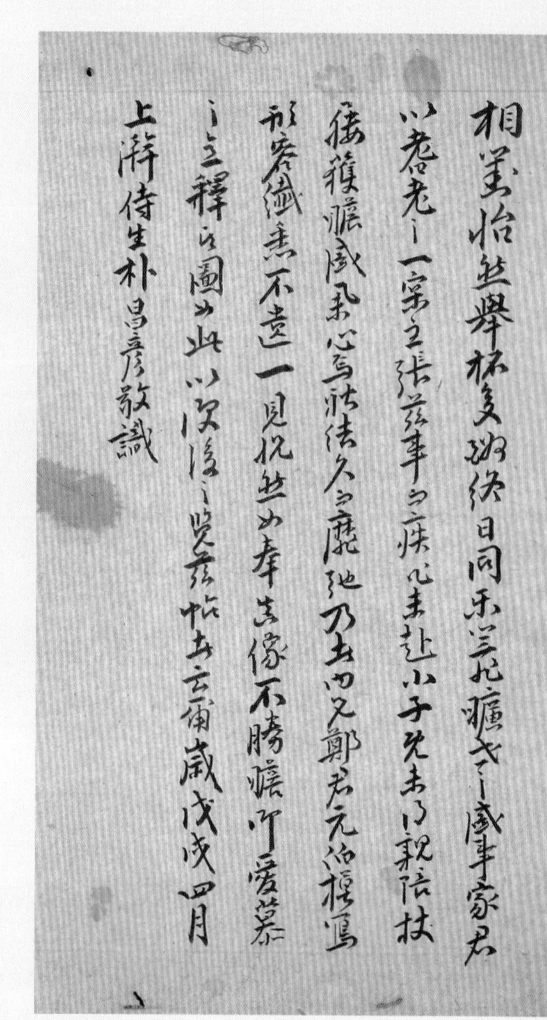

북원기로회첩北園耆老會帖 발跋 삽도33

박창언朴昌彦 찬서撰書, 1718년 무술戊戌 4월 상한上澣,
지본묵서紙本墨書, 51.2×34.6cm, 30.4×41.5cm,
《북원기로회첩北園耆老會帖》, 손창근 소장.

북원기로회첩北園耆老會帖 발跋

대저 조정朝廷은 향식례饗食禮가 있고 향당鄕黨은 음사의飮射儀가 있는데, 벼슬爵位로써 나이年齒로써 하는 것은 곧 존비尊卑를 밝히고 소장少長을 차례 매기려는 까닭이다. 이제 이 북원北園 기영耆英의 모임은 한때의 진솔한 뜻에서 나왔다. 그런 까닭으로 벼슬로써도 아니고 나이로써도 아니며 다만 이르름의 선후先後로 좌차坐次◆를 삼았다.

◆**좌차**坐次 앉는 순서

상서尙書 이李 장丈은 주인으로 작위爵位도 가장 높고 나이도 또 가장 앞선다.

그런 까닭으로 방 안에서 북쪽을 등지고 남쪽을 대면하니 으뜸 자리가 된다. 그 다음 한韓 장丈이 먼저 이르른 까닭에 상서 자리로부터 조금 서쪽에 동쪽을 대면해 앉고, 최崔 장丈이 그 다음이다.

이로부터 남쪽으로 향해서 북쪽을 대면해서 앉은 이는 이李 부평富平 장丈이고, 성成 장丈, 남南 장丈이 그 다음이다. 또 대청 위에도 자리를 배설했는데 남南 장丈의 오른쪽에 앉아서 북쪽을 향한 이는 첨지僉知 김金 장丈이고 그 다음은 서윤庶尹 이李 장丈이며 또 대청 북쪽에서 첨지장을 대면해서 앉은 이는 김金 참봉參奉 장丈이고, 그 다음은 박朴 생원生員 장丈이며, 그 다음은 이李 가평嘉平 장丈

이니 이는 곧 기로의 앉은 차례다.

또 대청 동쪽에서 기둥 하나 지나서 자리 한 닢을 사이에 두고 따로 한 좌석을 삼았는데 무릇 열두 사람으로 모두 기로가耆老家 자제이다. 섞여 앉아 차례가 없으니 그 앉은 차례를 다 기록할 수 없는데 장생張生 응두應斗가 또한 시인으로 참여했다. 또 4동자童子가 있어 그 사이에 섞여 있는데 그 상서의 오른쪽에 서 있는 애가 곧 그 손자 영득永得이다. 가평嘉平(이속李涑)의 곁에 혹 앉기도 하고 서기도 한 애들은 곧 그 손자 고수高壽와 만웅晩熊 및 그 외손자 윤철수尹鐵壽다.

대청 섬돌 아래에 늘어앉거나 흩어져 서 있는 이들은 모두 각 회원이 대동한 바의 몸종들이다. 섬돌 위에 술상을 늘어놓고 앉았거나 또 중문 안에서 상을 이고 오는 이는 각 회원가의 여종이니 드릴 바의 음식상을 가지고 기다리는 이들이다. 담장 밖의 한 여자는 옷이 푸르고 상을 든 사람인데 주인집 여종으로 안으로부터 나오는 이이다.

서쪽 섬돌 아래 가로 놓인 남여는 곧 한韓 장丈이 타는 바 남여이다. 남여 아래 흩어져 앉은 다섯 사람은 곧 그 가마꾼 및 청직이다. 중문 밖에 마부와 말이 흩어져 서 있는 것은 모두 제공諸公이 거느리고 온 바의 탈것들이다. 이는 모두 그림 속에서 그려 낸 바로 기로의 늘어앉음이 11원員이고 자제의 배석陪席이 또한 12인이니 4동자를 아우르면 도합 28인이다.

늙고 젊은 이가 고루 모여 기쁘게 마주 대하고 술잔 들어 많이 권하며 종일 함께 즐겼으니 어찌 세상에 드문 성대한 일이 아니겠는가? 우리 아버지도 기로의 한 분으로 사실 이 일을 주장했으나 병으로 이르지 못했다. 소자가 이미 가친을 모시고 가서 성대한 모습을 보지 못했었기에 마음에 형상이 맺혀 오래도록 풀리지 않았었다.

접때 내종형 정군鄭君 원백元伯이 형용形容을 그렸는데 자세하여 빠짐이 없다. 일견해서 진짜 모습을 받들어 뵙는 듯 황홀하니 우러러 뵙고 사랑하며 그리워하는 뜻을 이기지 못해 그 그림을 이와 같이 풀어냈다. 이로써 뒤에 이 첩을 보는 이를 편케 하리라고 이를 뿐이다. 해는 무술(1718) 4월 상한에 시생侍生 박창언이 삼가 짓다.

夫朝廷 有饗食之禮, 鄕黨 有飮射之儀, 而以爵以齒者, 卽所以明尊卑 序少長也. 今此北園耆英之會, 出於一時眞率之意. 故不以爵不以齒, 而但以至之先後爲坐次. 尙書李丈以主人 爵最高, 年又最先, 故於房內, 背北面南, 而爲首坐. 其次韓丈先至, 故自尙書座而稍西, 面東而坐, 崔丈次之.

自此向南面北而坐者, 李富平(丈), 而成丈 南丈次之. 又於軒上設座, 坐於南丈之右, 而向北者, 僉知金丈, 而其次 庶尹李丈. 又於軒北, 對僉知丈而坐者, 金參奉丈, 其次 朴生員丈也, 其次 卽李嘉平丈也, 此卽耆老之坐次. 又於軒東, 隔一楹 間一席, 而別爲一座, 凡十二人, 皆耆老家子弟也. 雜坐無序, 不能悉記其坐次, 張生應斗, 亦以詩人預焉. 又有四童子, 參厠於其間, 其立尙書丈之右者, 卽其孫永得也. 或坐或立於嘉平丈之側者, 卽其孫高壽 晩熊 及其外孫尹鐵壽也.

於軒砌之下, 列坐散立者, 皆各員之所帶傔從也. 於階上 鋪列杯盤而坐, 又於中門之內, 戴卓而來者, 各員家女奴, 以所進盤羞, 待候者也. 墻外一女子, 衣靑而執卓者, 主人家婢子, 自內而出者也. 西砌下橫輿, 卽韓丈所乘藍輿也. 輿下散坐五人, 卽其轎夫及廳直也. 中門外, 僕馬之散立者, 皆諸公之所率所騎也.

此皆繪素中所模寫, 耆老之列坐, 凡十一員, 子弟之陪席, 亦十二人, 並四童子, 合二十八人. 老少齊集, 相對怡然, 擧杯多酬, 終日同樂, 豈非曠世之盛事. 家君,以耆老之一, 實主張玆事, 而疾以未赴. 小子旣未得親陪杖屨, 獲瞻盛擧, 心焉牀結, 久而靡弛. 乃者 內兄鄭君元伯, 模寫形容, 纖悉不遺. 一見況然如奉眞像, 不勝瞻仰愛慕之意, 釋其圖如此. 以便後之覽玆帖者云爾. 歲戊戌四月上澣, 侍生朴昌彦敬識.

◆ **여환**餘歡 남은 기쁨

은암 이광적의 회방연을 치르고 그 여환餘歡◆이 채 가시지 않은 9월 22일에 박견성이 주장하여 북원기로회北園耆老會를 은암댁에서 개최하도록 했는데 한성 북부 순화방 장동壯洞에 거주하는 70세 이상의 기로들만 초청 대상이 됐다. 좌목座目에 의하면 초청 대상은 15인이었던 모양인데 이 연회에 실제 참석한 인원은 11인뿐이었고 이 모임을 주선한 박견성조차 당일에 급병이 발작하여 참석하지 못했다.

그래서 연筵, 선仙, 연然 자字를 운韻으로 칠언절구七言絶句 2수二首를 지어 서문과 함께 좌중에 봉송하고 그 창수唱酬를 유도했다. 이에 참석한 기로 11인은 각기 운에 맞춰 창수시唱酬詩를 지으니 이광적李光迪(1628~1717), 최방언崔邦彦(1634~1724), 한재형韓載衡(1635~1719), 이세유李世瑜(1642~1722), 박진구朴

震龜(1643~1730), 성지민成至敏(1643~?), 남택하南宅夏(1643~1718), 이지성李之星(1643~1723), 김상현金尙鉉(1643~1730), 이속李涑(1647~1720), 김은金溵(1647~1718) 등이 그들이다.

이에 박견성의 서문 딸린 절구 2수와 이들 11인의 창수시 11폭을 합장合粧하고 기로회원 명단인 좌목을 첨부해서 《북원기로회첩北園耆老會帖》을 꾸미게 되는데 겸재에게 그 기로회 장면을 그려 달라 부탁해서 〈북원기로회도北園耆老會圖〉도판14를 그 벽두劈頭에 장첩한다.

그러나 이 그림은 기로회가 열리던 병신년(1716) 10월 22일 당일에 그려진 것은 아닌 듯하다. 그 2년 뒤인 무술년(1718) 4월 상순에 그 외사촌 아우인 박공미朴公美 창언昌彦이 짓고 쓴 「북원기로회첩 발」에서

> 접때 내종형 정사군鄭使君 원백元伯이 형용을 그렸는데 자세하여 빠짐이 없다.
>
> 乃者 內兄鄭君元伯, 模寫形容, 纖悉不遺.

고 해 무술년 4월 상순으로부터 얼마 떨어지지 않은 시기에 이 그림이 이루어졌음을 시사하고 있기 때문이다. 그런데 무술 맹춘孟春, 즉 정월에 김창집이 뒤늦게 차운次韻한 창수시 둘째 구에서 이렇게 읊고 있다.

> 그림에 의지해 북산 잔치 알 수 있는데, 첫째가 푸른 소 탄 신선이로다.
> 붉은 기운 홀연 거둬 유묵으로 남으니, 백세에 돌아가도 역시 잠깐이구나. 이상서가 바로 돌아갔다.
>
> 畵圖憑識北山筵, 第一靑牛背上仙.
> 紫氣忽收遺墨在, 百年乘化亦翛然. 李尙書纔捐館

이상서, 즉 이상적이 바로 전에 돌아갔다는 것은 숙종 43년(1717) 정유 12월 13일에 돌아갔기 때문에 이런 표현을 했던 것이다. 『숙종실록』에서는 이상적이 돌아가는 기사를 이렇게 기술하고 있다.

지중추부사 이광적이 돌아가다. 광적은 사람됨이 부지런하고 후덕하여 장자長子의 기풍이 있었다. 젊은 나이에 등제해 3조朝를 내리 섬겼는데 직무를 받듦에 오직 부지런하여 나이가 매우 연로했어도 또한 조알朝謁을 폐하지 않았으며, 매양 국가 대사를 만나면 반드시 득실을 상소로 논했다. 늙은 나이로 품계를 더하여 숭정崇政(종1품)에 이르렀더니 이에 이르러 돌아갔다. 나이 90이다.

知中樞府事李光迪卒. 光迪爲人謹厚, 有長者風. 早歲登第, 歷事三朝, 而奉職惟勤, 年至篤老, 亦不廢朝謁, 每遇國家大事, 必疏論得失. 以老壽增秩, 至崇政, 至是卒. 年九十.

『肅宗實錄』卷60, 肅宗43年 丁酉 12月 13日 癸巳

「노수老壽로 품계를 더했다」는 것은 돌아가던 해인 정유년(1717) 정월 2일에 약방도제조로 입진入診했던 좌의정 김창집이 이광적의 나이 90이 되었으니 품계를 올려 주자는 주청을 올려 숙종의 허락을 얻어 낸 사실을 일컫는다. 『숙종실록』에서는 이 대목을 이렇게 기술하고 있다.

정월 2일 정사丁巳 약방에 들어가 진찰하다. 진찰이 끝나자 도제조 김창집이 이렇게 말했다.……창집이 또 말했다.

"지사 이광적에게 작년 회방回榜 때에 이미 꽃을 내리고 음식과 물품을 내리라 명하셨음은 사실 노인을 우대하는 성대한 뜻에서 나왔는데 금년에 꼭 90을 채웠습니다. 앞에서는 이런 사람을 조정에서 특별히 은전을 베풀어 품계를 바꿔 자급을 올려 주었습니다."

상감이 "품계를 바꿔 자급을 올려 주라" 명했다.

藥房入診. 診候畢, 都提調金昌集曰……昌集又言知事李光迪, 昨年回榜時, 旣命賜花, 又賜食物, 實出優老之盛意, 而今年恰滿九十. 在前如此之人, 朝家特施恩典, 變品陞資矣. 上命變品加資.

『肅宗實錄』卷五十九, 肅宗四十三年 丁酉 正月 二日 丁巳

김창집이 이광적을 이토록 세심하게 보살피는 것은 이광적이 김창집의 부친 영의정 문곡文谷 김수항金壽恒(1629~1689)과 같은 동네에서 태어난 한 살 터울의

북원기로회도北園耆老會圖 도판14

정선鄭敾, 1718년 무술戊戌 1월경,
견본채색絹本彩色, 54.4×39.3cm,
《북원기로회첩北園耆老會帖》,
손창근 소장.

北壯洞人鄭敾元伯敬寫

친한 친구로 김수항이 곤경에 처할 때마다 이를 변호하다 여러 번 화를 같이 입기도 한 친분이 있을 뿐만 아니라, 대은암동에서 세거世居하여 수백 년 동안 이웃해 살아온 세계世交*가 있기 때문이었다.

* 세계世交
집안끼리 대를 물려 가며 서로 사귐. 이 경우 '交'를 '계'로 읽는다.

겸재의 큰외숙 박견성에게 이를 주선하게 한 것은 그의 부친 박자진朴自振(1625~1694) 역시 문곡과 은암의 동년배 친구로 절친한 사이라서 은암이 그들에게는 부친과 다름없는 사이였기 때문이었다. 그래서 북원기로회를 개최하며 당연히 박견성의 생질인 겸재에게 그 〈북원기로회도北園耆老會圖〉를 그리게 하도록 당부했을 터인데 겸재가 아직 천문학겸교수로 출사한 지 반년 남짓 지난 시기라 그럴 틈이 없었던지 그 현장에 참석해서 그려 내지 못했던 것 같다.

그 이후에도 차일피일 미뤄지다 정유년 12월 13일 은암이 돌아가게 되자 아직 그림이 완성되지 않아 작첩作帖을 미루고 있던 《북원기로회첩》의 작첩을 위해 겸재는 서둘러 〈북원기로회도〉[도판14]를 그려 냈던 것 같다. 그래서 김창집이 작첩을 경하하기 위해 무술년 정월에 창수시를 추가해 넣었을 것이다.

여기서 '그림에 의지해 북산 잔치를 알 수 있다' 했으니 그림이 막 완성된 시기일 수도 있다. 이 사실은 박창언이 '내종형 정원백이 접때 그렸다'고 쓴 무술년 4월 상순의 기술과도 맞아 떨어진다. 그렇다면 겸재의 〈북원기로회도〉는 숙종 44년(1718) 무술 1월에 그려진 것으로 추정해도 큰 무리는 없을 듯하다. 겸재 나이 43세 때다.

김창집은 이미 지난해(1717) 5월 12일에 영의정에 올라 있었고, 나이도 71세가 되어 북원기로회의 회원 될 자격이 충분해졌으므로 이 《북원기로회첩》에 창수시를 당당하게 지어 올렸을 것이다. 겸재는 이런 사정을 북원기로회의 주관자인 외숙부 박견성으로부터 들어 자세히 알고 있었을 터이다. 그래서 그동안 여러 가지로 신세 진 김창집의 은혜에 보답하기 위해 이 〈북원기로회도〉를 최선을 다해 그려 냈을 것이다. 그 사실을 그림을 통해 살펴보도록 하겠다.

전체적으로 그림은 숙종 42년(1716) 병신 9월 16일에 그려진 〈회방연도〉[삽도30]를 저본底本으로 삼고 있다. 불과 한 달 7일 만인 10월 22일에 같은 장소인 은암댁 사랑에서 장동壯洞 기로라는 같은 사람들이 모여 여는 잔치 장면이니 같은 그림이 될 수밖에 없기 때문이다.

북원기로회도北園耆老會圖 부분

겸재가 당일에 나가서 그리지 않고 또 차일피일 미루면서 그리지 않았던 이유도 〈회방연도〉를 저본으로 삼으면 된다는 계산에서였을 것이다. 그러나 시점을 은암댁 사랑채로 더욱 압축해 은암댁 뒷동산인 북악산 대은암 일대를 과감하게 생략하고 담장 안의 사랑채만 부분확대시켜 놓아 연회 장면이 박진감 있게 묘사되고 있다. 〈회방연도〉에서는 대은암동이라는 진경성을 강조하기 위해 북악산 대은암을 그렸지만 여기서는 은암댁 사랑이라는 데 초점을 맞춘 결과이다.

건물도 〈회방연도〉의 건물 묘사가 보다 사실적 표현이라 생각되는데 사랑채가 일자一字집으로 이어져 본채의 앞채가 되고, 본채 뒤채는 'ㄱ' 자 평면으로 사랑채에 맞닿아 있다. 사랑채와 연결된 본채 앞채는 부엌이나 광인 듯 살창 표현이 분명한데 다만 기와 얹은 낮은 담장이 사랑마당과 안마당을 구분해 공간을 나눠 놓았다.

이에 비해 〈북원기로회도〉에서는 사랑채를 별채로 독립시켜 지붕을 앞채보다 높여 놓고, 담장을 터 앞채로 통하는 쪽문을 내놓았다. 중문 밖으로는 줄행랑이 따른 솟을대문이 있었을 터이나 줄행랑의 지붕 일부와 살창들이 보일 뿐이다. 기와지붕은 마치 현대 양기와집 기와지붕인 듯 표현해 겸재법이 이미 이 시기에 정착되는 것을 실감할 수 있다.

이런 현상은 늙은 소나무와 잡수목에서도 그대로 드러난다. 우람한 둥치에 연지빛 선홍색이 분명하고 송린松鱗이 거품 모양 더께지며 자송점법刺松點法의 부채꼴 솔잎이 가지 끝마다 거듭 쌓여 바람이 숭숭 새 나가도록 그린 노송법이나 굵은 둥치에 빨래 짤 때 생기는 비튼 사선斜線들이 휘감고 오르게 하는 잡수고목법이 모두 겸재가 평생 놓지 않던 송수법松樹法이기 때문이다.

인물의 표현은 크고 분명해져서 그림 속의 인물이 누구인지도 알아볼 수 있으니 박창언이 발문에서 일일이 지적해 밝힌 바와 같다. 발문에 의하면 주인공이자 좌장인 89세 노인 이광적이 서쪽 사랑방 북벽 아래에 남면으로 좌정하고 그 곁에는 붉은 옷 입은 손자 영득永得이 시립해 서 있다고 했다.

그 서쪽에 한재형, 최방언이 앉았고 남쪽에는 이세유, 성지민, 남택하가 앉았다. 대청에서는 남택하 곁에서 북쪽을 바라보는 이가 김상현이고 그 곁이 이지성이며, 대청 북쪽에서 이지성을 바라보는 이가 김은이고 그 다음이 박진구, 그 다음이 이속인데, 이속의 곁에는 붉고 푸른 옷 입은 동자 둘이 서 있고 푸른 옷에 붉은 굴레 쓴 동자 하나가 앉아 있다. 그 손자 고수高壽와 만웅晩熊, 외손자 윤철수尹鐵壽라 하고 있다.

영득은 이규현李奎賢(1712~1768)의 아명兒名이니 전예篆隷의 명인 이한진李漢鎭(1732~1815)의 부친으로 이때 나이 5세였다. 만웅은 이병성李秉成(1675~1735)의 아들 도중度重(1711~1750)의 아명인 모양이고, 윤철수는 윤상형尹尙衡(1680~1732)의 아들 윤경尹暻(1711~1755)의 아명인 듯하니 이들은 6세 동갑이었다. 두 손을 마주잡고 공손히 서 있는 두 동자가 그들일 것이다. 겸재의 인물화 솜씨는 사실 관아재를 능가하니 그림만으로도 그가 누구인지 금방 알 수 있다는 말이 실감날 정도이다.

왼쪽 하단에

> 장동인 정선 원백이 삼가 그리다.
> 北壯洞人 鄭敾 元伯 敬寫

라는 관서를 쓰고 '정선鄭敾' 이라는 방형 백문인장을 찍어 놓았는데 글씨는 겸재 글씨와 매우 달라 누가 대신 쓴 것이 아닌가 한다. 인장도 60대 이후에 쓰던 것과 많이 다르나 이 시기에 쓰던 것일 수 있으니 새로 밝혀지는 자료로 보아야 하겠다.

숙종 44년(1718) 무술戊戌은 다사다난해서 2월 7일에 왕세자빈 청송심沈씨(1686~1718)가 겨우 33세로 돌아가고 3월 9일에는 연잉군延礽君(영조英祖)의 생모 숙빈淑嬪 최씨崔氏(1670~1718)가 49세로 장동의 연잉군 사저인 창의궁彰義宮에서 돌아간다. 이에 숙종은 왕실의 원한을 해소하려는 듯 3월 24일 소현昭顯세자빈 진주강姜씨(?~1646)의 신설伸雪과 김홍욱金弘郁(1602~1654) 사시賜諡의 의사를 밝히고 5월 22일에 강씨를 복위하여 민회빈愍懷嬪이라 시호를 올린다.

5월 12일에는 숙빈 최씨를 양주 고령동高靈洞 옹장리瓮場里에 예장하고 윤8월 1일에는 왕세자빈을 병조참의 어유구魚有龜(1675~1740) 따님으로 정한다. 이는 왕실에서 일어난 일이었지만 겸재 주변에도 일이 많았다.

5월 16일에 스승 김창흡이 오랜만에 서울로 와서 제자들과 상봉하는데 삼청

동에 사는 응재凝齋 박태관朴泰觀(1678~1719) 집에 초대되어 가서 그 집 사랑방 벽에 걸린 겸재 그림을 보고 이렇게 평했다.

원백의 그림은 붓을 마음대로 휘둘러서 천취天趣를 보여 주는데 이 그림도 역시 좋다.

元伯之畫, 肆筆揮洒, 而見天趣, 此筆亦佳也.

辛敦復, 『鶴山閑言』

6월 29일 사천 이병연이 경기도 안산군수로 발령받고 8월 7일에 하직하는데 그 이전 봄철에 사천은 겸재와 겸재의 외사촌 아우인 박창언朴昌彦(1677~1731)과 함께 수시로 만나 시를 읊었던 모양이다. 『사천시초槎川詩抄』 권하에 실린 「태고정太古亭에서 원백元伯, 공미公美와 더불어 두보杜甫 시운詩韻을 들어太古亭 與元伯 公美 拈杜律韻」나 「분재盆栽가 있어 박공미朴公美의 운韻으로 정원백鄭元伯에게 보이다有小穿栽 次朴公美 示鄭元伯」 등에서 확인할 수 있다. 옮기면 다음과 같다.

청풍계 태고정 오늘 일, 단지 몇 사람만 서로 아네.

꽃 지고 나귀는 나무를 갈아 대는데, 건 빗겨 쓴 나그네 연못을 내려다본다.

돌침상 시원해 누울 만하니, 부들자리 취하면 옮겨야 하네.

태수太守(안산安山태수)는 병들어 왔건만, 오히려 작은 술통 뒤따르라 한다.

楓亭今日事, 數子只相知. 花落驢磨樹, 巾斜客俯池.

石床凉可臥, 蒲席醉須移. 太守來扶病, 猶令小酒隨.

『槎川詩抄』 卷下 太古亭與元伯公美拈杜律韻

틈새에서 원림園林이 나왔으니, 먼저 정鄭 박朴에게 알려야 하지.

낮은 담장은 겨우 섬돌을 보호하고, 깨진 항아리를 연못으로 썼다.

멀리 있는 전나무 높은 그늘 드리우니, 이웃집 꽃 작은 비로 옮겨 심는다.

이 중 한길에 머물 터이니, 자네들은 따라오기만 하라.

隙地園林出, 先須鄭朴知. 短墻聊護砌, 破甕用安池.

遠檜高陰落, 隣花小雨移. 此中留一徑, 君輩可追隨.

『槎川詩抄』卷下 有小穿栽, 次朴公美示鄭元伯

12월 27일에는 관아재 조영석이 장릉章陵 참봉(종9품)이 되어 첫 벼슬길에 나간다. 관아재 나이 33세 때였다.

이해 왕세자빈 청송심씨의 예장에 진경시대 최고 조각가인 최천약崔天若(1684~1755)이 옥인玉印 조성으로 처음 그 조각 솜씨를 발휘하기 시작한다. 그는 동래부 부산포釜山浦 출신 무인武人으로 숙종 37년(1711) 신묘辛卯 7월 5일에 부산을 떠나는 통신사 조태억趙泰億(1675~1728)의 수행원이 되어 일본을 다녀온 인물이었다. 불과 28세의 젊은 나이임에도 여비를 통괄하는 반전盤纏 차지次知로 발탁됐었다 하니 그 영민함을 짐작할 만하다.

그 재능이 조정에 알려져 숙종 39년(1713) 을사乙巳 윤5월 15일에는 천문의기天文儀器 제조술을 배워 오기 위해 연경燕京으로 뽑혀 보내지고 그 임무를 충실하게 이행해 내어 그 공으로 총융청摠戎廳 교련관敎鍊官(종9품 하위)이 된다. 그러자 9월 18일 관상감에서는 군문軍門에 상주해야 하므로 천문의기제조를 살펴볼 수 없으니 본사에 제수하여 본사 감관원인 허원許遠 등과 함께 의논해 천문의기 제조역을 감동하게 해 달라는 상소를 올린다.(『승정원일기』 480책 참조)

그 2년 뒤인 숙종 42년(1716) 병신丙申 2월경에 겸재가 관상감 겸교수(종6품)가 되니 아마 관상감에서 당대 최고의 화가는 당대 최고의 조각가와 만났을 것이다. 겸재가 비록 종6품 겸교수직으로 출사했지만 녹봉은 최천약과 같은 종9품 사용직에 준하는 것이었으니 이들 두 고수의 만남은 특별한 교감이 있었을 듯하다. 그래서 숙종 44년(1718) 단의빈端懿嬪 예장도감이 설치되자 겸재가 최천약을 요로에 천거하여 옥인조성을 담당하게 했던 모양이다. 그 일을 만족하게 해 냈으므로 4월 25일 최천약에게 국왕이 활과 화살을 하사하는 상을 내려 그 솜씨를 인정한다.

8

하양현감河陽縣監

숙종 45년(1719) 기해己亥 1월 4일에 72세의 김창집이 다시 영의정이 되고 2월 11일에는 기로소耆老所 당상堂上으로 59세의 숙종을 기로소에 봉입한다. 그런데 2월 9일에는 삼연이 몹시 아끼던 박태관朴泰觀이 불과 42세로 요절한다. 스승 삼연을 비롯한 사천과 겸재 등 사우들의 슬픔이 매우 컸을 것이다.(『삼연집三淵集』 권16 박사빈만朴士賓挽 11수首, 『도암집陶菴集』 권44 학생박공묘지學生朴公墓誌 참조)

4월 11일에는 청천靑泉 신유한申維翰(39세)과 국계菊溪 장응두張應斗(50세)가 제술관製述官으로 일본통신사에 수행해 간다. 삼연의 적극 추천으로 이루어진 일이었다. 그리고 삼연으로부터 시문詩文의 실력을 인정받아 겸재와 함께 삼연을 모시고 금강산을 여행했던 송애松崖 정동후鄭東後(61세)는 제주목사가 되어 나갔다.

6월 30일에 안산군수 이병연은 부친의 병환과 자신의 병을 핑계로 5차례나 사직소를 올리며 물러나기를 소원한다. 10월 2일에는 숙종의 막내왕자인 연령군延齡君 훤昍(1699~1719)이 불과 21세로 요절한다. 10월 17일에는 양성陽城현감 이병성이 수어사守禦使 지휘를 거부하여 쫓겨난다. 11월 10일에는 강빈의 신원伸冤을 주장하다 효종에게 맞아 죽은 학주鶴洲 김홍욱金弘郁에게 문정文貞의 시호를 내린다.

그리고 겸재는 이해 모주 김시보에게 〈금강산도金剛山圖〉를 그려 주었던 듯 모주茅洲(62세)는 「정원백鄭元伯 선敾의 금강도金剛圖에 제함」이라는 제화시에서 이렇게 읊고 있다.

거듭 풍악楓岳을 유람하나 경계 찾기 어렵더니, 문득 그림 속에서 참모습 보겠구나.

거문고 곡조 차가워서 산울림 이는데, 만천 봉우리 아래에 노쇠한 늙은이 하나.

再遊楓岳境難窮, 忽見眞顔繪素中. 琴操冷然山欲響, 萬千峯下一衰翁.

金時保, 『茅洲集』 卷六, 題鄭元伯敾金剛圖

또 이해 10월 8일에는 겸재가 담헌 이하곤의 경저京邸를 찾아가 하룻밤을 함께 보내며 담헌에게 사계산수四季山水 4폭을 그려 주는데, 담헌의 요구대로 그렸던 듯 진경산수화가 아닌 화보풍畵譜風의 정형산수화定型山水畵이다. 이 그림은 현재 호림湖林박물관에 수장되어 있다.

그 대강을 살펴보면 다음과 같다. 춘경春景인 〈호림한거湖林閑居〉도판15는 『당시화보』 권3 제10판과 동서同書 권5 제27판, 제36판을 조합組合한 듯한 느낌이 드는 화보풍의 창작품이다. 겸재와 담헌이 은거해서 살고 싶은 이상경을 그림으로 그려 본 것이 이 〈호림한거〉가 아니었나 한다. 멀리 떨어진 앞산에서 폭포가 떨어지고 가까운 뒷산에서 시냇물이 급류져 흘러 큰 개울을 이룬다.

산자락 아래는 바다인지 호수인지 모를 넓은 물이 있는 골짜기 안에 조촐한 초가집 두 채가 서로 마주 보며 한 울타리 안에 지어져 있다. 열어 놓은 문 안으로 각기 서안書案이 보이니 선비의 사랑방이 분명하다. 해묵은 고목이 그늘을 드리우고 잡수림이 주변을 에워싼다. 이런 분위기라면 독서하는 선비가 은거하기에 안성맞춤이겠다. 담헌과 겸재는 이런 곳에서 함께 독서하며 은거하기를 기대했던가 보다.

호림한거湖林閑居 도판15

1719년 기해己亥 10월 8일, 견본수묵絹本水墨, 53.3×29.8cm, 《겸재화첩謙齋畵帖》, 호림박물관 소장.

謙齋元伯

하경夏景인 〈관산누각關山樓閣〉도판16은 화면구성이 『고씨화보顧氏畫譜』 이권利卷 제59판板 예운림倪雲林(찬瓚, 1301~1374)의 〈원산근수遠山近水〉삽도34를 방작번안倣作飜案한 것이어서 좌측 암봉岩峯은 거의 그 모습이 서로 방불하다. 다만 수림樹林과 누대樓臺의 배치만 첨가했는데 이 역시 같은 책 원元권 제12판 형호荊浩(10세기)의 〈관폭한화觀瀑閑話〉삽도35에서 그 상想을 부분적으로 따왔음이 확인된다.

관산누각關山樓閣 부분

倪元鎮別號雲林少負拔俗之韻性好潔竟成癖幽齋竹樹晨起必課一奚盥拂葱蒨刺眼每駕輕舠湖上香風遠襲輙知為雲林舫至暮畫山水林石位置簡雅惟取神致似嫩而蒼似淡而工遂入逸品在勝國諸名家蓋畫而儒者也張士誠擄蘇州招之不往真無忝高士之稱名賛毘陵錫山人

吳門張國維

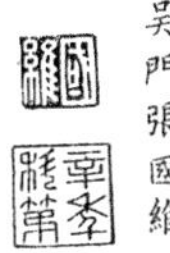

원산근수遠山近水 삽도34

『고씨화보顧氏畵譜』 제59판.

관폭한화觀瀑閒話 삽도35

『당시화보唐詩畵譜』 제12판

관산누각關山樓閣 도판16

1719년 기해己亥 10월 8일, 견본수묵絹本水墨, 53.3×29.8cm, 《겸재화첩謙齋畵帖》, 호림박물관 소장.

그리고 추경秋景인 〈소림모정疏林茅亭〉도판17은 『당시화보唐詩畵譜』 권5 제7판 〈죽수계정竹樹谿亭〉삽도36을 모본母本으로 번안방작한 것이다. 〈죽수계정〉에는 「임술 8월에 운림雲林 필법을 모방한다. 조유광.壬戌秋八月, 倣雲林筆. 曹有光.」이라는 관서款書도 함께 인쇄되어 있다. 명나라 천계天啓 2년(1622) 임술 8월에 조유광이 예운림 필법을 방작해 그렸다는 내용이다.

겸재는 이 조유광의 운림방작본에 회화성을 첨가하여 화보의 도식성으로부터 벗어나게 했다. 메마른 수목에 미가송수법米家松樹法으로 창울蒼鬱한 녹음綠陰을 회생시키고 담묵의 훈염暈染으로 습윤濕潤한 대기大氣를 상징했다. 광막曠漠한 수면水面에 구릉丘陵을 중첩시키고 물길을 굽이치게 해서 화면의 단조로움을 파괴했다. 절벽과 주산主山의 첨가는 화면을 크게 안정시켰는데 미점米點과 피마준披麻皴의 혼용이 좋은 대조를 이룬다.

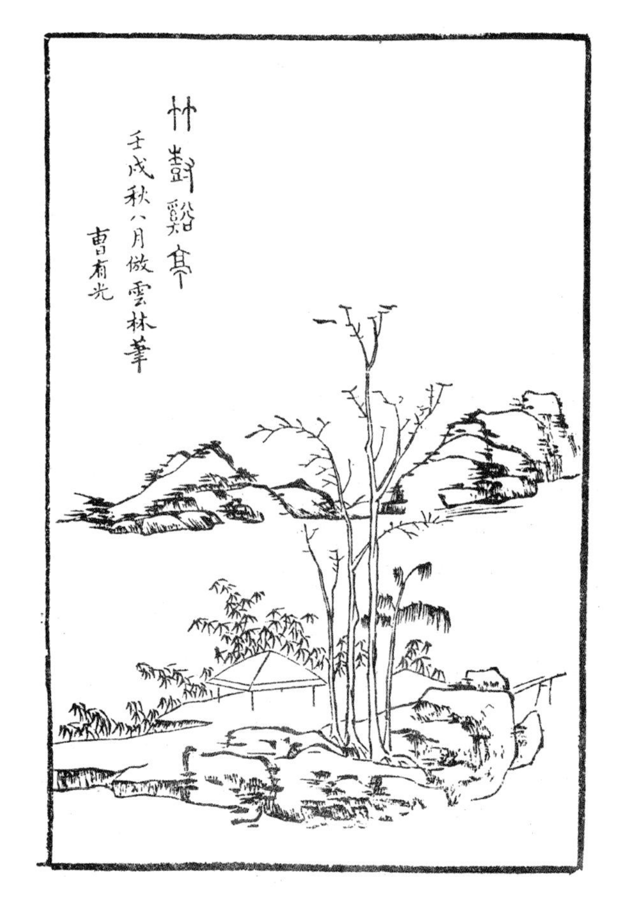

죽수계정竹樹溪亭 삽도36
『당시화보唐詩畵譜』 권5 제7판.

소림모정疏林茅亭 부분

소림모정疏林茅亭 도판17

1719년 기해己亥 10월 8일, 견본수묵絹本水墨, 53.3×29.8cm,《겸재화첩謙齋畵帖》, 호림박물관 소장.

동경冬景은 〈강산설제江山雪霽〉[도판18]이다. 『당시화보』 권6 제10판 〈만산풍우萬山風雨〉[삽도37]를 설경雪景으로 번안한 것이다. 기본 구도만 빌려 왔을 뿐 화면구성은 독창에 가깝다. 물가에 텅 빈 수각水閣이 있고 큰 고목나무 세 그루가 훤칠한 높이를 자랑하며 언덕 위에서 그늘을 드리우고 있다. 앞에도 물, 뒤에도 물인데 뒤편 개울 건너에는 주산이 솟아 있다. 앞 시내에 놓인 다리는 내 건너 살림집으로 가는 길일 것이다.

눈이 강산같이 쌓여 온 천지가 흰빛뿐이니 고목에도 대밭에도 눈꽃이 만발했다. 그래도 소나무와 측백나무 따위의 상록수는 눈을 떨고 푸르름을 자랑하고 토파土坡와 산봉우리도 층진 굴곡을 드러낸다. 이런 모습들을 미가송수법이나 피마준 및 담담淡淡한 담묵의 묵찰법墨擦法으로 능숙하게 처리해 냈다.

본래 이 그림들은 그릴 당시에 낙관을 생각하지 않고 그렸던 듯하다. 그래서 뒷날 누군가가 각 폭마다 겸재謙齋나 원백元伯이라는 관서를 써넣었는데 글씨도 겸재 글씨가 아니고 자리도 들어갈 자리가 아니다. 그러나 이와는 아무 상관없이 이 그림들은 겸재 진필이 틀림없을 뿐만 아니라 겸재의 기초적 화법수련 과정을 한 눈으로 확인할 수 있게 해 주는 중요한 자료이다.

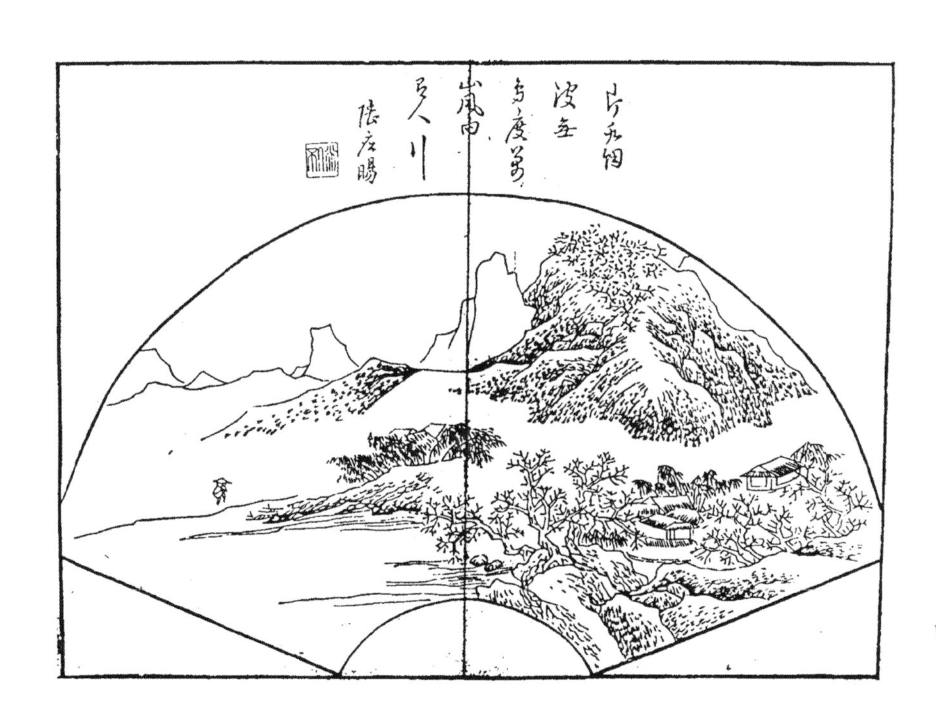

만산풍우萬山風雨[삽도37]
『당시화보唐詩畫譜』 권6 제10판 선면扇面.

이 화첩이 이루어지는 전말을 기록한 제사題詞가 『두타초頭陀草』와 진적眞蹟에 모두 남아 있기 때문이다. 이제 이를 옮겨 보겠다.

이하곤의 서문이다.

◆**장동**墻東
경복궁 담장 동쪽. 지금 사간동 근처인 듯하다.

내가 병이 들어 장동墻東◆의 우사寓舍에 누웠더니 원백元伯이 보고 가려다 같이 자게 되었다. 밤중에 비바람이 쓸쓸히 치고 천둥소리가 은은히 들리거늘 드디어 등을 밝히고 일어나 앉아 서로 보고 한숨 쉬다가 원백이 붓을 잡아 비바람이 갑자기 몰아치는 형상을 그리고 또 만봉萬峯 중에 초가집을 두는데 소나무 삽작문과 대나무 울타리로 경치가 그윽하고 깊숙하다. 그 뜻은 대개 한 곳의 복지福地를 얻어 그림 속의 사람처럼 나와 함께 더불어 숨고저 하는 것이거늘 다만 어느 때나 이 일단 인연을 마칠 수 있을지 모르겠다. 때는 기해년 10월 8일이다. 담헌澹軒이 짓다.

余病臥墻東之寓舍, 元伯見過同宿. 夜中風雨凄然, 雷聲隱隱, 遂明燈起坐, 相對太息. 元伯拈筆, 作風雨驟至之狀, 又置茆屋於萬峯中, 松扉(簷)竹籬, 景致幽絶. 其意蓋慾得一區福地, 與余偕隱, 如畵中人. 但未知何時能了此一段因緣也. 時己亥十月八日也. 澹軒題[삽도38-1]

다음은 이하곤의 발문이다.

원백의 이 화권畵卷은 비록 꽤 바삐 그린 듯하나 그러나 자세히 살펴보면 법도法度와 의태意態가 갖가지로 두루 갖추어져서 털끝만큼도 어긋난 곳이 없다. 원백을 미치지 못하는 것이 바로 여기에 있을 뿐이다.

동인東人의 그림은 대저 그 병이 둘이 있다. 고루하고 천박한 것이다. 원백은 농묵濃墨으로 중령찬봉重嶺攢峯◆과 장림고목長林古木◆을 잘 그리는데, 서로 가리고 비추니 기상氣象이 자연히 심원深遠하다. 원백의 뜻은 비록 동인東人의 병을 바로잡고자 하는 것이라 해도 이는 바로 원백이 얻은 화가삼매처畵家三昧處다.

◆**중령찬봉**重嶺攢峯
거듭된 산마루와 모인 봉우리

◆**장림고목**長林古木
큰 나무숲과 늙은 나무

내가 일찍이 장난삼아 원백에게 말하기를 "자네의 그림 근원은 대치大癡(황공

강산설제江山雪霽 도판18

1719년 기해己亥 10월 8일, 견본수묵絹本水墨, 53.3×29.8cm, 《겸재화첩謙齋畵帖》, 호림박물관 소장.

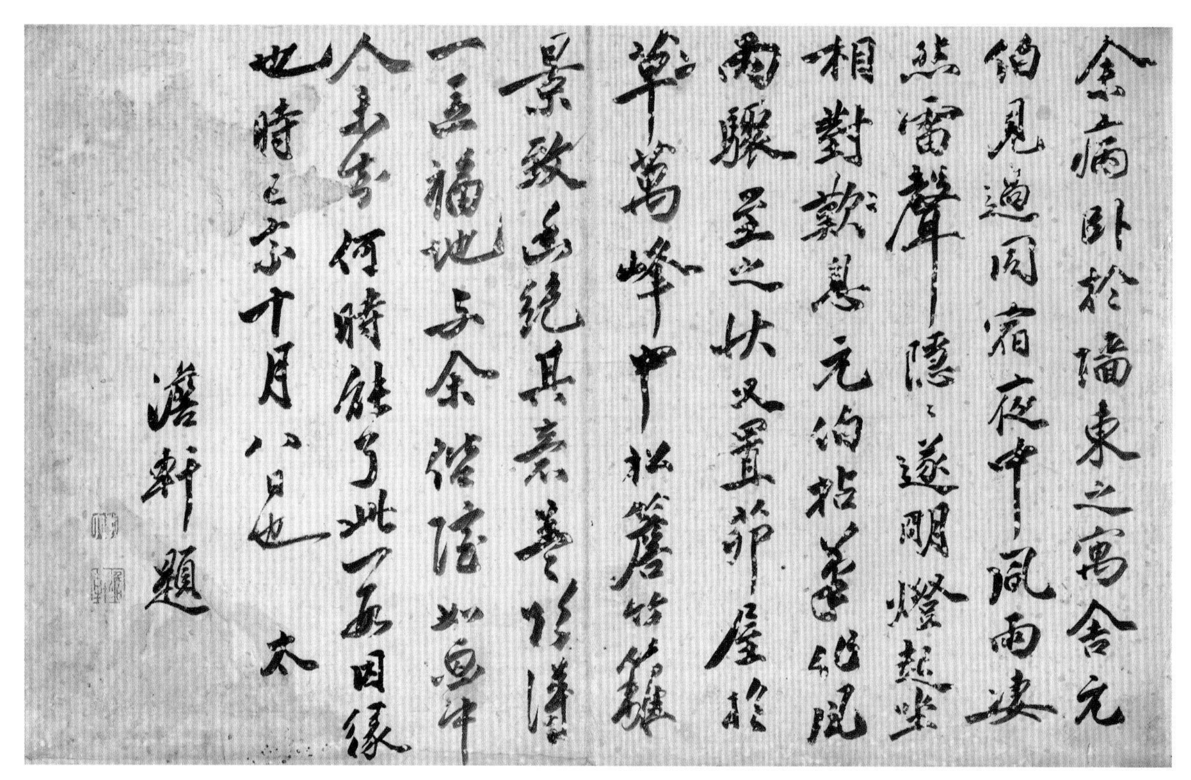

겸재화첩謙齋畵帖 서序 삽도38-1
이하곤李夏坤 찬서撰書,
1719년 기해己亥 10월 8일,
지본묵서紙本墨書,
53.3×29.8cm,
호림박물관 소장.

망黃公望) 노선老仙의 〈부춘산도富春山圖〉로부터 많이 나왔군" 하니 원백도 한번 웃으며 수긍했다. 기해己亥 10월 24일 금산병부金山病夫가 등불 아래에서 또 제하노라. 석표錫杓가 삼가 씁니다.

元伯此卷, 雖多忙筆, 然諦觀之, 法度意態, 種種具足(存), 無一毫蹉跌處, 元伯難及處, 正在此. 東人之畵, 其病(多在膚淺)大抵有二, 陋也淺也. 元伯好以濃墨, 作重嶺(複壁)攢峯, 長林古木, 互相掩映, 氣象自然深遠. 元伯之意, 雖欲矯東人之病, 此正元伯得畵家三昧處也. 余嘗戲謂元伯曰, 君之畵源, 多出於大癡老仙, 富春春山圖, 元伯亦一笑首肯(已). (己亥十月二十四日) 金山(雞)病夫, 燈下又題. 錫杓敬書

李夏坤, 『頭陀草』 卷十五, 題鄭元伯敾畵卷. ( )는 원적原蹟에만 있는 것이다. 삽도38-2

석표는 이하곤의 장자인 부제학 이석표李錫杓(1704~1751)다. 아버지 이하곤이 짓고 아들 이석표가 썼다는 내용이다.

숙종 46년(1720) 경자庚子는 국가적으로나 개인적으로나 일대 변환이 일어난

겸재화첩謙齋畵帖 발跋 삽도38-2
이하곤李夏坤 찬撰,
이석표李錫杓 서書,
1719년 기해己亥 10월 20일,
지본묵서紙本墨書,
53.3×29.8cm,
호림박물관 소장.

해였다. 1월 8일 숙종의 6순旬을 경축하는 진하陳賀의식을 성대히 거행했으나 숙종은 이미 시력을 잃은 중병 상태에 있었다. 결국 숙종은 6월 8일에 경희궁慶熙宮 융복전隆福殿에서 승하하고 6월 13일에 왕세자가 등극하니 이가 경종景宗(재위 1721~1724)이다.

이렇게 나라에서 국왕이 바뀌는 큰 변고를 치르는 중에 겸재 신변에도 큰 변화가 있었다. 1월 21일 사천의 부친인 수암樹菴 이속李涑(1647~1720)이 돌아갔다. 부친을 14세 어린 나이에 여읜 겸재가 아버지처럼 모시고 따르던 분이었다. 그래서 37세 때는 사천형제와 함께 66세의 수암을 모시고 금강산을 여행하지 않았던가. 그런 분이 이제 74세의 고령으로 작고했으니 그 충격이 적지 않았다.

다행히 1월 24일에 일본통신사에 제술관製述官으로 수행해 갔던 국계菊溪 장응두張應斗가 무사히 돌아와 수암 영전에 영결永訣을 고할 수 있는 것이 큰 위안이 되었다. 뒤이어 2월 8일에 겸재謙齋는 사헌부감찰司憲府監察(종6품)로 영전한다.(『승정원일기』 521책 참조) 그리고 이해 12월 12일에 하양현감河陽縣監(종6품)에

제수된다.(『승정원일기』 528책 참조)

이미 영의정이 되어 국정을 총괄하고 있는 김창집의 배려로 그렇게 되었을 것이다. 이때쯤은 서울의 웬만한 사대부士大夫 집안에 겸재의 그림이 안 걸린 집이 없을 정도로 겸재의 화명은 매우 높았던 듯한데 당세의 감식안으로 자처하던 담헌澹軒 이하곤李夏坤(1677~1724)과 서암恕庵 신정하申靖夏(1680~1715) 등 농암의 문인들이 앞장서서 겸재의 진경산수화를 높이 평가하고 있었기 때문이다.

겸재가 하양현감에 제수됐다는 소식이 전해지자 삼연문하의 맏형이라 할 수 있는 청풍계 주인 모주茅洲 김시보金時保(1658~1734)가 제일 먼저 전별시를 보낸다. 옮기면 다음과 같다.

> 북악이 얼마나 가파른 바위던가. 서쪽 산골짜기 물 스스로 맑고 빠르다.
> 원백이 그 사이에서 놀아, 붓놀림에 여지 있었네.
> 조물주는 무심한 이 아니라서, 자네를 영남으로 보내 가슴 열게 하는군.
> 바람과 구름 해악海岳 중中에 아득하면, 필세의 변화 신룡 같을 터.
> 내가 늙었다 해도 오히려 가서 좇아다닐 수 있으니, 자네와 함께 부상扶桑의 가지 끝에 배를 매세나.
>
> 北岳何巉巖, 西澗自淸駛. 元伯游其間, 弄毫有餘地.
> 造物不是無心者, 送君大嶺開胸次. 風雲浩渺海岳中, 筆勢變化如神龍.
> 吾老尙可往從之, 同君繫纜扶桑枝.
> 金時保, 『茅洲集』 卷六, 贈鄭元伯之任河陽

이것이 청풍계淸風溪 주인으로 겸재의 성장을 어려서부터 이웃에서 지켜봐 왔던 모주茅洲(63세)의 전별시다.

다음은 역시 겸재와 같이 내외가內外家가 모두 백악동부에 있고 함께 효자로 소문나 있던 동문후배인 동포東圃(40세) 김시민金時敏(1681~1747)의 전별시다.

> 찬 벼슬 3년에 한 마리 야윈 당귀뿐이더니, 뜻을 얻은 오늘 아침 다섯 말이 수레를 끄네.

이제 가면 맛있는 음식으로 능히 봉양할 수 있을 터, 이때까지 쌀항아리 쌀섬은 본래 쌓인 적 없었지.
백성들 아직 예스럽고 순박하여 다스림 의당 간편할 텐데, 자네 자신 자상하여 일마다 거칠지 않으리.
관청일 하는 사이 응당 필흥筆興 일 테니, 성안에 가득한 복숭아 오얏꽃 과연 어찌하려나.

冷官三載一疲驢, 得意今朝五馬車. 此去旨甘能致養, 向來甔石本無儲.
民猶古朴治宜簡, 君自慈詳事不疎. 朱墨閒時應筆興, 滿城桃李果何如.
金時敏, 『東圃集』 卷二, 鄭元伯歎河陽別語

드디어 경종 원년(1721) 신축辛丑 1월 12일에 47세의 겸재는 임금께 하직하고 하양임지로 떠난다. 그러자 《해악전신첩》과 《망천저도첩》을 통해 지기知己를 허락했던 이래 시화로 우정을 다져 오던 담헌 이하곤은 다음과 같은 전별시를 지어 승진의 축하와 이별의 아쉬움을 함께 드러낸다. 옮겨 보겠다.

한 벌 관복 반쯤 새물 갔으니, 십년을 낮은 벼슬로 서울 먼지 속 달렸었구나.
딱딱이 치며 고생한 뜻 알아야 하네, 다만 어머님 위해 가난치 않으려 했던 것을.
정월正月 동풍에 눈은 수레에 차고, 용추 남쪽에 영운嶺雲은 아득하다.
자네 이 걸음 청취淸趣 더하려는 것 아니니, 하양河陽 한 골 꽃을 잘 다스리리라.
읍이 작아 말만 하면 어떠하겠나, 백성이 순박하고 기쁨 많은 것 신라의 뒤끝이겠지.
보내며 난새가 가시에 깃드는 것 한탄 않음은, 자네 어머님 진짓상에 날마다 생선 드릴 것 아는 탓이네.
가슴속에 선천학先天學(『주역周易』) 갖추어 있고, 붓끝에 반점 티끌도 원래 없구나.
이미 기인畸人* 향해 문안을 넘겨다보았으니, 문득 동현재董玄宰(동기창董其昌)에게서 정신 뺐게나.
도산陶山 한 구비에 퇴계退溪 사셨으니, 시냇가 사립문에 늙은 나무 많겠지.
조만간 자네는 가서 그릴 터, 먼저 한 장 가지고 내게 붙이게.

* **기인**畸人
성격이 괴팍했던 문징명文徵明을 가리킴

一領青衫半不新, 十年薄宦走京塵. 要知擊柝辛勤意, 只爲高堂不爲貧.

正月東風雪滿車, 龍湫南畔嶺雲賒. 知君此去饒清趣, 管領河陽一縣花.

邑小何妨如斗大, 民淳多喜是羅餘. 臨分不恨鸞栖棘, 知爾親廚日薦魚.

胸中自有先天學, 筆下元無半點塵. 已向畸人窺門奧, 便縱玄宰奪精神.

陶山一曲退翁居, 溪上柴門老木餘. 早晩君行應縱筆, 先將一紙寄於余.

李夏坤,『頭陀草』卷八, 送鄭元伯之任河陽

뿐만 아니라 삼연문하의 동문 선배로 어려서부터 겸재를 사랑했던 운와芸窩 홍중성洪重聖(1668~1735)도 「하양사군河陽使君 정원백鄭元伯 선敾을 보내며送河陽使君鄭元伯敾」라는 전별시에서 이렇게 읊고 있다.

동풍이 오마五馬◆에 부니, 영남길 이미 봄날이구나.

복숭아 오얏꽃은 지금의 반악潘岳◆, 시문詩文은 옛날의 정건鄭虔◆.

벼슬 맑고 백리 정도 작으니, 봉양에 한성 모두 대비해얄걸.

현 가득히 모두 산수라, 그림은 묘한 경지 들어가겠지.

東風吹五馬, 嶺路已春天. 桃李今潘岳, 詩文舊鄭虔.

官清百里小, 養備一城專. 滿縣皆山水, 丹青入妙全.

洪重聖,『芸窩集』卷二, 送河陽使君鄭元伯敾

◆**오마**五馬
다섯 마리 말. 태수가 타는 수레는 오마五馬가 이끌므로 태수의 행차 또는 태수를 지칭한다.

◆**반악**潘岳
247~300. 진晋 하양령河陽令. 치적을 부지런히 하고 현 안에 복숭아, 오얏나무를 가득 심었다. 미남으로 문사文詞가 뛰어났었다.

◆**정건**鄭虔
당 현종시대 시서화詩書畵 삼절三絶로 꼽히던 문인화가. 산수화와 물고기 그림에 능했다. 후정건後鄭虔이라 함은 정선鄭敾을 일컫는 말이다.

겸재를 미남 명문장으로 총각 시절부터 수재로 이름을 날리던 옛날 중국 서진西晋의 하양령 반악潘岳(247~300)과 시서화詩書畵 삼절三絶로 꼽히던 정건鄭虔(705~764)에 비유할 만큼 극찬하는 전별시餞別詩이다. 홍중성은 영안위永安尉 홍주원洪柱元(1606~1672)의 막내자제 홍만회洪萬恢(1643~1710)의 독자였으니 당대 제일 명문가의 귀공자貴公子라 할 수 있는데 어린 나이로 삼연문하에 나아가 문사文詞를 인가印可받은 진경시문眞景詩文의 대가이기도 했다.(『운와집芸窩集』 권6 부록附錄 홍중일찬洪重一撰 행장行狀 참조) 그런 그가 이렇듯 8년이나 후배인 겸재에게 지극히 존숭하는 전별시를 보내고 있으니 당시 백악사단의 사우들이 겸재를 얼마나 아끼고 사랑했던지 대강 짐작할 만하다.

그런데 이해는 마치 숙종시대의 종말을 고하는 듯 숙종의 옛 신하들이 줄줄이 타계한다. 7월 24일에 경은慶恩부원군 김주신金柱臣(1661~1721)이 돌아가고 7월 29일에는 영부사 이유李濡(1645~1721)가 서거하며 8월 9일에는 판부사 권상하權尙夏(1641~1721)가 타계한다.

그리고 영의정 김창집 주도하에 8월 20일에는 왕의 아우 연잉군延礽君 금昑을 후사로 삼아 다음 날 왕세제王世弟의 위호位號를 정하고 9월 26일 창덕궁 인정전仁政殿에서 왕세제 책봉례를 거행한다. 이 책봉의식에서 천재 조각가 최천약崔天若이 역시 옥돌 인장을 새기는 중임을 맡아 공을 세우고 10월 3일에 활과 화살을 상으로 받는다.(『승정원일기』 534책 참조)

◆ **서정참청**庶政參聽 정치에 참여하여 함께 처리함

그러나 10월 10일 왕세제王世弟의 서정참청庶政參聽◆ 명령을 내린 것을 계기로 노론老論과 소론少論이 치열하게 정쟁을 벌이다 12월 6일 소론 강경파인 김일경金一鏡(1662~1724), 박필몽朴弼夢(1668~1728), 이진유李眞儒(1669~1730) 등이 정변을 획책한다.

마침내 노론 4대신인 김창집, 이이명李頤命(1658~1722)[삽도39], 조태채趙泰采(1660~1722)[삽도40], 이건명李健命(1663~1722)[삽도41]을 쫓아내고 이어 12월 12일에는 김창집을 거제도에, 이이명을 남해에, 조태채를 진도에 귀양 보내 가둬 놓는다.

그리고 12월 19일에는 조태구를 영의정, 최규서崔奎瑞(1650~1735)를 좌의정, 최석항崔錫恒(1654~1724)을 우의정으로 하는 소론 정부를 구성하고, 12월 22일에는 왕세제인 연잉군을 제거하려는 책략을 꾸민다. 경종 측근 내시 박상검朴尙儉(1702~1722)이 여우를 잡는다는 명목으로 세제가 대전으로 문안하러 오는 길에 함정을 파고 덫을 놓아 길을 막은 다음 '세제를 폐하여 서인을 삼는다廢世弟爲庶人' 는 전교를 박상검이 대신 써서 다음 날 반포하려 했다.

이를 본 환관 장세상張世相이 죽음을 무릅쓰고 세제에게 알리니 세제는 세제빈과 함께 음약자진하려다 세제빈의 만류와 입직궁관 김동필金東弼(1678~1737) 등의 만류로 사위소辭位疏 초본을 대신들에게 보내고 인원仁元대비 경주慶州 김金씨(1687~1757)에게 구명을 호소해 겨우 위기를 넘긴다. 인원대비가 몸소 세제를 인도해 대전으로 가서 3종三宗(효종, 현종, 숙종) 혈맥이 왕과 왕세제밖에 없음을 말하고 우애를 당부하니 경종도 어쩔 도리가 없었다.

이이명李頤命 **초상**肖像 삽도39

19세기, 견본채색絹本彩色, 29.1×37.0cm,
일본 덴리대天理大 도서관 소장.

조태채趙泰采 **초상**肖像 삽도40

19세기, 견본채색絹本彩色, 29.1×37.0cm,
일본 덴리대天理大 도서관 소장.

이건명李健命 **초상**肖像 삽도41

19세기, 견본채색絹本彩色, 29.1×37.0cm,
일본 덴리대天理大 도서관 소장.

이어 인원대비는 영의정 조태구에게 언문 교서를 내려 꾸짖고 환관 박상검, 문유도文有道와 궁녀 석열石烈, 필정必貞을 거명하며 이를 처단하라 한다. 조태구 등은 마지못해 세제가 자리를 사양하는 것은 옳지 않다고 힘써 청하며 박상검 등 세제를 모해하려 한 환관 등을 사형에 처하라고 주청한다. 경종은 박상검을 몹시 아꼈으므로 처음에는 듣지 않았으나 워낙 명분에 어그러지는 일이라 결국 허락하니 12월 24일 석열과 필정은 자살하고 문유도는 다음 해인 경종 2년(1722) 임인壬寅 1월 4일에 맞아 죽었다.

박상검이 1월 5일에 왕세제와 사감이 있어 제거하려 했다는 거짓 자백을 하자 1월 6일에 사형에 처한다. 이때 박상검의 나이 21세였다. 역모의 앞뒤가 드러날까 보아 서둘러 죽여 입을 막았던 것이다.

겸재 스승 가문이 다시 당쟁의 회오리 속에 휘말려 들어 재앙을 만난 것이다. 이미 그 충격으로 12월 12일에는 겸재의 그림 스승이었던 노가재老稼齋 김창업金昌業(1658~1721)이 돌아가고, 이어 다음 해 2월 21일에는 진경문화의 주도자로 학예 전반에 걸친 정신적 지주였던 스승 삼연三淵 김창흡金昌翕(1653~1722)이 70세를 일기로 통한을 품은 채 서거한다.

급박하게 돌아가는 정세 변화 속에서 수백 리 밖의 고을살이를 하던 겸재가 이런 서울 사정을 제대로 알 수도 없었겠지만 안다 해도 속수무책이었을 것이다. 그래서 스승이 돌아갔어도 문상조차 할 수 없는 기막힌 지경에 이른다. 그러나 정변의 소용돌이는 여기에서 끝나지 않았다.

임인년(1722) 3월 27일 소위 목호룡睦虎龍(1684~1724)의 고변告變이라는 무고에 의해 노론 세가世家 자제들이 역모를 도모했다는 죄명으로 일망타진되자 4월 29일 김창집이 사사賜死되고, 4월 30일에는 이이명이 사사되며, 8월 19일에는 이건명이 참수斬首되고, 11월 5일에는 조태채가 사사되는 사화士禍가 참혹하게 진행된다. 이것이 신임사화辛壬士禍이다.

겸재도 서울에 있었으면 김창집 일가의 문객門客이라 하여 참화를 면치 못했을 터이나 다행히 하양현감으로 나가 있었기 때문에 그 사화의 회오리바람 속에 휘말리지 않을 수 있었다. 겸재는 그사이 그저 소임에 충실하며 틈나는 대로 그림에 열중하고 있었던 듯 48세 때인 경종 3년(1723) 계묘癸卯에는 장차 당세 제일의 수장가요 감식안으로 성장하는 25세 청년 상고당尙古堂 김광수金光遂(1699~1770)에게 〈망천도輞川圖〉를 그려 주는데 아마 사천의 부탁으로 이 일이 이루어졌을 것이다.

상고당은 사천의 이종사촌 동생으로 이조판서를 지낸 낙건정樂健亭 김동필金東弼(1678~1737)의 둘째 자제이기 때문이다. 이에 대해 겸재 그림에 탐닉해 있던 이하곤李夏坤은 장문의 제사題辭로 이 그림이 당唐나라 때 문인화의 시조로 꼽히는 왕유王維(699~722)가 망천輞川에서 은거하는 장면을 소재로 택했지만 겸재 독창의 진경화법으로 그렸던 것을 시사한다. 그 내용을 옮겨 보겠다.

원백元伯에게 〈망천도輞川圖〉 둘이 있는데 하나는 일원一源을 위해서 그렸고 하나는 김군金君 광수光遂를 위해서 그렸다. 모두 득의필은 아니니 일원一源 소장은 크게 정세精細함을 잃었고 이것은 또한 크게 난숙爛熟함을 잃었다.

그러나 곽희郭熙나 이성李成의 남긴 뜻을 밟아 따르지 않고, 오로지 왕마힐王摩詰(유維)의 시어詩語를 취하여 자기 가슴속에서 이룬 법으로 소경小景을 그려 내니 포치布置와 설색設色에 필의筆意가 임리淋漓하여 매양 한 번씩 화권을 펼칠 때마다 마을가의 살구꽃과 한산寒山의 먼 불빛이 사람으로 하여금 황홀하게 하여 문득 몸을 의호欹湖와 남타南垞 사이에 두게 하는 듯하다.

나는 일찍이 왕마힐의 '남계藍溪에 흰 돌 드러나니 옥산玉山에 붉은 잎 드물고, 산길에 비 없건만 하늘 푸른 빛 사람 옷 적신다' 는 한 절구를 매우 사랑했었는데 동파옹東坡翁(소식蘇軾, 1036~1101)도 또한 이르기를, '마힐摩詰의 시를 음미하면 시 속에 그림이 있고, 마힐의 그림을 보면 그림 속에 시가 있다' 고 했으니 대개 이를 일컬음이다.

이제 이 화권 중에 홀로 이 일단 광경이 적은데 문득 무슨 까닭인가. 노부老夫가 다른 날 또한 원백에게 〈망천도〉 그려 주기를 요구한다면 아마 이 뜻으로써 일필一筆을 보태어 그려 달라 할 것이니 더욱 어찌 아름답지 않겠는가.

元伯有輞川圖二, 一爲一源作, 一爲金君光遂作. 俱非得意筆, 而一源所藏, 失之太精細, 此又失之太爛熟. 然不蹈襲郭李餘意, 專取摩詰詩語, 以自家胸中成法, 寫作小景, 布置設色, 筆意淋漓, 每一展卷, 村邊杏花, 寒山遠火, 令人恍然, 便若置身於欹湖南垞之間也. 余嘗愛摩詰 '藍溪白石出, 玉山紅葉稀. 山路元無雨, 空翠濕人衣' 一絶, 坡翁亦曰味摩詰之詩, 詩中有畵, 觀摩詰之畵, 畵中有詩, 蓋謂此也. 今卷中, 獨少此一段光景, 抑何也. 老夫他日 亦要元伯作輞川圖, 倘以此意, 補作一筆, 尤豈不佳耶.

李夏坤, 『頭陀草』 卷十八, 題金君光遂所藏鄭元伯輞川圖

제4장

영조의 후원

9
영조英祖의 등극登極

이러는 중에 겸재는 그의 진경산수화를 그렇게 아끼고 좋아하던 지기知己 담헌澹軒 이하곤李夏坤(1677~1724)이 4월 9일에 48세의 한창 나이로 새 세상을 보지 못한 채 타계하는 슬픔을 만난다. 그러나 천도天道는 무심치 않아 병약한 경종이 8월 25일 37세로 승하하고 8월 30일에 왕세제인 연잉군延礽君이 31세로 등극하니 정세는 일변하여 신임사화의 장본인인 김일경金一鏡과 목호룡睦虎龍이 12월 7일 능지처참되고 소론들은 조정에서 물러나게 된다.

영조英祖(1694~1776)[삽도42]가 등극하자 영조의 18세 때 그림 5폭을 소장하고 있던 동포東圃 김시민金時敏은 「삼가 임금님 그림 화첩 뒤에 제題함謹題御畵帖子後」이라는 글을 지어 영조가 그림 잘 그리는 사실을 밝힌다. 옮기면 다음과 같다.

◆**세화**細畵 작은 그림

이 세화細畵◆ 5폭은 곧 우리 금상今上 전하께서 저즘께 잠저潛邸에 계시면서 주원廚院(사옹원司饔院의 별칭) 제거提擧를 하실 때 그리신 것이다.(『문헌비고文獻備攷』에 의하면 숙종 36년(1710) 경인 2월 12일에 연잉군延礽君이 17세로 도제거都提擧가 되었다 한다)

일찍이 한 서예胥隷가 있어 번조소燔造所로 간다고 고함에 상감께서는 문득 앉은 자리 근처에서 유지油紙를 집어다가 잘라서 손바닥만 하게 6쪽을 내고 수묵水墨으로 그리되 잠깐 사이에 끝내시니, 산수山水로 한 것이 둘, 난초蘭草로 한 것이 하나, 국화菊花로 한 것이 하나, 매화梅花로 한 것이 둘이었는데 그 서예에게 주시며 명하시기를 너는 이로써 작은 항아리小壺를 구워 오너라 하시자 서예는 곧 하교대로 해다 바쳤었다 한다. 그 6폭 종이는 대개 번조소가 얻은 바 되었었으므로, 천신賤臣이 일찍이(두 번 사옹원司饔院 주부主簿를 지냈다) 또한 지성

영조英祖 어진御眞 삽도42

조석진趙錫晉 등, 1900년,
견본채색絹本彩色, 68.0×110.0cm,
국립고궁박물관 소장.

으로 그것을 구하여 그 5폭을 얻었으니, 곧 빠진 바라는 것은 매화梅花 한 폭일 뿐이다.

재배하고 두 손으로 받들어 삼가 완상하니 품격品格 및 격조와 운치를 소신이 어찌 감히 의논하리오마는 가만히 살펴보니 산수와 화초가 각각 그 신묘함에 이르러 정신이 살아 움직이고 법도가 조용하여 가히 대성인大聖人이 조화造化를 일으킨 흔적을 우러러 볼 수 있다. 삼가건대 오직 우리 전하께서는 총명하시고 빼어나게 슬기로우사 어려서부터 부지런히 배우셨사오니 어찌 일찍이 이런 묵희墨戱에 유의하셨으리오마는 하늘로부터 받자온 재능이 번거롭게 본뜨고 익히지 않으셨어도 저절로 옛 규범에 이르르심이 이와 같사옴이 있으셨으니, 아아 성대하시구나.

예전에 우리 성종成宗대왕께서 필법이 송설체松雪體보다 고매高邁하셨고 묵묘墨妙로 작은 그림 그리시는 것을 좋아하사 만기萬機의 여가에 대략 붓 휘두르는 것을 보태심에 작고 큰 그림들이 사람들 사이에 흩어지니 그것을 얻은 사람들은 큰 옥拱璧처럼 그것을 보배로 중히 여겼었다. 이제 전하의 이 묵적墨跡도 가히 성조聖祖에 짝하실 만하오리니 더욱 어찌 성대하지 않으시겠나이까.

초야에 묻혀 사는 천신이 우연히 이를 얻었사온데 많기가 다섯에 이르므로 삼가 한 화첩으로 꾸며서 영세토록 집안을 지켜 주는 보배로 삼으려 하오니 이 어찌 기이하고 다행하지 않겠나이까. 해는 갑진甲辰이요, 동冬 10월 임신(2일)에 벼슬 없는 신하 김시민金時敏이 절하여 조아리며 삼가 쓰나이다.

此細畵五幅, 卽我今上殿下, 曩在潛邸, 提擧廚院時所作也. 嘗有一胥隷, 告往燔造所, 上輒取座間油紙, 截作六片如掌大, 以水墨點染, 斯須而畵, 山水者二, 蘭草者一, 菊花者一, 梅花者二. 付其隷而命之曰 汝以此, 燔小壺而來, 隷卽如教以獻云. 其六紙盖爲燔造所得, 賤臣曾亦至誠求之, 得其五幅, 卽所缺者, 梅一幅耳. 再拜雙擎而欽玩, 品格調韻, 小臣安敢議論, 而窃覵山水與花草, 各臻其妙, 精神活動, 法度從容, 有可以仰見大聖人造化之迹也.

恭惟我殿下 聰明英睿, 自幼勤學, 何嘗留意於此等墨戲, 而天縱之能, 不煩模習, 自詣古範, 有如是者, 猗歟盛哉. 昔我成宗大王, 筆法高邁於趙松雪, 又喜爲墨妙小畵, 萬機之暇, 略加揮掃, 寸牋尺幅, 散落人間, 得之者, 寶重之如拱璧. 今殿下此墨, 可以匹休於聖祖, 尤豈不盛也哉. 草野賤臣, 偶然得此, 多至五紙, 謹粧一帖, 以作永世鎭家之寶, 是豈不奇且幸哉. 歲甲辰冬十月壬申(二日) 布衣臣 金時敏 拜手稽首謹書.

金時敏,『東圃集』卷七, 謹題御書帖子後

그런데 겸재 그림의 애호자인 후계后溪 조유수趙裕壽(1663~1741)가 경종 승하 직전인 8월 16일에 회양淮陽부사로 도임하여 8월 23일부터 금강산을 유람하는데 옛날 사천槎川이 보여 준《해악전신첩海嶽傳神帖》이 생각나서 사천에게 다음과 같은 편지를 보내어 겸재로 하여금《해악소병海岳小屛》4폭을 그려 보내게 해달라고 간곡히 부탁하고 있다. 옮겨 보겠다.

요즈음 이곳 관가의 정황은 오직 늦게 일어나서 김매기를 구경하거나 번민이 생기면 시중대侍中臺로 가는 것에 가까운데, 해산海山의 구경도 역시 극의極意라 할 수 없습니다. 영랑호永郞湖에 배를 띄웠다가 낙산사洛山寺에 오르고 돌아오는 길에 잠시 내외금강산內外金剛山을 지나오지만 홀로 놀자니 흥이 적고 산색山色도 줄어들어서 본 바가 지극히 초초草草합니다. 또 어찌 읊고 서술한 바가 있겠습니까.
(중략)

도내道內를 보내고 나니 문득 산하山河가 예 같을 수 없는 듯합니다. 저즘께 귀장첩貴藏帖 중에서 매양 정우鄭友의 득의폭得意幅에 이르면 문득 오려 가져서 풍류風流의 죄벌罪罰을 달게 범하려 했었으나 부탁하여 내려 주신다는 허락으로 잠시 미루고 있었습니다.

이에 4폭 소병자小屛子를 갖추어 보내고 겸하여 적은 술과 전복을 준비해 부쳐 드리오니 벗어부치고 그리실 때 한 번 취하게 하시며, 감히 무슨 제목을 말씀 드리지는 못하겠사오나, 여러 보좌인들이 잘 가려낸 대로 해산海山 가운데서도 가장 좋은 네 곳을 그리시되 또한 시중호侍中湖는 빼지 않으시기를 비올 뿐입니다. 주본紬本은 비록 빨고 기운 하찮은 것이라도 감상가賞鑑家가 역시 이로써 귀하게 여깁니다.

저는 가을로 들어서 병이 심하여 정사도 못 보고 홀로 누워 있으니 호해湖海가 지척咫尺이라도 끝내 탈것을 차리라 하지 못하고 있습니다. 부득이 그림으로 옮겨 누워서 즐길 수 있는 계책을 차리게 되었으니 참으로 가련할 뿐입니다. 그러니 형兄께서는 능히 그것을 위해 권박勸迫하셔서 우선 그 붓 대는 것을 얻게 하소서.

처음부터 알고 고심苦心한 것은 홀로 화공畵工이 아니라는 것이었습니다. 어릴 때 조운지趙耘之 지운之耘(1637~1691) 장丈께서 묵매墨梅 치시는 것을 보기에 미쳤었는데 매양 남의 집에 오심에 처음에는 그림에 관한 일을 말하지 않고 다만 술과 안주 및 비단과 종이를 벌여 놓고 부추기면 시초에는 굳세게 삼가시다가도 끝내 술에 취하시어 휘쇄揮灑하심을 면치 못하셨었으니, 형께서 원백元伯을 조정하심이 또한 이 법과 같으십니까 아닙니까.

가난한 현縣이 붓 적시는 데 보낼 새로운 물건이 없어 또 술과 전복을 보냅니다. 이는 사고파는 데 먹는 술은 권하는 사람이 모두 참여한다는 것과 같다고 하겠으니, 모두 받으시사 전처럼 한사코 사양하시어 남이 먹고 허물만 저에게 돌아오게 하지 마시옵소서.

此間官況, 近唯晩起觀鋤, 悶則往侍中臺, 海山之觀, 亦不可謂極意. 泛永郎, 登洛山, 還路蹔歷外內嶽, 而獨游寡興, 山色且減, 所見極草草. 又焉有所咏述哉.(中略) 自離道內, 便若山河, 能不依依. 向於貴藏帖, 每到鄭友得意幅, 輒欲割留, 甘犯風流罪罰, 而有倩惠之諾, 姑未焉. 玆具四幅小屛子以送, 兼付些酒鰒以備, 盤礴時一醉, 而不敢命某題, 如衆史要揀, 寫海山最佳四處, 而亦乞不漏侍中湖耳. 紬本雖浣補寒儉, 賞鑒家, 亦以此爲貴也.

弟入秋病甚, 放衙塊處, 湖海咫尺, 絶未命駕, 不得已爲移畵, 臥遊之計, 殊可憐也. 而兄能爲之勸迫, 恕先得其下筆. 始知用苦心者, 非獨畵工也. 童時及見趙耘之丈 寫墨梅, 每至人家, 初不言畵事, 但列酒有縑紙, 以撩之, 則始雖壯矜, 終不免乘酣揮灑, 兄之調元伯, 亦如此法否. 貧縣潤毫無新物, 又呈酒鰒. 此如買賣酒, 勸者皆參, 勿如前徒讓, 人啗而反咎弟也. 呵呵.

趙裕壽,『后溪集』卷八, 答李一源

이렇듯 사천 소장의《해악전신첩》이 훔쳐 가고 싶을 만큼 욕심났다는 사실과 사천이 겸재에게 부탁해서 그려 주게 하겠다는 약속이 있었음을 환기시키며 금강산을 지척에 두고도 병이 나서 가 볼 수 없는 안타까움을 호소한 다음, 와유臥遊라도 즐기고자 하니 꼭 그려 보내게 해 달라고 간청하고 있다.

비단 네 폭을 보내면서 해악 승경 네 곳을 임의로 그리되 자신이 예전 흡곡현령 시절 자주 놀았던 〈시중호侍中湖〉만은 빼지 말아 달라고 부탁하며 겸재가 화공이 아닌 사대부 화가라서 함부로 그림 부탁하기가 조심스럽다 말하고, 어릴 때 사대부 화가인 매창梅窓 조지운趙之耘(1637~1691)으로부터 묵매를 받아 내던 정경을 보았던 사실을 경험담으로 얘기하며 술을 취하게 대접해서라도 그리게 해 달라고 한다. 그리고 윤필료로 술과 전복을 보내고 있다.

13세나 선배라서 존장尊丈뻘인 데다 스승인 삼연三淵이 인정한 당대의 일급 사객詞客일 뿐만 아니라 노가재의 서랑인 학암鶴巖 조문명趙文命(1680~1732)의 당숙이니 여러 가지 관계로 보아 이런 간청을 거절할 처지가 아니었다. 이에 겸재는 이해 겨울에서 다음 해(1725) 봄에 걸치는 시기에 〈삼부연三釜淵〉, 〈불정대佛頂臺〉, 〈삼일포三日浦〉, 〈시중대侍中臺〉의 해악 4경을 그려 후계에게 보냈던 모양이다. 이 시기는 영조가 즉위한 직후였으므로 겸재가 안도와 감사와 희망으로 가슴 부풀어 있던 때였으니 더욱 신바람 나게 진경산수화법을 구사하며 이 그림들을 그려 냈으리라 생각된다.

그래서 후계(63세)는 영조 원년(1725) 5월 병으로 회양부사를 사임하고 상경한 뒤에 서울 집에서 이를 받아 보고 감격하여 폭마다 이런 제화시를 붙인다.

외길 샘줄기 깊은 골에 드리우니, 이것이 제 몇 번째 솥이 되는가.
김군자金君子(삼연三淵 김창흡金昌翕)가 폭포 보던 곳, 어째서 초가집 짓지 않았나.
신선 동네 원래 비가 많으니, 나는 일찍이 흥이 깨져 돌아갔었지.
먹구름 장차 폭포 지는 물방울 되어, 오히려 그림 속 산을 적시리.
산빛 이처럼 찡그려 대니, 폭포소리 응당 다시 성내리.
어렴풋이 들리는 소리빛깔 속에서, 끝은 숨어 살던 사람(삼연을 지칭) 원망하는 것 같네. 오른쪽은 삼부연.

一道泉垂磴, 玆爲第幾釜. 金君看瀑處, 何不着茅宇.
仙洞元多雨, 吾曾敗興還. 墨雲將瀑沫, 猶濕畵中山.

山色鞹如許, 瀑聲當更嗔. 依俙聲色裡, 終似怨幽人. 右三釜淵.

옛날에는 폭포 구경을 탐내서, 외나무다리 목숨 맡기고 지나갔었지.

이제 그림이 안온한 것을 알아, 누워서 10층이나 되는 많은 것 보네.

은하수는 원래 한 물결, 뉘라서 층층이 여울 만들까.

응당 이 해풍이 오면, 불어 끊어서 띠를 이루지 못하게 하리.

천추千秋의 불정폭佛頂瀑, 두 정씨鄭氏 드러내니.

뒤에는 원백의 그림이 있고, 앞에는 계함季涵(정철鄭澈의 자字)의 가사가 있네. 오른쪽은 불정대.

昔歲貪觀瀑, 危橋判命過. 今知圖畵穩, 臥見十層多.

銀河元一派, 孰作層層瀨. 應是海風來, 吹斷不成帶.

千秋佛頂瀑, 二鄭發揮之. 後有元伯畵, 前有季涵詞. 右佛頂臺.

호수와 산은 원래 살아 있는 그림, 다시 그보다 더 나은 그림이 나왔네.

시험 삼아 전신傳神의 신묘함 바라다보니, 어찌 진짜와 환친 호수 구분하겠나.

남기 어린 푸른 봉우리 36인데, 안개와 물결은 호수 사면에 가득.

응당 남석南石◆과 함께 있다면, 또 소봉래산으로 배 띄웠을걸.

산은 있건만 신선은 어디로 갔나, 붉은 정자만 적막하게 열려 있을 뿐.

마땅히 붉은 글자로 더럽힘 있었으니(호숫가에 영랑도남석행永郎徒南石行의 6자字를 붉은 글씨로 새겨 놓은 단자비丹字碑가 남아 있다) 다시는 세간으로 오지 않으리. 오른쪽은 삼일포.

◆ **남석**南石 신라때 화랑 영랑永郎의 낭도인 남석행南石行을 일컬음

湖山元活畵, 更有出藍圖. 試見傳神妙, 那分眞幻湖.

嵐翠峯重六, 煙波湖四灣. 應同南石到, 又泛小蓬山.

山在仙何去, 紅亭寂寞開. 當有丹字汚, 再不世間來. 右三日浦.

예부터 호산안湖山案◆에서, 구관舊官이 버리기 어려워한 곳.

어찌하다 소장공蘇長公 북송의 명문장가 소식蘇軾은, 그리지 않고 서호西湖로 갔나.

한없이 맑고 짙은 모습, 전체가 아지랑이에 싸여서 온다.

◆ **호산안**湖山案 천하의 호산湖山을 기록해 놓은 책

사람들 태수가 욕심낸다 의심하고서, 실어다 시중대에 되돌려 놓네.

일엽편주 강 위를 비껴 나가니, 내가 저녁나절 배 띄우던 때인 줄 알겠구나.

노 잡은 기생들, 일제히 배따라기 부르던 것 들리는 듯하네. 오른쪽은 시중대.

自古湖山案, 舊官難捨處. 如何蘇長公, 不畵西湖去.

無限淡濃態, 全和煙靄來. 人疑饞太守, 載返侍中臺.

一葉橫江面, 知吾晩泛時. 如聞持楫妓, 齊唱進船詞. 右侍中臺.

以上 趙裕壽, 『后溪集』 卷二, 題四帖小屛 五絶一帖 各三首

후계后溪는 겸재가 《해악전신첩》을 그려 내어 막 화명畵名을 천하에 떨치기 시작하던 초기, 즉 겸재 38세 때인 숙종 39년(1713) 계사癸巳 3월에 51세로 시중대가 있는 흡곡歙谷현령이 되어 부임해 가다가 금화에서 사천(43세)을 만나 《해악전신첩》을 감상하고 이를 빌려 가지고 흡곡으로 가서 폭마다 제화시를 붙여 겸재의 화명을 더욱 세상에 떨치게 한 묵은 인연을 가지고도 있었다. 그래서 꼭 시중대 그림은 빼서 안 된다고 했던 것이다. 옛 추억을 되살리면서 와유지락臥遊之樂을 누리기 위해서였다.

겸재가 〈시중대〉와 함께 〈삼부연〉, 〈불정대〉, 〈삼일포〉를 굳이 소재로 택한 것은 모두 삼연과 깊은 관계가 있는 곳으로 후계로 하여금 함께 추모하는 마음을 내게 하기 위해서였던 듯하다. 이를 알아차린 후계는 세속적인 명리를 초개같이 버리고 평생 명구승지를 찾아 사슴이나 백구와 벗하며 살다가 말년에 신임사화와 같은 참혹한 사화를 목도하고 통한을 품은 채 돌아간 삼연을 추모하는 내용을 빼놓지 않고 있다.

또 비록 소론이지만 어려서부터 삼연문하에서 길러진 운와芸窩 홍중성洪重聖(1668~1735)이 경종 2년(1722) 임인 5월 신임사화가 한창 진행되고 있는 중에 금화현감으로 나가게 되어 이해 초가을에 바로 금강산을 유람하는데 이미 동문 후배이자 내재종제인 사천槎川 이병연李秉淵(1675~1735)이 수장하고 있는 《해악전신첩》을 보았기 때문에 그 그림의 현장을 확인 답사하는 형식을 취하며 역시 같은 소재의 사생시를 읊고 있다.(『운와집芸窩集』 권3, 「동유록東遊錄」 참조)

그러나 운와는 불과 2년 만인 경종 4년(1724) 갑진甲辰 3월에 금화현감을 사임하고 서울로 돌아오고 만다. 결국 금강산 유람을 하고 온 셈이었다. 서울로 돌아온 운와는 다시 사천을 찾아가《해악전신첩》을 감상하고 이런 제사를 남겨 놓는다.

> 예전에 내가 미처 금강산을 보지 못하고서 이 화첩을 봄에는 그림의 진짜와 가짜를 살피지 않고 그 필적을 좇아서 평하고자 했었으니 곧 앉아서 용의 고기를 말하는 것에 거의 가까웠었다. 이제 내가 금강산을 봄에 크게는 험준하고 높은 데까지, 자세히는 그윽하고 신비한 데까지 내 눈을 거의 다했다.
>
> 그런 후에 돌아와서 이 화첩을 보니 곧 진짜 동일한 금강산이다. 안개구름이 채색이 되었는지 채색이 안개구름이 되었는지 알 수 없구나. 어찌 내가 저번에 보았던 바의 것과 어그러지지 않는가. 너무나 신기하구나.
>
> 하물며 내가 금화를 다스림에 그 정원과 그 연못 느티나무 버드나무의 그윽함은 3년이나 책상 곁에 있었는데 이 그림이 더욱 하나하나 진면목을 그려 냈으니 실로 화품이 묘한 것(묘품妙品)이라 할 수 있겠다. 그러나 산골에 두루미가 없었거늘 푸른 밭에 한 마리 학두루미를 그려 넣었으니 어찌 왕마힐의 설중파초雪中芭蕉의 의미라고 하지 않겠는가. 때는 갑진 한여름. 홍군측洪君則(홍중성의 자字)이 자각봉紫閣峯의 운향소芸香巢에서 제하다.
>
> 昔余未及覩金剛, 而見是帖也, 不省畵之眞與贋, 欲循其跡而評焉, 則殆近乎坐譚龍肉矣. 今余覩金剛, 大而峭崒, 細而幽秘, 余之目殆窮. 然後歸而見是帖, 則眞箇是一金剛. 不知煙雲之爲粉墨, 粉墨之爲煙雲. 何其與余向所覩者不爽也. 儘奇矣. 況余宰花江, 其園池槐柳之幽, 三年在几案之側, 而此畵尤一一寫出眞面目, 實品之妙者也. 然峽中無鶴, 而着以青田之一玄裳, 豈非王摩詰雪中芭蕉意耶. 時甲辰中夏, 洪君則 題于紫閣峯之芸香巢.
>
> 洪重聖,『芸窩集』卷五, 題李一源海嶽傳神帖

겸재가 이렇듯 하양현감 시절에도 화도정진畵道精進을 쉬지 않고 있었으므로 그의 화명은 더욱 경향간京鄕間에 떨쳐서 당대 시서화를 논할 만한 풍류문사치고 겸재와 친교가 없는 이는 없게 되었다. 따라서 풍양조씨豊壤趙氏 25명자命字

형제 중 문사文詞와 감식鑑識이 가장 뛰어나고 삼연三淵의 문장풍류와 피세은일의 생활자세를 지극히 흠모하여 철저히 이를 따르려 하던 동계東溪 조구명趙龜命(1693~1737)이 겸재의 화석畵席에 나아가지 않았을 리 없다.

아마 자신을 지극히 사랑하던 당숙인 후계后溪를 좇아 겸재를 찾아가 뵙고 겸해서 후계의 제화시가 첨가된 그 유명한 《해악전신첩》을 구경하기 위해 사천댁을 아울러 방문했을 것이다. 혹시 항상 서로 그림자처럼 함께 붙어 지내는 때가 많았다는 이들 겸재와 사천을 사천댁에서 함께 뵈었을지도 모른다.

이제 막 하양에서 만 6년 만기의 고을살이를 마치고 금의환향錦衣還鄕으로 상경하여 지기知己들이 환영연을 베푸는 자리이었을지도 모르겠는데 여기서 《해악전신첩》을 감상한 33세의 동계는 이런 제사를 남겨 놓는다.

> 일원一源의 금강첩은 무릇 수십 폭인데 모두 정선鄭敾이 그리고 삼연三淵 및 제7숙부(조유수趙裕壽가 수자壽字 돌림을 쓰는 재종형제 11명 중 7번째에 해당한다)가 폭마다 제어題語를 붙였으니 가히 기보奇寶라고 할 수 있다. 윤중화尹仲和(윤순의 자)로 하여금 그것을 쓰게 하여 삼절을 갖추어 놓게 하지 않은 것이 안타깝다.
>
> 一源金剛帖, 凡數十幅, 皆鄭敾畵, 而三淵 及第七叔父, 逐幅有題語, 可稱奇寶. 惜不令尹仲和書之, 以備三絶耳.
>
> 趙龜命, 『東溪集』 卷八, 焚香試筆

당시 백하白下 윤순尹淳(1680~1741)은 옥동玉洞 이서李溆(1662~1723)로부터 기틀이 마련된 조선 고유 서체인 동국진체東國眞體를 그 막내이모부인 공재恭齋 윤두서尹斗緖(1668~1715)를 통해 전수받아 북송 미불米芾(1051~1107)의 서법書法과 명나라 문징명文徵明(1470~1559)의 서법을 수용 가미하여 국제적 수준의 조선 고유서법을 창안해 내어 필명筆名을 날리고 있었기 때문에 이런 말을 했을 것이다.

진경시대 시서화詩書畵 삼절三絶이라면 으레 시詩에 사천槎川 이병연李秉淵, 서書에 백하白下 윤순尹淳, 화畵에 겸재謙齋 정선鄭敾을 꼽는 것이 상식이었다. 그래서 영안위永安尉 홍주원洪柱元(1606~1672)의 주현손冑玄孫인 예조판서 홍상한洪象漢(1701~1769)의 차자로 운와芸窩에게는 재종손이 되는 이조판서 신재新齋 홍낙명

洪樂命(1722~1784)도 「정하양鄭河陽 사시산수도서四時山水圖序」에서 이렇게 말하고 있다.

> 예술에는 작고 큰 것이 있다 하는데 비록 작은 예술이라도 그 지극한 데 이르면 참으로 절보絶寶가 되는구나. 내가 일찍이 금세에서 예술을 보니 시에서는 이사천을 얻고 글씨에서는 윤순을 얻으며 그림에서는 소위 하양 정자鄭子를 얻겠다. 세상에서 이를 업으로 삼는 이들이 모두 세 사람이라는 분들에게 미칠 수 없으니 어찌 삼예三藝의 웅자雄者라 하지 않겠는가.
>
> 藝有小大, 雖小藝, 及其至也, 信乎其爲絶寶也. 余嘗觀藝乎今世, 於詩得李槎川, 於書得尹淳, 於畵得所謂河陽鄭子焉. 世之業乎此者, 皆莫能及三人者, 豈非三藝之雄也歟.
>
> 洪樂命, 『新齋集』 冊三, 鄭河陽四時山水圖序

여기서 겸재의 손자뻘에나 해당하는 후진인 홍낙명이 겸재의 만년 벼슬을 일컫지 않고 하양河陽이라 한 것은 이 그림이 하양현감 시절이나 그 직후에 그려져서 그런 관서款書나 제발이 붙어 있기 때문이라 생각되니 아마 백악사단에 출입하던 홍낙명의 조부 이조참판 수은睡隱 홍석보洪錫輔(1672~1729)가 이 시기에 재당숙뻘인 사천을 통해 겸재에게 그려 받은 그림이었던가 보다.

아니면 겸재謙齋가 산수화론山水畵論의 정경正經으로 항상 외우고 다녔다는 『임천고치林泉高致』의 저자이며 북송원체화풍北宋元體畵風의 시조始祖인 곽희郭熙가 하남성河南省 하양부河陽府 온현溫縣 사람이라 곽하양郭河陽으로 불리우던 것에 빗대어 최고의 진경산수화가임을 인정해 주기 위해서 일부러 그 첫 부임지 명칭을 붙이고 있을 수도 있다.

10

영조英祖의 후원後援

혹독한 겨울이 가고 춘풍이 부는 봄이 오듯 이제 노론 천하가 다시 온 것이다. 영조英祖는 원년(1725) 을사乙巳 1월 17일에 우선 노론의 수장이었던 우암尤庵 송시열宋時烈을 도봉서원道峯書院에 복향復享하고 그 수제자인 수암遂庵 권상하權尙夏를 복관시키는 것을 시작으로 1월 22일에 단암丹巖 민진원閔鎭遠(1664~1736)을 이조판서로 삼아 노론 정국을 꾸미게 하니 이것이 이른바 을사처분乙巳處分이다.

뒤이어 2월 25일에는 7세 왕자인 경의군敬義君 행緈(1719~1728)을 왕세자로 책봉하여 국본을 든든히 하는데, 이때도 천재 조각가 최천약崔天若이 옥도장을 새겨 그 기량을 발휘하고 활과 화살을 상으로 받는다. 이때 최천약의 신분을 한량閑良으로 표기하고 있으니 무반으로 벼슬이 없었던 모양이다.

한편 청나라에서는 지난해 12월 19일에 진위겸책봉사進慰兼册封使를 떠나보냈었는데 정사正使가 도중에 병이 나서 3월 17일에야 서울에 당도한다. 영조가 모화관慕華館까지 나가 친영親迎하는 성의를 보인다. 혹시 형제 계승을 문제 삼아 왕위의 정통성을 의심하지 않을까 염려해서였다.

정사는 서로舒魯이고 부사는 아극돈阿克敦(1685~1756)이었는데 한림학사겸국사관부총재翰林學士兼國史館副總裁였던 아극돈은 벌써 네 번째 조선사신으로 온 조선통朝鮮通이었다. 그는 이번 사행길에 사행도使行圖를 그려 가려 마음먹고 절강 해령海寧 출신 화가 정여鄭璵를 대동해 와서《봉사도奉使圖》20폭을 그리게 했다. 이 그림은 지금 중국 요녕성遼寧城 심양시瀋陽市 중국민족도서관中國民族圖書館에 소장돼 있다.(1996년 6월 요녕민족출판사遼寧民族出版社 간행刊行『봉사도奉使圖』참조)

북경에서 진위겸책봉사 부사로 임명된 아극돈의 초상을 첫 그림으로 해서 만주 심양 봉황산 밖에서 야숙野宿하는 정경과 압록강 도강 장면 등 사행 중의 중요 행사를 20폭에 나눠 그리고 있다. 동기창董其昌(1555~1636)풍의 남종화 필법으로 가능한 한 사생에 충실하려 했는데 조선만이 가지고 있는 이국적 풍물에 익숙지 않아 중국풍으로 얼버무린 표현이 허다하다.

제9폭은[삽도43] 청나라 사신이 서울에 들어오기 전날 밤 유숙하던 벽제관碧蹄館 모습인 듯한데 태극기가 마당에 세워져 있어 이 당시에 이미 태극기를 국기로 사용했던 사실을 확인할 수 있다. 아마 조선朝鮮 중화주의中華主義를 표방하려는 의도의 표시였을 듯하다. 태극의 양의兩儀를 상징하는 흑적반와문원黑赤半渦文圓을 중심으로 상부에 광명光明을 상징하고 남쪽을 가리키는 이괘離卦를 그리고 아래에는 물水을 상징하며 북방을 가리키는 감괘坎卦를 그렸다.

태극 양의의 색은 위쪽이 검고 아래가 붉으니 요즘 태극기와 비교하면 거꾸로 매단 모습이다. 북쪽에 앉은 임금의 시각으로 보기 때문에 이런 방위개념이 생기니 지도도 이와 같이 아래가 북쪽이 되게 그리는 것이 우리 전통방식이다. 태극기는 모화관에서의 영조 친영장면[삽도44]에도 표현되고 있다. 가슴과 등판에 용勇자를 붙인 호위무사들이 좌우로 늘어서 있는데 이들이 태극문양만 그린 오색의 삼각 깃발을 들고 있다. 조선의 국기임을 과시하려는 의도가 분명하다.

이에 비해 청나라 사신은 적룡황기 한 쌍을 앞세우고 들어올 뿐이다. 이에 대해 영조 좌우에는 청룡홍기 4쌍이 벌여 서 있다. 이 외에 모화관에서 칙명을 전하는 장면이나 국왕과 상견례를 치르는 모습, 국왕과 가무를 즐기는 정경, 대신들이 천리를 따라와 압록강 가에서 전별하는 형상 등을 그리고 있다. 서울에 들어온 지 5일 만인 3월 22일에 서울을 떠나 돌아가는 바쁜 일정 중에 이런 그림을 그렸으니 속필사생으로 이루어진 것을 알 수 있다. 이때 겸재는 하양현감으로 6년 만기의 마지막 5년째를 보내고 있었다.

그런데 이해 5월 20일에 농암 문인으로 백악사단의 일원일 뿐 아니라 관아재 조영석의 백씨인 이지당二知堂 조영복趙榮福(1672~1728)이 경상감사로 내려오고 다음 해 5월 13일에는 역시 같은 동네 후배인 지수재知守齋 유척기兪拓基(1691~1767)가 뒤이어 경상감사로 내려온다. 이에 겸재는 저들의 비호庇護와 이해 아래 진경사생에만 몰두하는 본래의 목적에 충실할 수 있었다. 그래서 겸재는 영남 66군현을 골골마다 더트며 명구승지名區勝地를 사생하는 사생여행을 할 수 있었다. 그렇게 해서 남겨 놓은 것이 관아재가 말한《영남첩嶺南帖》이다.

영조 2년 1월이 만기임에도 불구하고 보리가을麥秋, 즉 4월까지 현감직을 연장근무하게 하고 후임현감 이경신李敬臣을 6월 24일에야 발령하여 7월 22일에 하직하게 하는 것으로 보면 겸재는 8월 초에나 하양을 떠났던 듯하다. 아마 부담 없이 사생여행을 다닐 수 있게 하려는 사우들의 배려로 이루어진 신분보장이 아니었나 한다.

이렇게 51세로 6년 만기를 채우고 하양현감에서 물러난 겸재는 상경하여 뜻밖의 곤욕을 치른다. 9월 3일 비변사備邊司 장계狀啓로 겸재가 환상미還上米를 거둬들이지 못한 수령 중 꼴찌에 해당하니 잡아 가둬야 한다고 아뢴 것이다. 극

벽제관碧蹄館 삽도43
청淸 정여鄭璵, 1725년 을사乙巳,
견본채색絹本彩色, 51.0×40.0cm,
《봉사도奉使圖》, 중국 요녕성遼寧省
심양시瀋陽市 중국민족도서관 소장.

심한 자연재해로 어쩔 수 없는 상황이었다는 소견도 첨부했다.

결국 논란 끝에 겸재는 다음 해인 영조 3년(1727) 정미丁未 3월 14일에 의금부에 자수하여 갇히게 되지만 곧 무혐의로 풀려나는 듯하다. 이런 일을 사천 이병연은 이미 영조 원년(1725)에 겪었다. 4월 10일 황해도 배천白川군수에 제수되어 5월 16일 하직하고 배천에 도임하는데 10월 22일 군량미를 봉납하지 못한 수령 중 맨 끝에 해당하여 파직되고, 10월 24일 의금부에 잡혀 와서 10월 25일 곤장 백 대를 맞고 풀려나는 수모를 당했던 것이다.

그래서 사천도 백악산 아래 옛집으로 돌아와 있었다. 이 이후에 겸재는 북악산 서쪽 기슭 유란동집을 작은아들에게 물려주고 인왕산 동쪽 기슭인 인왕곡으로 이사해 간다. 이해에는 지지난해 9월 16일 진산군수로 떠났던 순암 이병성도

모화관慕華館 삽도44
청淸 정여鄭璵, 1725년 을사乙巳, 견본채색絹本彩色, 51.0×40.0cm, 《봉사도奉使圖》, 중국 요녕성遼寧省 심양시瀋陽市 중국민족도서관 소장.

돌아오고 관아재는 의금부도사가 되어 집에서 출사하니 오랜만에 이들은 백악동부에 함께 모여 살게 되었다.

한편 영조는 이해 7월 1일부터 과감한 환국換局을 단행해 노론 정국을 뒤엎고 소론 정국을 되살리는 통치력을 발휘한다. 경종대 소론 정국을 이끌어 가던 전 영의정 이광좌李光佐(1674~1740)를 영의정, 신임사화를 주도 했던 조태억趙泰億(1675~1728)을 좌의정으로 하고 노론인 좌의정 홍치중洪致中(1667~1732)을 우의정으로 강등시키는 소론 주도의 정부를 꾸며 낸 것이다.

자신을 옹립하려다 참화를 입은 노론들의 발호를 막고 내심 자신에게 신복臣伏하지 않는 소론을 회유하기 위한 일대 정치적 결단이었다. 7월 5일까지 영부사 정호鄭澔(1648~1736)[삽도45], 민진원, 판부사 이관명李觀命(1661~1733), 우의정 이의

정호鄭澔 초상肖像[삽도45]
김진여金振汝 등, 1719년 기해己亥,
《기사계첩耆社契帖》,
견본채색絹本彩色, 32.5×43.7cm,
일본 덴리대天理大 도서관 소장.

현李宜顯(1669~1745) 등 노론 핵심 수뇌부 인사들 101명을 파직시켜 귀양 보내고 그 자리를 소론 중진인사로 대체하는 한편 준소峻少 위험인물로 극변에 안치시켰던 윤지尹志(1688~1755), 남태징南泰徵, 이삼李森, 박찬신朴纘臣 등 61명의 안치 죄인들을 석방한다.

그리고 영조 자신이 죽음으로 몰렸던 목호룡睦虎龍 고변 시, 1등 공신으로 거론됐던 무장 이삼李森(1677~1735)을 7월 6일에 훈련대장으로 특배한다. 이삼은 소론 영수 윤증의 제자였다. 이어서 8월 28일에는 소론인 이조참판 조문명趙文命(1680~1732)삽도46의 따님을 세자빈으로 간택하고 10월 6일에는 이광좌의 청으로 원년(1625) 을사 3월 2일에 노론 4대신을 비롯한 신임 피화인들을 복권시킨 을사처분乙巳處分을 완전히 뒤집는다. 이를 정미환국丁未換局이라 부른다.

조문명趙文命 초상肖像삽도46
19세기, 견본채색絹本彩色,
39.5×51.2cm,
일본 덴리대天理大 도서관 소장.

영조가 이 정미환국을 과감하게 단행한 것은 탁월한 정치력의 발휘였다. 신임사화의 엄청난 희생을 치르면서 자신을 옹립한 노론의 기세를 꺾어 놓지 않고는 국왕 노릇을 제대로 할 수 없고 남소론이 신복臣伏하지 않는 한 나라의 반밖에 다스리지 못한다는 사실을 간파하고 동지의 축출과 적과의 동침이라는 극약처방을 내렸던 것이다.

상상을 초월하는 이런 초강수에 대공大功과 충성忠誠을 자임自任하던 노론은 이를 어떻게 받아들여야 할지 갈피를 잡지 못했고 대죄大罪와 역심逆心을 스스로 알고 있는 남소론은 의구심으로 불안해했다. 그래서 마침내 남소론 중 죄악이 현저해서 스스로 영조에게 용납될 수 없음을 알고 반란을 도모하고 있던 자들은 노론 중진들이 대거 퇴출되고 유배당해 영조 측근이 공허한 틈을 타 거사를 속결하기로 한다. 영조 4년(1728) 무신戊申 3월 15일에 일어난 무신난戊申亂, 즉 이인좌李麟佐(?~1728)난亂이 그것이다.

그러나 경종 때 영의정을 지낸 소론 원로 최규서崔奎瑞(1650~1735)가 용인에 물러나 있다 이 소식을 미리 듣고 3월 14일 79세의 노구를 이끌고 상경하여 급히 고변함으로써 영조는 조정에서 내응하려던 남소론 세력을 차단하고 김재로金在魯(1682~1759), 유척기兪拓基(1691~1767) 등 노론 핵심인물들을 재기용해서 요로에 배치한다. 그리고 3월 16일에는 소론인 병조판서 오명항吳命恒(1673~1728)[삽도47]을 도순무사都巡撫使로 삼아 순토사巡討使 김중기金重器(?~1735), 중군中軍 박찬신朴纘新(1679~1755) 등을 거느리고 가서 이를 토벌하게 한다. 이이제이以夷制夷의 용병술이었다.

한편 청주 송면松面에 살던 이인좌는 3월 15일에 청주에서 군사를 일으켜 청주성을 함락하고 충청병사 이봉상李鳳祥(1676~1728)과 토포사 남연년南延年(1653~1728)을 살해한 다음 사방에 격문檄文을 보내 궐기 호응하기를 호소한다. 그런데 그 내용에 왕대비 어魚씨(1705~1730)가 밀조密詔를 내리되 '씨를 바꿔 혈통을 잃었으니(역종실통易種失統) 밀풍군密豊君 탄坦(?~1728)을 추대하라' 는 내용이 들어 있었다.

영조를 숙종 왕자가 아닌 김춘택金春澤(1670~1717)의 자식이라 모함하는 내용이었다. 영조가 정미환국을 단행해서 적과의 동침을 결행하지 않을 수밖에 없었

오명항吳命恒 초상肖像 삽도47
1728년, 견본채색絹本彩色,
105.5×173.5cm, 경기도박물관 소장,
보물1177호.

던 결정적인 이유를 이 격문을 통해 확인할 수 있다. 밀풍군 탄은 소현세자의 증손으로 영조와는 6촌형제에 해당해 소론들이 추대하고자 했던 인물이었다.

이에 영조는 3월 20일 밀풍군을 잡아 가두는데 사도도순무사四道都巡撫使 오명항은 3월 23일 안성 청룡산에 본영을 차리고 있는 이인좌군을 급습하여 3월 24일 괴수 이인좌를 생포한다. 이인좌는 세종 왕자 임영臨瀛대군(1420~1469)의 8대손으로 감사 운징雲徵(1645~1717)의 장손이며 경신년(1680)에 사사된 남인 영수 윤휴尹鑴(1617~1680)의 손녀사위였다.

3월 26일 영조는 이인좌를 인정문仁政門에서 친국하는데 이인좌가 이 자리에서 영조를 바라본 다음 이렇게 말했다 한다. '왕이 선왕의 아들이 아니라 해서 군사를 일으켜 반정했는데 전하를 우러러보니 선대왕과 꼭 닮았습니다. 신이 남에게 속임을 당해 이에 이르렀습니다.' 했다고 한다. 마침내 3월 27일 이인좌가 참수되고 이 반란에 가담했던 많은 남소론 인사들이 처형당하거나 유배되면서 이인좌난은 일단락된다.(『영조실록』 권16, 4년 무신 3월 14일 갑자, 15일 을축, 16일 병인, 17일 정묘, 18일 무진, 19일 기사, 20일 경오, 23일 계유, 24일 갑술, 26일 병자 참조)

이해 5월 22일 한양 도성인심이 차차 안정되어 갈 때 겸재의 큰외숙인 동지同知 박견성朴見聖(1642~1728)이 87세의 장수를 누리고 돌아간다. 자字는 몽경夢卿인데 숙종 원년(1675) 을묘乙卯 진사시험에 입격하고 현감을 지낸 분이다. 이에 사천의 아우인 순암順庵 이병성李秉成(1675~1735)은 이런 만사挽辭를 지어 그의 서거를 애도했다.

> 못 믿겠네 아흔 살 높은 연세라니, 남여 타고 자주 납시는데 부액조차 받지 않으셨지.
> 한 번 고을 원님 지내고 오신 후에, 삼세三世를 풍계동부중楓溪洞府中에 머물러 사시었었네.
> 동네 어른으로 응당 뒷날 전기가 써지겠지만, 일찍이 전배들은 사장詞章으로 추앙했다오.
> 떠나신 길 쓸쓸히 바라다보나 그곳이 어디멘지 누가 알겠나, 선학仙鶴 깃든 집 후원으로 길은 통하리라.

은암隱庵댁 신선 모임 그림도 새로운데, 공公께서는 당년에 몇 번째 분이셨던가.
장로長老들의 풍류가 그대로 폐사廢社되니, 남은 생애 눈물 바람 수건만 적시었네.
거리 비니 장구 소리 이제부터 사라지고, 붓끝 무디어져 노랫소리 해를 거르리라.
청풍계 효려孝廬에선 아이들 예서禮書 읽는 소리뿐, 매양 서쪽 이웃에 눈서리 가득
찬 것 가련해한다.

未信靈籌九耋崇, 籃輿頻出不扶童. 一官彭澤歸來後, 三世楓溪洞府中.
耆舊他時應入傳, 詞章前輩早推工. 仙遊悵望知何處, 笙鶴家園路可通.
隱庵仙會繪圖新, 公是當年第幾人. 長老風流仍廢社, 餘生涕淚永沾巾.
巷空缶鼓從今撤, 筆鈍虞家隔世陳. 溪上孝廬兒讀禮, 每憐霜雪滿西隣.
李秉成, 『順庵集』 卷三, 朴同知見聖挽

그러나 호사다마好事多魔 격으로 11월 6일 왕세자 행緈(1719~1728)이 겨우 10세 어린 나이에 돌아간다. 국본國本이 흔들리게 되었다. 이에 영조는 믿을 만한 측근들이 절실히 필요하다고 느꼈을 것이다. 그래서 이해 12월 28일 갑진에는 겸재를 한성주부漢城主簿(종6품)로 기용한다.(『승정원일기』 676책 참조) 그를 돌봐주던 김창집 일가가 참화를 입어 스승인 삼연 김창흡을 비롯해서 김창업, 김창집 등 스승형제들이 그가 하양현감으로 내려가 있는 6년 사이에 모두 타계했고 그의 그림제자인 영조는 정미환국을 계획하고 있는 분망 중에 있었기 때문에 그 동안 겸재는 관직에서 소외돼 있었다.

그런데 예견했던 대로 무신난이 간단히 진압되자 그 원만한 수습을 위해 영조는 가장 믿을 만한 인물로 스승인 겸재를 생각해 내고 발탁했던 모양이다. 그래서 무신난 뒤처리를 본격화하는 영조 5년(1729) 기유己酉 3월 21일에 겸재는 한성주부로 윤대관輪對官이 되어 임금의 경연에 입시入侍하기도 한다.

이때 겸재는 의례대로 국왕이 묻는 대로 그 이력을 말해서 숙종 42년(1716) 병신丙申년에 천문학겸교수로 처음 출사한 사실을 밝히고 있다. 그 내용을 옮기면 다음과 같다.

당일 윤대관輪對官이 입시하니 한성주부 정선鄭敾, 내섬주부 안수장安壽長, 서부

주부 유일장柳一章, 동활인별제 김성신金聖臣, 인의 유극배柳克培였다. 상감께서 차례로 나오라 하시니 한성주부 정선이 나와 엎드렸다. 상감께서 이르시기를 '관직과 성명은?' 대답해 이르기를 '아무직 아무입니다'

상감께서 이르시기를 '이력은?' 대답해 아뢰되 '병신년(1716)에 관상감천문학겸교수觀象監天文學兼敎授로 입사入仕하여 조지서별제造紙署別提로 6품에 오르고 사헌부감찰司憲府監察로 옮겼다가 나가서 하양현감河陽縣監이 되어 6년 만기 후에 맥추麥秋(4월)까지 계속 맡았습니다. 바뀌어 온 뒤로 또 무신(1728) 12월에 외람되게 본직을 더럽히고 있습니다.' 상감께서 이르시기를 '맡은 직책은?' 대답하되 '공방工房과 형방刑房입니다.' 상감께서 이르시기를 '하고 싶은 말은?' 대답하되 '아뢸 말씀 없습니다.'

當日輪對官入侍, 漢城主簿鄭敾, 內贍主簿安壽長, 西部主簿柳一章, 東活人別提金聖臣, 引儀柳克培. 上曰, 以次進, 漢城主簿鄭敾進伏. 上曰, 職姓名. 對曰, 臣卽某官某. 上曰, 履歷. 對曰, 丙申以觀象監天文學兼敎授入仕, 造紙別提, 陞六, 遷司憲府監察, 出爲河陽縣監, 六年瓜滿後, 限麥秋仍任. 遞來後, 又於戊申十二月, 忝叨本職矣. 上曰, 職掌. 對曰, 工刑房矣. 上曰, 所懷? 對曰, 無可達矣.

『承政院日記』 681冊

이날 겸재는 어린 왕자 시절 자신의 그림 제자였던 영조를 등극 이후에 공식적으로 초대면하는 자리라서 감개무량한 나머지 흥분하여 퇴장하면서 임금께 곡배曲拜하는 것조차 망각하는 실수를 범했던 모양이다. 이에 좌승지 조석명趙錫命(1674~1753)이 죄를 묻는 것이 어떻겠느냐고 아뢴다.

영조는 입시의절에 익숙지 않아서 저지른 실수니 묻지 말았으면 좋겠다고 한다. 스승에 대한 예우였다. 뒤이어 조석명이 겸춘추兼春秋 이양李瀁이 출입할 때 곡배하지 않았으니 추고함이 어떻겠느냐고 아뢰자 아뢴 대로 하라고 한 것과 비교해 보면 더욱 분명해진다.(輪對官先退, 趙錫命曰, 漢城主簿鄭敾出去時, 不爲曲拜. 追考何如? 上曰 不習於入侍儀節, 勿追考可也. 錫命曰 兼春秋李瀁, 出入之際, 不爲曲拜, 追考何如? 上曰 依爲之. 『승정원일기承政院日記』 681책)

이때 천재조각가 최천약은 1월 26일 치러지는 효장孝章세자의 예장禮葬에 옥인玉印을 조성하고 지석誌石과 표석表石 조성을 간검看檢하는 공을 세워 2월 3일 논공행상에서 활과 화살을 상급받는데 벌써 벼슬은 절충折衝장군(정3품 당상관)에 이르러 있었다.(『승정원일기』 678책 참조) 이어 6월 21일에는 최천약을 충익위忠翊衛를 책임지는 충익장군(정3품 당상)으로 옮긴다. 초고속 승진이었다. 천재 조각가의 능력을 인정하는 영조의 특별배려 덕이었다.

그리고 7월 16일에는 겸재를 의금부도사都事(종5품)로 승진시켜 역적치죄에 간여하게 한다. 이 사실은 『승정원일기』 688책에 기록되어 있다. 현존한 『유수관금오요원록柳壽觀金吾僚員錄』에서도 이를 확인할 수 있는데 정선鄭敾의 이름이 끝에서 두 번째로 기록돼 있고 첫 면에 겸재가 그린 〈의금부義禁府〉삽도48가 장첩돼 있다. 기유년(1729) 정월에서 8월까지 재직한 요원들만 기록한다고 했다. 겸재는 7월 16일에 임명되었으므로 끝에서 두 번째에 기록돼 있는 모양이다.

이 어름에 겸재는 동네 후배로 노론 중진인 지수재知守齋 유척기兪拓基(1691~1767)에게 진경산수화권 하나를 그려 선물한다. 아마 경상감사를 지내다 정미환국으로 파직되었으나 이인좌난이 일어나자 즉각 양주목사로 기용돼 서울을 지켜내고 무더운 여름을 집안에서 울적하게 지내고 있을 후배의 마음을 풀어주기 위해서였을 듯하다. 이에 지수재는 다음과 같은 제사를 남긴다.

「홍세태洪世泰 시, 이수장李壽長 글씨, 정원백鄭元伯 그림 뒤에 제題함」

이 강산江山이 있으면 이 유람이 없을 수 없고, 이 유람이 있으면 이 시가 없을 수 없다. 이 시가 있으면 이 글씨가 없을 수 없고, 이 시와 글씨가 있으면 또 이 그림이 없을 수 없다. 비록 그것을 일컬어 서호오절西湖五絕이라 해도 좋다.(江山, 豪游, 詩, 書, 畵 五絕) 복더위 중에 홀연 이 화권을 얻고, 그것으로 해서 시원하게 가슴이 열리니 마치 맑은 바람으로 세탁한 듯하다. 기유 대서일에 제한다.

題洪世泰詩 李壽長書 鄭元伯畵後

有是江山, 不可無是游, 有是游, 不可無是詩. 有是詩, 不可無是書, 有是詩與書, 不可無是畵. 雖謂之西湖五絕可也. 伏熱中忽得是卷, 爲之爽然開襟, 若濯淸風. 己酉 大暑日題.

兪拓基, 『知守齋集』 卷十五, 題洪世泰詩 李壽長書 鄭元伯畵後

의금부義禁府 삽도48

정선鄭敾, 1729년,
지본담채紙本淡彩,
35.0×27.0cm, 개인 소장.

義禁府
鄭謙齋敾所畫

무신난戊申亂으로 불리는 이인좌난이 평정되고 나서는 노론 정권이 더욱 반석 위에 놓이게 되니 노론 주도하에 전개되던 진경문화 운동은 매우 활기를 띠어 간다. 이는 역시 같은 동네 순화방順化坊 창의리彰義里에 있는 창의궁彰義宮이 잠저潛邸이던 영조가 이들의 문화의식에 일찍부터 공감하여 조선 고유색을 현양하려는 그 문화활동의 내용에 깊이 동조하고 이들을 적극 후원해 갔기 때문이다.

영조는 14세에 창의궁을 사저私邸로 하사받고 나서 겸재에게 그림을 배우기 시작했던 듯하다. 그래서 겸재를 스승으로 예우했기에 항상 이름을 부르지 않고 별호를 불러 존대했다고 한다. 그런 영조이니 이들 백악사단 맹장들이 제각기 그 기량을 마음껏 발휘하도록 세심한 배려를 하지 않을 리 없다.

그래서 영조 5년 12월 3일 사헌부지평 김한운金翰運(1680~1749)이 '의금부도사 정선과 조동정趙東鼎(?~1755)은 모두 잡기雜技로 발신拔身하고 이력도 아직 부족하며 또 명성도 없어서 제수하는 명단이 내림에 세상 인심이 놀라워하니 청컨대 의금부도사 정선과 조동정을 아울러 도태해 버리라고 명령하소서' 하고 상소하자 '윤허하지 않는다' 고 단호하게 거절한다.(持平金翰運啓曰,……都事鄭敾趙東鼎, 俱以雜技拔身, 旣乏履歷, 且無名稱, 除目之下, 物情爲駭, 請禁府都事鄭敾·趙東鼎, 竝命汰去.……不允. 『승정원일기』 698책) 그러나 겸재는 크게 자존심이 상하여 곧 사직하고 한동안 벼슬길에 나가지 않는 듯하다.

11

장동壯洞 풍류風流

영조 6년(1730) 경술庚戌 봄에 국계菊溪 장응두張應斗(1670~1730)가 세상을 떠난다. 사천형제와 겸재가 뜻을 같이하던 삼연문하의 동문우로 일찍이 삼연이 인가한 진경시의 대가로 문자학文字學에 뛰어난 인물이었다. 겸재 36세 때 그는 사천형제와 겸재와 함께 사천의 부친을 모시고 금강산 유람을 함께 하며《해악전신첩》을 사생해 내는 현장에 동참하기도 했었다.

이해 6월 29일에는 경종景宗 계비繼妃 선의宣懿왕후 함종어씨咸從魚氏(1705~1730)가 26세의 젊은 나이로 돌아간다. 신임사화를 배후에서 양성했다는 함원咸原부원군 어유구魚有龜(1675~1740)의 따님이다. 어유구는 농암農巖 김창협金昌協의 문인이었다. 반란군의 격문에 참혹한 내용으로 그 이름이 오르내린 데 대한 심적 부담을 이기지 못한 탓이었을 것이다.

이에 영조는 김창협의 제자인 신무일愼無逸(1676~1735)을 고부사告訃使로 삼아 8월 28일 청나라로 떠나보낸다. 신무일은 겸재 및 사천형제와 가장 절친한 동문우였으니 영조로서는 가장 믿을 만한 인물 중 하나였을 것이다.

이해 사은겸동지사는 정사에 서평군西平君 요橈(1681~1756), 부사에 병조참판 윤유尹游(1674~1737)였는데 이들이 모두 예능에 박통하여 일찍부터 최천약崔天若의 천재성을 높이 평가하고 있었다. 그래서 영조는 이 사행에 최천약을 군관으로 수행해 가게 해서 석탄을 캐는 방법과 청기와 만드는 법을 배워 오게 한다. 그러나 최천약은 석탄 캐는 법은 숨기고 가르쳐 주지 않아 배워 오지 못하고 청기와 만드는 법만 겨우 배우고 돌아온다.(『승정원일기』 720책 참조)

영조 7년(1731) 신해辛亥 3월 16일에는 파주坡州의 인조 장릉長陵을 옮기자는 논의가 일어난다. 표면적인 이유는 뱀이 똬리 틀고 있는 변고가 생겼다는 것이다. 그러나 좌의정 이집(李㙫, 1664~1733)은 고 이조판서 윤강尹絳(1597~1667)의 설이라 하며 장릉의 지세地勢가 우두혈牛頭穴에 장생파長生破 형국이라는 말을 한다. 이는 자손이 끊어지는 형국을 의미한다. 사실 영조 4년(1728) 무신 11월 16일 효장孝章세자가 돌아간 뒤에 영조에게는 후사가 없어 국본이 매우 위태로운 지경에 이르고 있었다.

이에 조정 대신들은 풍수는 믿을 것이 못 된다는 선왕의 뜻이 옳기는 하되 뱀이 똬리를 트는 충사반굴지변蟲蛇盤屈之變이 생겼으니 대신과 예조판서가 지사地師를 데리고 가서 봉심奉審한 뒤에 천장遷葬을 결정하고자 한다. 결국 3월 19일 천장이 결정되고 4월 10일에 영의정 홍치중洪致中(1667~1732)을 산릉도감山陵都監 총호사摠護使로 삼는다. 헌릉獻陵, 후릉厚陵 등 여러 선대릉의 방혈旁穴을 살펴본 끝에 교하交河 현아縣衙 뒷산이 가장 적합한 명당明堂이라는 데 의견 일치를 본다.

마침내 5월 13일 교하에 천장하기로 결정하고 5월 28일에 총호사 홍치중 등이 교하 신릉처新陵處에 가서 재혈裁穴*하고 돌아온다. 이로부터 장릉 천봉遷奉작업은 일사천리로 진행된다. 세종 영릉英陵의 천릉예에 의거해 왕과 왕비를 단일봉분單一封墳으로 합장合葬하기로 하고 병풍석屛風石은 새로 설치하고 기타 석의石儀 상설像設은 옮겨 오기로 했기 때문이다. 그래서 9월 18일경에는 천봉작업이 마무리된다.

* **재혈**裁穴 혈을 마련함

이때 천재조각가 최천약의 활약이 찬연히 빛을 발하게 되니 신구양릉의 파릉破陵과 봉릉奉陵에 그의 기술 지도가 절대적인 가운데 병풍석을 신설하면서 종래 12지신상支神像 조각 부조장식을 모란문牧丹文 장식으로 일변시킨다. 비로소 불교적 이념을 기반으로 하는 능묘陵墓 상설像設의 조각양식으로부터 벗어나 조선성리학 이념을 뿌리로 하는 새로운 형식의 순조선적인 능묘상설의 조각기법을 창안해 낸 것이다.

사생적寫生的인 진경시대 조각이 최천약에 의해서 개화開花하기 시작했다. 진경산수화가 겸재에 의해서 개화해 가는 것과 거의 보조를 맞춰 가는 현상이었다. 그래서 9월 25일에는 최천약을 경기도 남양 화량진花梁鎭첨사로 삼는데 9월 26일에는 그림에 능했던 영조가 병풍석 장식문양[삽도49]의 참신성을 지적하며 누

인조仁祖·인열왕후仁烈王后
장릉長陵 병풍석屛風石 삽도49
1731년 신해辛亥

가 밑그림을 그렸느냐(起畵)고 묻는다. 서화에 능했던 제조 윤순尹淳(1680~1741)이 최천약의 무리들이 그렸으며 석수들은 할 수 없는 것이라고 높이 평가한다.(『승정원일기』 731책 참조) 그리고 10월 1일에는 그 공로를 인정하여 상당한 상전賞典을 베풀어야 한다고 아뢴다.(『승정원일기』 732책 참조)

그런데 이 영조 7년(1731) 신해辛亥는 사천의 환갑해이다. 이해 2월에 관아재 조영석이 겸재의 인왕곡집 곁으로 집을 사서 돌아오니 4월 23일 사천 환갑일에는 사천형제와 겸재, 관아재가 모두 순화방 창의리 한 동네에 모여 살고 있었다. 그래서 겸재는 사천의 환갑을 축하하기 위해 〈남극노인도南極老人圖〉, 〈천년송지도千年松芝圖〉 등을 그려 선물한다.

그러자 영조도 진경문화 창달에 일조하고자 7월 6일 이병성을 강원도 간성杆城군수로 내려보낸다. 그리고 11월 13일에는 사천을 예빈시禮賓寺 주부로 발령하고 12월 26일에는 이들과 친분이 깊은 동네후배인 대사간 이춘제李春躋(1692~1761)를 진위겸진향사부사進慰兼進香使副使로 삼아 연경燕京으로 떠나보낸다.

청清 옹정雍正황제의 황후 나랍씨那拉氏의 부음訃音을 전하는 반부칙사頒訃勅

使 대리시소경大理寺小卿 파덕보巴德保의 내경來京(11월 4일)에 대한 답례答禮였다. 이를 겸재는 서대문 밖 모화관慕華館 부근에서 전별하고 그 장면을 〈서교전의西郊餞儀〉삽도50란 화제를 붙여 그려 남긴다.

그리고 다음 해인 영조 8년(1732) 임자壬子 3월 17일에 이병연을 사복시司僕寺 주부主簿로 옮겨 준다. 이 벼슬은 이미 사천이 20년 전에 거쳤던 자리였다. 이때 실제 사복시 실무를 담당하는 첨정僉正(종4품)자리는 십탄十灘 이우신李雨臣(1670~1744)이 맡고 있었다.

십탄은 진경문학의 선구로 율곡학파의 중진이던 좌의정 월사月沙 이정구李廷龜(1564~1635)의 장손인 대제학 청호靑湖 이일상李一相(1612~1666)의 장손으로 역시 시문을 잘했었다. 그런데 사천은 월사의 외손자인 예조참의 범옹泛翁 홍주국洪柱國(1623~1680)의 외손자였으니 십탄은 한 살 위의 8촌형에 해당했다. 이에 십탄은 사천과 사복시에서 함께 지내며 백악사단의 사우師友들과 함께 읊었던 창화시唱和詩◆들을 한데 모아 『사원수창록沙院酬唱錄』이란 책으로 남겨 놓았다.

◆**창화시**唱和詩 서로 주고받는 시

사원沙院은 사복시의 별칭이다. 십탄은 꽃피는 봄에 8촌아우인 사천이 20년 전의 옛 직장으로 복귀하자 이를 환영하기 위해 사천과 친한 백악사단의 몇몇 동지들을 모아 필운대에서 상화회賞花會◆를 갖는다. 당연히 진경시화眞景詩畵의 사생이 난만하게 이루어졌을 것이다. 그 정경은 십탄이 남긴 『사원수창록』에 수록된 다음 시들로 짐작이 가능하다.

◆**상화회**賞花會 꽃을 감상하는 모임

> 이일원, 신경소, 송성장, 유양보, 김사수, 정원백을 이끌고 필운대에서 봄을 감상하다.
>
> 携李一源, 愼敬所, 宋聖章, 兪良甫, 金士修, 鄭元伯 賞春弼雲臺

> 꽃 보러 짝지어 서로 따르니, 작은 찬합 막걸리는 내가 챙겼네.
> 한번 취해 미친 듯 노래하니 가슴이 후련, 빈 바위 나눠 앉아 각기 시를 짓는다. 백열
>
> 看花遊伴也相隨, 小榼村醪我自持. 一醉狂歌誠得意, 空巖分坐各題詩. 伯說

이에 대해 사천은 이렇게 화답한다.

백화떨기 속에 5송이 꽃 따르니(기생 5인을 일컬음), 사복시 술상은 아전들이 챙겼다.

곧바로 필운대 절정에 이르러, 다만 맡은 일에 따라 시 한 수 짓다. 일원

百花叢裡五花隨, 太僕杯盤小吏持. 直到弼雲臺絶頂, 祗應料理一題詩. 一源

이때 겸재가 맡은 일은 이 광경을 진경풍속으로 그려 내는 것이었던 모양이다. 이에 동포東圃 김시민金時敏(1681~1747)은 이렇게 읊고 있다.

호기로운 여러분들 나를 이끌고, 긴병 큰 벼루는 아전이 챙겨.

이 사이 마땅히 겸재 그림 있을 터이나, 나는 악노嶽老(사천의 별호) 시를 구경하려네. 사수

豪氣諸公引我隨, 長壺大硯吏人持. 此間合有謙齋畵, 吾欲參看嶽老詩. 士修

그러자 십탄은 다시 이에 화답하는 시를 짓는다.

정겸재가 좌석에 있으면서 필운대 광경을 그리니 또 한 수를 짓다.

鄭謙齋在坐, 寫弼雲臺光景, 又賦一絶.

푸른 절벽 푸른 솔 그림자 거꾸로 서고, 바위 주변 낭자한 것 낙화배로다.

이런 광경 누구라 옮길 수 있나, 겸재가 그림 속으로 옮겨 왔구나. 백열

翠壁蒼松影倒開, 巖邊狼藉落花杯. 箇中光景誰移得, 輸入謙齋畵裏來. 伯說

겸재와 동행했던 일원一源은 이병연李秉淵(1671~1751)의 자이고, 경소敬所는 신무일愼無逸(1676~1735)의 자며, 성장聖章은 송필환宋必煥(1683~1749)의 자고, 양보良甫는 유최기兪最基(1689~1768)의 자며, 사수士修는 김시민金時敏(1681~1747)의 자고, 원백元伯은 정선鄭敾(1676~1759)의 자며, 백열伯說은 이우신李雨臣(1670~1744)의 자다. 이우신을 제외한 이들은 모두 농암과 삼연 문하에서 동문수학하며 북악산 인왕산 밑동네인 창의리에서 함께 자란 동네 친구들이다.

서교전의西郊餞儀 삽도50

정선鄭敾, 1731년 신해辛亥 12월 26일, 지본수묵紙本水墨, 47.0×26.7cm, 국립중앙박물관 소장.

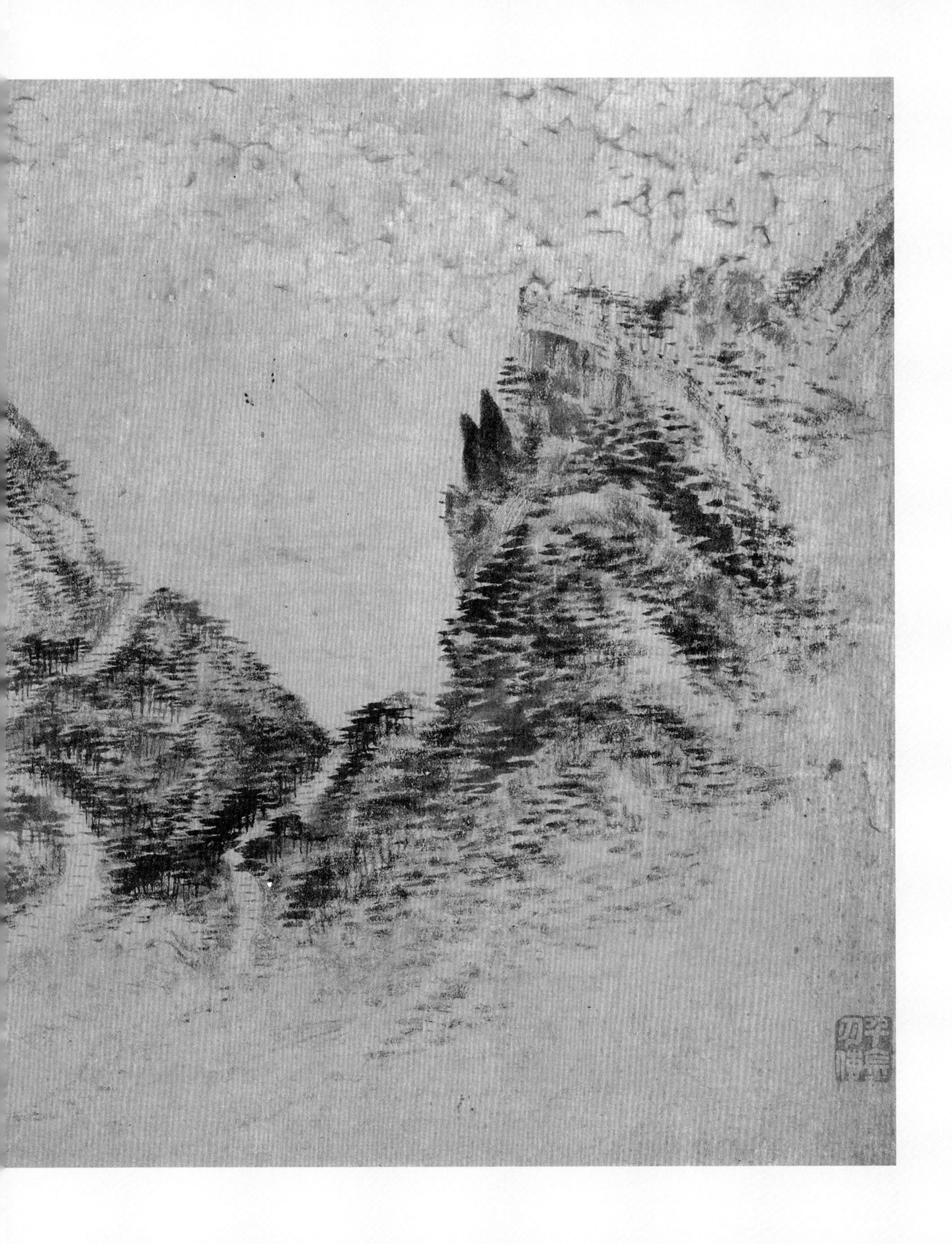

이때 영조는 자신의 통치기간 중에 조선 고유색 짙은 진경문화를 절정에 올려놓으려는 원대한 포부를 가지고 있었다. 그래서 진경시화 쌍벽인 사천과 겸재를 조선에서 제일 경치가 좋다는 관동팔경 지역에 고을살이를 보내 그곳에서 마음껏 해산海山 제일경을 시화로 사생해 가져오도록 하려는 계획을 세운다.

잠저 시절 한동네 살며 시와 그림을 배운 스승들이기 때문이었다. 영조의 문화적 안목이 이들로부터 열렸다 해도 과언이 아니니 영조가 문화정책의 기준을 이들에게 두는 것은 당연한 일이었다.

마침내 윤5월 17일에 사천을 삼척부사로 제수하자(『승정원일기』 745책 참조) 사천은 6월 19일에 하직하고 삼척으로 부임해 간다.(『승정원일기』 746책 참조) 그러자 백악사단의 풍류문사들이 모두 그를 부러워해서 전별연을 베풀고 시사詩詞로 축하하는데 한동네 사는 후배이며 풍속화의 시조인 관아재觀我齋 조영석趙榮祏은 「삼척부사 이병연을 보내는 머리글送三陟府使李秉淵序」에서 이렇게 기술하고 있다.

> 우리 동네 사천옹은 시로 세상을 울리는데 그림과 산수를 좋아하는 병이 오래되었다. 지금 삼척부로 고을살이를 떠나니 해산海山의 빼어난 경치가 우리 동쪽에서 으뜸이다. 옹은 이르지도 않고서 정원백鄭元伯에게 청하여 먼저 〈대관령도大關嶺圖〉를 그려 벽 위에 걸어 놓고 또한 떠날 날만 기다리고 있으니 죽서루竹西樓와 능파대凌波臺 사이에서 질탕하게 읊고, 넓은 바다를 굽어보며 신선세계에서 쉬고자 해서이다.
>
> 吾里槎川翁, 以詩名於世, 而畵與山水 痼癖久矣. 今出宰三陟府, 海山之勝, 甲於我東. 翁未至, 而請鄭元伯, 先作大關嶺圖, 揭之壁上, 且待下車之日, 大欲跌宕吟哢 於竹西凌波之間, 俯滄溟 而憩蓬壺矣.
>
> 趙榮祏,『觀我齋稿』 卷二, 送三陟府使李秉淵序

사천이 경치 좋은 삼척으로 고을살이 떠나는 것을 얼마나 좋아했으며 왜 좋아했는지를 명쾌하게 밝힌 글인데 사천은 떠나기도 전에 겸재에게 〈대관령도〉를 그려 달라고 해서 벽에 걸어 놓고 바라보며 떠날 날만 기다렸다니 겸재 없이는 그의 진경시가 무색했던가 보다.

이 자리에는 26세의 청년 화가인 현재 심사정도 참석해서 〈귀래도歸來圖〉라는 그림을 전별 선물로 내 놓았던 모양이다. 그래서 사복시 주관의 공식 전별연을 주도한 십탄 이우신은 「심생사정이 이일원을 전별하는 귀래도의 뒤에 제함題沈生師正 贈別李一源歸來圖後」이라는 제화시에서 이렇게 읊고 있다.

> 이별 아쉬워 이에 그림 이루니, 자네는 그림에 숨은 뜻 없다고 알고 있겠지.
>
> 그림 속에 감춘 뜻 깊구나, 어찌 〈오호도〉와 비슷할거나.
>
> 惜別還成畵, 君知畵意無. 畵中深寓意, 何似五湖圖.

〈오호도五湖圖〉는 월越의 대부大夫 범려范蠡가 월왕 구천句踐을 도와 오吳를 멸한 다음 상장군의 지위를 버리고 오호五湖◆로 물러나와 수천만 금의 재산을 모았는데 그때 유유자적하던 범려의 모습을 그린 그림이다.

◆ **오호**五湖
태호太湖의 별칭. 출입하는 물길이 다섯이라 오호라 한다.

사천이 삼척부사로 가니 동해에서 뱃놀이 하며 진경시를 읊는 장면을 연상하고 그린 선유도였을 터인데 아마 『고씨화보』 제84판 〈어옹귀정漁翁歸艇〉이나 현재가 49세쯤에 그렸으리라 생각되는 〈어옹귀정〉과 비슷한 그림이었으리라 생각된다. 그래서 십탄이 〈오호도〉와 비슷하다 했을 것이다.

이때 장차 영의정을 지내는 진암晋菴 이천보李天輔(1698~1761)[삽도51]도 35세의 젊은 나이로 「이사천 삼척부임을 보내는 머리글送李槎川赴三陟序」에서 다음과 같이 기술하고 있다.

> 내가 약관 때 삼연三淵 김공金公을 좇아 시도詩道를 묻다가 당세의 시를 논하기에 이르자 문득 사천槎川 이공李公을 일컬어 말하되 그 시는 요새 사람의 말이 아니라 했었다. 이때를 당해서 공은 시로 날마다 세상에 들렸었으니 대개 그 시초는 반드시 삼연공의 말로 인연하지 않음이 없었다 하겠다. 삼연공이 돌아가고 공의 나이 늙을수록 시가 더욱 교묘해지자 세상의 시구하는 이들이 모두 공으로 돌아갈 곳을 삼으니 공이 바야흐로 하급벼슬에 오르내리는 사이에 빨려들듯 시에 스스로 빠져들었다.

이천보李天輔 **초상**肖像삽도51
19세기, 견본채색絹本彩色,
39.5×51.2cm,
일본 덴리대天理大 도서관 소장.

세상말에 이르기를 시는 궁窮한 후에 교묘巧妙하며 교묘하면 반드시 궁하고 궁하면 반드시 교묘하니 그 형세가 서로 인연해서 이루어지는 것이라 한다. 그러나 선비의 궁하고 궁하지 않음은 돌아보건대 어찌 항상이겠는가. 오직 각각 그 만난 바를 논할 뿐이다. 예부터 문인재자文人才子*가 지기知己*에 목말라 함은 오직 그 세상에 당해서 불행히 만나지 못하지는 않을까 두려워하는 것뿐이니 어찌 가히 이길 수 있다고(그렇지 않다고) 말하겠는가.

* **문인재자**文人才子 문인이나 재주 있는 사람
* **지기**知己 자신을 알아주는 사람

삼연공은 세상에서 일컫는 바 일대의 종장宗匠이었다. 한마디 말로 족히 천하 선비를 저울질할 수 있었다. 공의 시는 삼연공 같은 이를 얻어서 지기를 삼았으니 그 만남이 어찌 그렇게 기이했던가. 그러니 공이 세상에서(알아줄 사람을) 만나지 못했다고 할 수 없고 그 만난 바라는 것은 진실로 이에 있지 저에 있지 않다. 그 득실의 나눔은 반드시 정해져 있는가 보다.

◆ **출수**出守 나가 지킴

◆ **발행**發行 출발해 감

임자壬子년(1732) 여름에 공이 태복시 주부로 영동의 삼척에 출수出守◆하니 공의 발행發行◆에 나는 슬며시 심중에 느껴지는 바가 있다. 삼연공은 영동 산수에 노닐기를 좋아해서 금강산과 같은 것은 또 공이 일찍이 더불어 같이 노닐던 바의 것이다. 공이 정사를 돌보는 여가에 바다를 따라 동쪽으로 가서 비로봉 높은 곳에 올라 삼연공의 유적을 어루만지며 풍랑의 일렁임과 해와 달이 뜨고 짐을 굽어보고 낭랑하고 높게 읊어도 세상에는 이미 소리를 감상할 사람 없으리라.

공은 반드시 배회하며 크게 탄식하며 그 세상에서 만났던 바를 추념하리니 곧 먼저 이른바 궁이라는 것은 일찍이 궁이 아니었고 궁은 이에서 시작하리라. 공이 떠나려 하면서 작별을 위해 한마디 말을 요구함에 나는 드디어 느껴지는 바를 써서 드린다.

不佞弱冠時, 從三淵金公, 問詩道, 至論當世之詩, 輒稱槎川李公曰, 其詩非今人語也. 當是時, 公以詩, 日聞於世, 盖其始, 未必不因三淵公之言也. 及三淵公卒, 公年益老, 詩益工, 世之求詩者, 皆以公爲歸, 而公方浮沈郎署間, 頹然自放於詩也. 語曰 詩窮而後工, 工之必窮, 窮之必工, 其勢相因而成者也. 然士之窮不窮, 顧何常哉. 惟各論其所遇而已. 自古文人才子, 汲汲於知己, 惟恐不得當於其世, 而不幸而不遇者, 曷可勝道哉.

三淵公, 世所稱一代之宗匠也. 一言足以輕重天下士. 公之詩, 得如三淵公, 而爲之知己, 其遇何其奇也. 然則公於世, 不可謂不遇, 而其所遇者, 固在此, 而不在彼也. 其得失之分, 必有以定之矣. 壬子夏, 公以太僕郞, 出守嶺東之三陟府, 公之行, 不佞竊有所感於中者. 三淵公, 喜遊嶺東山水, 如金剛者, 又公之所嘗與同遊者也. 公於視政之暇, 緣海而東, 登毗盧高處, 撫三淵公遺跡, 俯臨風濤之蕩潏, 日月之呑吐, 朗然高詠, 而世已無賞音者矣. 公必徘徊太息, 追念其所遇於世, 則向所謂窮者, 未嘗窮, 而窮 於是乎始矣. 公將行, 要一言爲別, 不佞遂書其所感者, 以贈焉.

李天輔,『晋菴集』卷六, 送李槎川赴三陟序

이천보는 월사 이정구의 현손으로 옥천沃川군수 이주신李舟臣(1674~1735)과 광성光城부원군 김만기金萬基(1633~1687)[삽도52]의 막내 따님인 광산光山김씨(1673~1733) 사이의 외아들이다. 따라서 숙종 초비인 인경仁敬왕후 광산김씨(1667~1680)가 큰이모이고 호조판서 김진구金鎭龜(1651~1704)는 큰외숙, 예조판

김만기金萬基 초상肖像 삽도52
김진규金鎭圭 화畵, 1680년 경신庚申, 견본채색絹本彩色, 32.0×60.0cm, 김광순 소장.

서 죽천竹泉 김진규金鎭圭(1658~1716)는 둘째 외숙이었다.

진암은 13세에 당대 문예를 대표할 만큼 시문서화에 뛰어나 대제학을 역임하는 둘째 외숙 죽천에게 나가 배우기 시작해 그 제자가 된 사람이다. 따라서 그의 시문서화에 대한 소양과 안목은 탁월하여 삼연문하의 진경시화 쌍벽인 사천과 겸재의 시화에 대한 애호와 품평은 타의 추종을 불허했다.

그래서 겸재 그림으로 그의 눈을 거치지 않은 것이 없다 하니 『진암집晋菴集』 권7 「정원백鄭元伯 선敾의 화첩에 쓴다書鄭元伯敾畵帖」에서 이렇게 말하고 있다.

지금 그림 좋아하는 사람으로 원백의 그림을 갖지 않은 사람이 없는데 홀로 나만 없다. 그러나 나는 남이 원백의 그림을 가지고 있다 하면 반드시 빌려 본다. 이에 원백의 그림은 날마다 내 앞에 모여드니 나는 일찍이 원백에게 그림을 구하지 않았으나 원백이 나를 위해 이를 그리지 않은 적이 없다.

요새 들으니 귀한 집 자제가 원백에게 그림을 구함에 원백이 그림 1첩을 해 주었는데 그 사람이 또 병풍 하나를 구하자 원백이 마침 몹시 취한 터라 비단을 땅에 던지며 "내 그림을 다시 얻을 수 있다는 건가" 라고 하여 그 사람이 무안해서 감히 청하지 못했다 한다. 그렇다면 내가 원백의 그림을 얻은 것이 어찌 다만 두 번뿐이겠는가. 원백이 어찌 내게만 그처럼 후한가.

지금 여정汝精◆이 소장한 화첩을 보니 실로 원백의 득의필이다. 드디어 이를 써서 원백에게 감사한다.

◆**여정**汝精
윤치尹治(1681~1729)의 자字. 해숭위海崇尉 윤신지尹新之의 서증손으로 이천보의 7촌 척숙에 해당한다.

今之好畵者, 未有不蓄元伯畵者, 獨余無有焉. 然余聞人之有元伯畵, 則必借而觀之. 於是元伯之畵, 日聚乎吾前. 余未嘗求元伯畵, 而元伯未嘗不爲余畵之. 近聞有貴游子弟, 求元伯畵, 元伯爲之畵一帖, 其人 又求一屛, 元伯 適醉甚, 以縑投地曰, 吾畵其可再得乎, 其人 憮然不敢請. 然則, 余之得元伯畵者, 何但再焉而已乎. 元伯何其獨厚於余也. 今觀汝精所藏帖, 實元伯得意筆也. 遂書此, 以謝元伯焉.

李天輔, 『晋菴集』 卷七, 書鄭元伯畝畵帖

뿐만 아니라 삼연의 진경시와 겸재의 진경산수화가 가지는 독창적이고 혁신적인 경지는 범상한 사람이 흉내 낼 수 없다는 사실을 「정원백 화첩 뒤에 쓴다鄭元伯畵帖跋」에서 이렇게 말하고 있다.

세상의 그림을 논하는 이들은 반드시 원백元伯의 그림을 삼연三淵의 시에 짝지운다. 대개 우리나라 그림은 원백에 이르러서 비로소 그 변화를 극한다. 그러나 원백의 그림이 나오자 세상의 원백을 배우는 이들이 원백의 필력도 없으면서 한갓 그 화법을 훔치려고만 한다. 그림의 쇠퇴가 반드시 원백으로부터 비롯되지 않는다 하지 못하리라.

나는 일찍이 이렇게 말했었다. '지금의 시 짓는 이들이 삼연을 발맞춰 따라가지 않으면 다투어 이를 괴이하게 여기나 삼연의 학식이 없으면서 한갓 그 기이함만 배우니 그런 까닭으로 마침내 그 병病만 만족하게 받아들인다. 시의 쇠퇴는 삼연이 또한 그 책임을 사양할 수 없으리라. 나는 삼연에게 불복하지는 않지만 세상의 뭇사람이 삼연이 되는 것을 미워한다.' 듣는 이들이 모두 미친 소리라고 여긴다. 이제 원백의 그림을 보고 문득 이를 써서 이로써 대체 원백을 배우는 이들을 경계한다.

世之論畵者, 必以元伯之畵, 配三淵之詩. 盖國朝之畵, 至元伯, 而始極其變. 然元伯之畵出, 而世之學元伯者, 無元伯筆力, 而徒竊其法, 畵之衰, 未必不自元伯始. 余嘗謂 今之爲詩者, 不步趨三淵, 則人爭怪之, 而無三淵學識, 而徒學其奇, 故適足以受其病. 詩之衰, 三淵 又不得辭其責矣. 吾非不服三淵, 而惡世之羣 爲三淵者也. 聞者, 皆以爲狂言. 今觀元伯畵, 聊書此, 以戒夫學元伯者.

李天輔,『晋菴集』卷七, 鄭元伯畵帖跋

이것이 모두 사천이 삼척부사로 떠나던 어름에 지은 글들이니 이 시기에 57세의 겸재는 겸재풍의 진경산수화를 왕성하게 그려 내고 있었던 모양이다. 후계后溪 조유수趙裕壽(1663~1741)의 양자인 조적명趙迪命(1685~1757)에게 〈단발령망금강斷髮嶺望金剛〉, 〈장안사長安寺〉, 〈만폭동萬瀑洞〉, 〈내산총도內山摠圖〉, 〈해산정海山亭〉, 〈불정대관폭佛頂臺觀瀑〉, 〈백천교출산百川橋出山〉, 〈삼일포三日浦〉 등 8폭《해악도병海嶽圖屛》을 그려 준 것도 이때의 일이다.

겸재가 청하현감으로 떠나기 전 해인 영조 8년(1732) 임자壬子에 당세통유當世通儒를 자타가 공인하던 후계의 당질 동계東谿 조구명趙龜命(1693~1737)이 후계 자제인 조적명 소장의『해악도병』8폭에 제사를 붙이고 있기 때문이다.『동계집東谿集』권6에 수록된「12형 적명소장 해악도 병풍에 제함題十二兄迪命所藏海嶽圖屛」이 그것인데 이제 그 내용을 옮겨 보겠다.

「단발령에서 금강산을 바라보며 斷髮嶺望金剛」

아난阿難이 여래如來의 일신一身이 유리처럼 비치는 것을 보고 오히려 목마르듯 우러러서 머리를 깎았다 하는데, 하물며 이 담무갈 일만이천의 무리가 일시에 백은白銀 천千 길의 몸을 가지런히 솟구침을 곧장 보게 됨에서랴.

阿難見如來一身, 暎徹如琉璃, 猶然渴仰剃落, 況驀見此曇無竭 萬二千衆, 一時齊涌白銀千尺體乎.

「장안사長安寺」

◆속가俗駕
속인이 타는 기구. 말이나 나귀, 가마, 남여 따위

매양 금강산이 입이 없어 속가俗駕◆가 들어오는 것을 큰 소리로 꾸짖어 되돌려 보낼 수 없음을 한했었는데, 무지개다리의 허물어짐은 문득 산신령이 그것을 벌한 까닭인가. '너는 내 문지기가 되어 어찌 그들에게 누구냐고 하지 않았는가' 라고 말하면서.

每恨金剛無口, 不能喝廻俗駕向者, 虹橋之圮, 抑山靈之所以罰之也. 若曰爾爲我閽, 胡不誰何之乎.

「만폭동萬瀑洞」

만 다발 옥玉을 깎아 봉우리를 삼고, 천 섬 진주를 부숴 폭포 삼으니, 이는 조물자造物者가 그 무진장함을 스스로 드러냄이다.

削萬束玉, 以爲峰, 碎千斛珠, 以爲瀑, 是造物者, 自暴其無盡藏也.

「내산총도內山摠圖」도판19

초나라 남쪽은 사람이 적고 돌이 많다. 천지가 정령精靈을 기름에, 돌과 사람이 항상 그 나누는 숫자를 다툰다 하거늘, 나는 이 일만이천 금강산 봉우리를 때려 부숴, 널리 일만이천 금강인金剛人을 얻어 내고 싶다.

楚之南, 少人而多石. 天地毓靈, 石與人, 恒爭其分數, 吾欲搥碎此萬二千金剛峰, 博取萬二千金剛漢矣.

「해산정海山亭」

◆주묵朱墨 속무俗務
붉은 먹을 쓰는 것은 관청 공무 처리하는 방법이니 관청 일 같은 속무라는 의미이다.

바라다보니 앞에 있는 것은 치마를 걷어 올린 바다요, 홀연히 뒤에 있는 것은 머리 깎은 산인데, 주묵朱墨 속무俗務◆로 이 사이에 살고자 하니, 나는 고성군수를 하는 이에게 말하노라. 반드시 이조二祖(선종의 제2대 조사 혜가慧可)가 담벼락을 대하

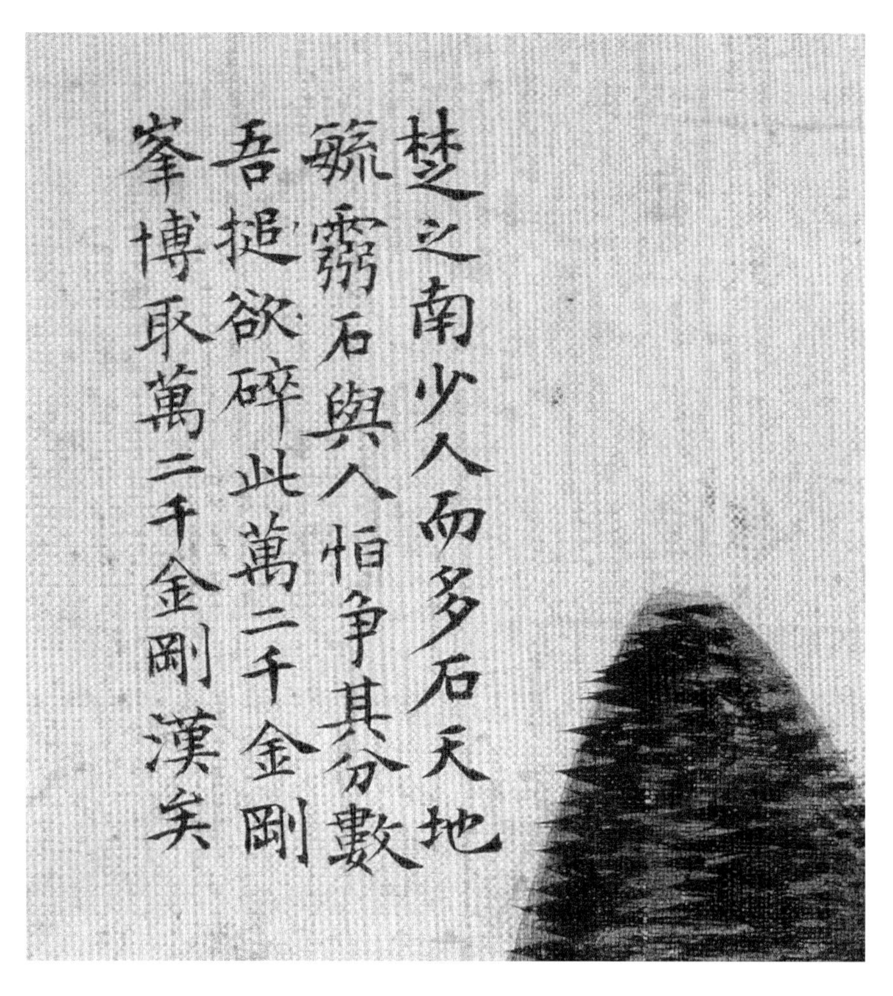

금강내산金剛內山 부분

고 있던 마음을 갖추어야 좋겠다고.

瞻在前者, 褰裳之海, 忽在後者, 斷髮之山, 而欲以朱墨俗務居是間, 吾謂爲高城守者, 須辦二祖墻壁心而可也.

「불정대佛頂臺에서 폭포를 바라보며佛頂臺觀瀑」

이는 석공기石公記 속에 나오는 말일 뿐이다. 이른바 천둥 치고 바다 세워, 만 길이나 뻗쳐오르다가 홀연히 가로 끌어 동서로 헤쳐 모인 것이 살갗을 얻고 뼈를 얻으며 정취도 얻게 되니, 시험 삼아 폭포에게 물어보라.

此石公記中語耳. 所謂雷奔海立, 孤搴萬仞, 忽焉橫曳, 東披西帶者, 爲得膚得骨得趣, 試問諸瀑.

「백천교百川橋에서 산을 나오며百川橋出山」

해상에도 하나의 금강이 있고 그림 속에도 또 금강산이 있으며, 그림 속 사람 가슴 속에도 또한 각각 하나씩의 금강산이 있고, 그림을 보는 사람 백천만 인의 눈 속에도 하나하나마다 각각 하나의 금강산이 있음을 알아야 하니, 이른바 개자芥子씨 속에도 수미산須彌山이 있고 터럭 끝에도 보찰寶刹이 있다는 것이 거짓말이 아니로구나.

須知海上有一金剛, 畵中又有金剛, 畵中人胸中, 又各有一金剛, 觀畵者 百千萬人眼中, 一一各有一金剛, 所謂芥子須彌, 毛端寶刹, 非誑語也.

「삼일포三日浦」

뽕나무 아래에서 세 번을 자도, 오히려 선문禪門의 경계함이 되거늘, 하물며 엷은 화장 짙은 화장(여자를 일컬음) 속에서 사흘을 머물렀으니, 서자西子의 호수西湖에 비교하겠는가. 사선四仙은 여기서 삼 년의 도심道心을 잃었도다.

桑下三宿, 猶爲禪門之戒, 況三日留連於淡粧濃抹, 比西子之湖耶. 四僊 於是乎 損三年道心矣.

以上 趙龜命,『東谿集』卷六, 題十二兄迪命所藏海嶽圖屛

그래서 사대부화가나 화원화가들이 이를 모방하는 경향이 일어나기 시작했던가 본데 필력이 미치지 못해 대개는 실패했던 것 같다. 현재玄齋도 겸재법을 계승하는 데 한계를 느낀 것이 필력이었을 듯하다.

금강내산金剛內山 도판19

1734년 갑인甲寅경,
견본담채絹本淡彩, 33.6×28.2cm,
고려대학교박물관 소장.

山分內外一以神秀一以宏博合之
爲萬玉圍窟大抵遠觀勝近觀
再遊勝始遊所以回翔往復乃至
六七度理節者如此翁是已

12

청하현감淸河縣監

겸재의 필력이 이처럼 원숙한 경지에 이르자 영조는 겸재의 진경산수화풍을 완결 짓게 하기 위해 관동팔경을 마음껏 사생할 수 있는 장소 중 하나인 경상도 동해변 청하淸河현의 현감으로 겸재를 발령한다. 영조 9년(1733) 계축癸丑 6월 9일의 일이었다.(『승정원일기』 761책 참조)

그런데 겸재는 청하현감으로 떠나기 전에 사천과 순암 형제에게 부탁받고 있던 숙제를 해결하고 떠나는 듯하다. 곧 그들 형제가 자라난 북악산 남쪽 기슭의 사천댁 취록헌翠麓軒을 그려 놓았던 것이다. 그래서 겸재가 떠나고 얼마 안 되어 병으로 간성군수직을 사임하고 돌아온 순암順庵은 이 〈취록헌도翠麓軒圖〉에 이런 제사를 붙인다.

> 취록헌은 백악산 아래 대은암 남쪽으로 곧 우리 돌아가신 아버님께서 예전에 사시던 옛집이고, 손수 나무를 심으셨는데 거의 50년 묵은 물건이 되었다. 집이 오래되어 허물어지는지라 정원백鄭元伯에게 부탁해 비단에 모사摹寫하게 해서 집안에 수장한다.
>
> 이는 대개 차마 허물지 못하고 차마 버려두지 못하는 뜻에서 나왔지만 느티나무 버드나무가 우거진 가운데 낡은 집이 쓸쓸하다. 우리 뒷사람들로 하여금 또한 쓰다듬으며 그 유풍遺風을 상상해 알 수 있게 하고자 함이다.
>
> 翠麓軒在白岳下, 大隱巖之南, 卽我先君子舊居, 而手種林木, 殆爲五十年物也. 軒久頹毁, 倩鄭元伯, 用綃摹寫, 藏於家. 此蓋出於不忍廢, 不忍荒之意, 而槐柳掩之中, 弊屋蕭然. 使我後人, 亦可以摩挲, 而想識其遺風也.
>
> 李秉成, 『順庵集』 卷五, 題翠麓軒圖後

그래서 겸재는 8월 15일에 임금께 하직하고 청하로 부임해 간다.(『승정원일기』 763책 참조) 이에 병으로 간성군수 자리를 내놓고 막 서울 집으로 돌아와 있던 순암 이병성은 「원백이 청하로 부임하는 데 보냄贈元伯之任淸河」이라는 전별시를 지어 이를 축하한다.(『순암집順菴集』 권4) 그 내용은 이렇다.

미원장米元章(불芾)이 늙어 미쳤다 성내지 말게, 가는 곳마다 비단과 먹을 싣고 배를 띄웠네.
겸옹의 이 걸음도 좋은 물건은 없고, 주역도 오직 옛날에 강하다 남은 헌책뿐일세.
不忿元章老且顚, 縑煤隨處載行船. 謙翁此去無長物, 羲易惟殘舊講篇.

◆도리산桃李山 청하淸河 봉수대가 있는 산

영남 사람 응당 사또 이름 알테니, 도리산桃李山◆이 열리고, 무학산舞鶴山(청하읍淸河邑 진산鎭山)이 맞으리라.
해당화 피는 백사장 다 밟고 나서 멀리 배를 부르게, 죽서루 위에는 우리 형님 계실 터이니.
嶺人應知使君名, 桃李山開舞鶴迎. 踏盡棠沙遙喚艇, 竹西樓上有吾兄.

李秉成, 『順庵集』 卷四

겸재가 청하로 떠나던 날 이웃에 살며 겸재와 함께 화도수련에 정진하여 풍속화의 시조가 된 관아재 조영석은 「소문첩에 제함題昭文帖」이라는 글을 지어 겸재 그림이 고가高價로 팔리며 그것은 당연하다는 평가를 내려 청하에서의 진경사생에 기대를 나타낸다. 옮기면 다음과 같다.

중국 사람들이 우리 동쪽나라 일을 기록하며 말하기를 벽간壁間에 정교하지 못한 그림이 많다고 했다 하는데 참으로 명언名言이다. 만약 이 화권을 본다면 어떻다 할지 모르겠다. 들으니 문생文生은 3천 전三千錢으로 이 화권畵卷을 얻었다 한다. 3천 전으로 몇 마지기 논밭을 사면 두 식구가 가히 반년은 먹고 살 터인데, 문생이 이렇게 그림 사는 데 힘씀이 심히 부지런하니, 또한 정인鄭人이 주박周璞을 비싸게

샀다는 기롱에 가깝지 않을까.

그러나 겸재謙齋 그림은 가히 한 벌 호액狐腋*이라 할 수 있어 3천 전은 거의 헛던지지 않았으리라. 문생이 사람으로 인연해서 나에게 한마디 말을 구하매 드디어 이를 써서 돌려보낸다. 계축癸丑 중추仲秋 관아병부觀我病夫가 쓰노라.

中朝人 記東國事曰, 壁間 多不工之畵, 眞名言. 若使見此卷, 未知以爲如何也. 聞文生以錢三千得此卷, 三千錢 買數畝田, 則二口家, 可率半年, 而文生乃於此, 用力甚勤, 無亦近於鄭賈周璞之譏歟. 然謙齋畵, 可爲一狐腋, 三千錢 庶不虛擲矣. 文生因人, 求余一語, 遂書此以歸之. 癸丑 仲秋, 觀我病夫題.

趙榮祏,『觀我齋稿』卷三, 題昭文帖

* **호액**狐腋 여우 겨드랑이 가죽으로 만든 가죽 옷

이를 통해 보면 문文씨 성을 쓰는 어떤 사람이 3천 전을 들여 겸재 그림첩 한 벌을 샀던 모양인데 그 가치가 논밭 몇 마지기에 해당한다 했다. 당시 돈값은 대체로 쌀 한 가마가 동전 50전 5냥을 기준으로 20전에서 80전까지 오르내렸으므로 50전 기준을 잡으면 쌀 60가마에 해당하는 값이었다.

이는 관아재가 비슷한 시기인 영조 7년(1731) 신해辛亥 12월에 인왕곡의 겸재 댁 인근에 나무 오륙십 본을 심을 만한 정원과 방 셋에 대청 하나인 16간짜리 기와집을 사는 데 은화 150냥을 들인 것과 비교해 보면 상당한 고가라 할 수 있겠다.(조영석趙榮祏,『관아재고觀我齋稿』권2, 택기宅記) 동전과 은화의 비율은 4대 1이었으므로 은화 150냥은 동전 600냥, 즉 6천 전에 해당하니 곧 집 반 채 값이었다.

그런데 관아재는 그만한 값이 있다고 하며 중국인들에게 내놓아도 과거처럼 부끄럽지 않은 그림이라고 높이 평가하여 우리 회화사상 최고의 화가일 뿐만 아니라 중국을 능가할 만한 화가라는 뜻을 은근히 내비치고 있다.

이미 순암을 간성군수로 보내 놓았고 사천은 삼척부사로 부임해 갔으니 겸재만 따라가면 관동팔경이 그들의 왕래 범위 안에 들어 진경시화 사생이 자연스럽게 이루어질 수 있었다.

이에 후계后溪는 이들의 아회雅會를 예견하고 이해 초봄에 간성군수 순암에게 「청간정주인 이자평 병성에게 붙임寄淸澗亭主人 李子平秉成」이라는 편지를 보내며 부러워했었다. 그 내용은 이렇다.

이악하李嶽下 형제가 일시에 명루주인名樓主人이 되었으니 다시 산해山海의 울림으로 원백元伯을 자랑스럽게 만드리라. 예전에 득의得意하여 놀던 것보다 더 잘 읊으면 족히《해악전신첩海嶽傳神帖》을 이을 수 있을 것이다. 이제 청간정淸澗亭 주인 명령으로 시를 지음에 대략 선가仙家의 성사盛事를 기술하는 것은 내가 부러워하는 뜻을 전하는 것뿐이요 감히 억지로 황학사黃鶴詞를 글제로 하여 이최二崔의 사이에 끼이려 함이 아니노라.

李嶽下弟伯, 一時爲名樓主人, 復此山海之響, 作元伯誇. 勝舊唱得意之遊, 足以續瀛嶽帖矣. 今於賦淸澗之命, 略述仙家盛事, 以致余羡慕之意, 非敢强題黃鶴詞, 列二崔之間也.

죽서루竹西樓 청간정淸澗亭 서로 뻐기니,
전당호錢塘湖 약야계若耶溪 부러워 말게.
동해변東海邊 누대樓臺는 모두 신기루蜃氣樓,
신선형제神仙兄弟들 띠풀집일세.
꼭 정선 그림 끌어다 전첩前帖 채우고 싶다면,
감히 내 시로 옛 깁 비춰야 하리.
한 곁에 높은 산 솟아 있으니,
이 정자 늘려 내어 고선古仙 맞으라.

竹西淸澗兩相誇, 未必錢湖羡若耶. 瀛海樓臺皆蜃閣, 神仙伯仲是茅家.
須徵鄭畵完前帖, 敢以吾詩暎舊紗. 更有雲根傍突兀, 此亭增重荷皇媧.
趙裕壽,『后溪集』卷四

옛날 겸재가 처음 금강산을 유람하고 금강산 진경眞景을 사생하여《해악전신첩》을 꾸밀 때 삼연三淵과 함께 폭마다 제화시를 남겼던 고선古仙인 자기에게도 한 번 보여 다시 제화시를 쓰게 하라는 은근한 청탁의 뜻이 담긴 편지와 시다. 당시 예원藝苑에 뜻을 두던 선비들이 얼마나 이들의 진경문화 활동을 부러워했던가를 보여 주는 단적인 자료이다.

실제 겸재는 청하현감으로 부임해 가서 동해안을 따라 전개되는 관동의 명승인 평해 월송정越松亭, 울진 망양정望洋亭, 삼척 죽서루竹西樓, 양양 낙산사洛山寺, 간성 청간정淸澗亭, 고성 삼일포三日浦, 통천 총석정叢石亭, 흡곡 시중대侍中臺 등 관동 8경을 차례로 찾아다니며 사생했었던 모양이다.

모친상을 탈상한 다음 해인 영조 14년 1738년 무오戊午 가을 63세 때 그린《관동명승첩關東名勝帖》 11폭의 내용이 모두 관동의 명승지이기 때문이다. 이 시절 사생해 놓았던 밑그림이 없었다면 탈상 직후에 그런 그림을 그려 낼 수 있었겠는가.

뿐만 아니라 이 시기에 그렸다고 생각되는 영양 〈쌍계입암雙溪立岩〉도판20, 예안 〈도산서원陶山書院〉도판21, 울진 〈성류굴聖留窟〉도판22, 청하 〈청하성읍淸河城邑〉도판23, 〈내연삼용추內延三龍湫〉도판24, 합천 〈해인사海印寺〉도판25 등의 그림이 남아 있다. 이 그림들이《영남첩嶺南帖》의 잔해가 아닌가 한다. 이 그림들을 좀 더 자세히 살펴보겠다.

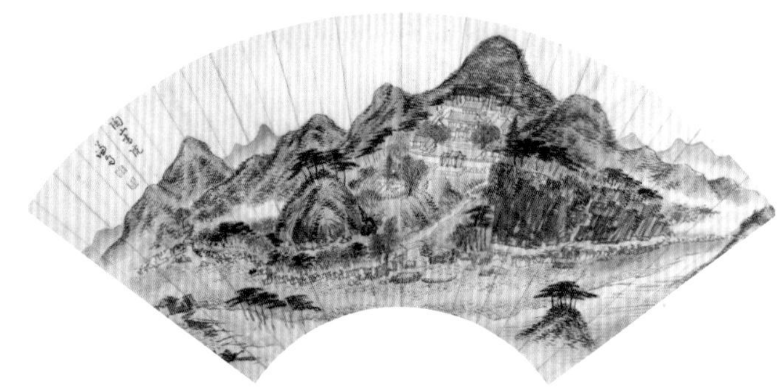
도산서원陶山書院도판21

쌍계입암雙溪立岩도판20

성류굴聖留窟 도판22

청하성읍淸河城邑 도판23

내연삼용추內延三龍湫 도판24

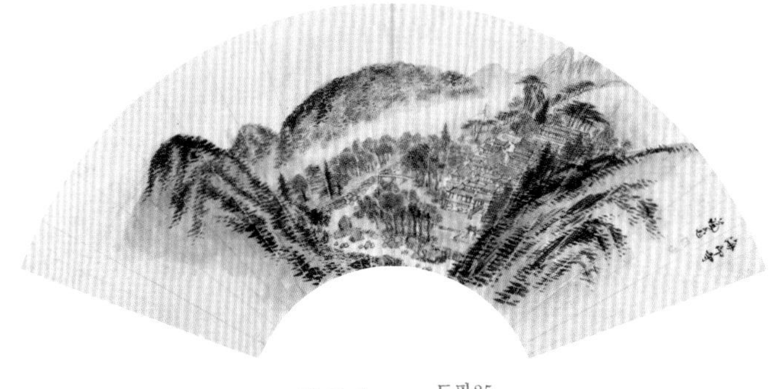

해인사海印寺 도판25

쌍계입암雙溪立岩 도판20

경상북도 영양군英陽郡 입암면立巖面 연당蓮塘 제2동第二洞에 있는 입암立巖의 진경이다. 일월산日月山의 동쪽 물을 모아서 영양읍의 동쪽을 돌아 남류해 온 대천大川(상류는 장군천將軍川이라 한다)과 일월산 서쪽 물을 받아 영양읍 서쪽 청기면靑杞面 쪽을 거쳐 내려온 청기천靑杞川 물이 합수되는 곳에 이들 두 시내를 마주 보며 서 있는 선바위이기 때문에 겸재는 〈쌍계입암雙溪立岩〉이라 한 모양이다.

그러나 『영양현읍지英陽縣邑誌(1832년경 편찬)』나 『영양현지지英陽縣地誌(1871, 1895년경 편찬)』에서는 한결같이 '석문입암石門立巖'으로 표기하고 있다. 왜 그런 이름으로 표기됐는가 하는 이유가 그 세주에 간략하게 밝혀져 있으므로 우선 『영양현읍지』의 세주 내용부터 옮겨 보겠다.

> 현의 남쪽 이십 리에 있다. 두 산이 벽을 이루며 서 있는데 서로 대함이 문과 같다. 큰 돌이 있는데 수십 길이나 불쑥 솟아 있고 두 낭떠러지 사이에 높이 서 있다. 석병石屛은 하늘을 찌르고 그 아래에서는 대천이 남쪽으로 흘러와 청기천과 합류하며 세차게 부딪어 되쏘니 가장 일경一境의 빼어난 곳이 된다.
>
> 在縣南二十里. 兩山壁立, 相對如門. 又有巨石, 突起數十丈, 屹立於兩岸間. 石屛參天, 其下大川南流, 與靑杞川, 合流激射, 最爲一境之勝處.
>
> 『英陽縣邑誌』 山川, 石門立巖

다음 『영양현지지』에서는 이 내용을 조금 축약하면서 『영양현지』 우거조寓居條에 약봉藥峯 서성徐渻(1558~1631)이 광해군시에 귀양 와서 살던 터가 이곳에 남아 있다는 사실을 합쳐 놓았을 뿐이다. 그러니 석문石門을 이루는 양 천변川邊 석벽石壁 사이에 이 입암立岩이 흘립屹立해 있기 때문에 '석문입암石門立巖'이라 한 사실을 알 수 있겠다.

약봉 서성은 율곡의 수제자인 사계沙溪 김장생金長生(1548~1631)과 함께 율곡학파의 배후 실력자이던 구봉龜峯 송익필宋翼弼(1534~1599)에게 배우고 뒤에 율곡문하로 옮겨와 율곡학맥을 전수받은 율곡문하의 핵심제자였다. 따라서 비순

쌍계입암雙溪立岩 도판20

1734년 갑인甲寅경, 견본수묵絹本水墨, 23.2×27.4cm, 간송미술관 소장.

정 주자학적 성향이 강한 보수계열의 대북파大北派가 정권을 장악하고 있던 광해군 시절에는 정치적인 박해를 받아 당시 영해군寧海郡에 속해 있던 이곳 영양英陽(숙종 9년에 와서야 영양현英陽縣으로 분리된다)으로 귀양을 오게 된다.

광해군 5년(1613) 계축옥사癸丑獄事가 일어나면서 선조宣祖의 계비인 인목대비仁穆大妃의 친정아버지 연흥부원군延興府院君 김제남金悌男(1562~1613)과 인목대비 소생인 영창대군永昌大君이 살해되고 그 뒤 광해군 8년(1616) 병진丙辰에 인목대비가 폐서인廢庶人되는 와중에, 약봉은 선조가 영창대군의 보호를 부탁하던 유교칠신遺敎七臣 중의 하나라 하여 이런 중벌을 받게 된 것이다.

원래 약봉은 그의 넷째아들 달성위達城尉 서경주徐景霌(1579~1643)가 선조의 맏따님 정신옹주貞愼翁主에게 장가들어 왕실의 사돈이 되어 있었으며 벌써 벼슬이 판서의 지위에 있었다. 그러나 계축옥사가 일어나자 단양으로 유배되고 인목대비가 폐서인되는 광해군 8년 병진(1616) 폐모廢母사건이 일어나자 다시 이에 연루되어 더 멀고 깊은 이 영해 땅으로 귀양 보내졌던 것이다. 이에 이미 59세의 노경에 접어든 약봉은 입암立巖 곁에 집승정集勝亭이란 정자를 짓고 석문입암의 명승名勝과 더불어 한 세상을 마칠 각오를 한다.

그래서 서울 집의 서책書册을 모두 옮겨다 놓고 성리학 연구에 몰두하는 한편 석문입암의 아름다운 경치를 시문詩文으로 엮어 내며 유유자적한다. 이런 생활을 6년 동안이나 하다가 인조반정이 일어나기 2년 전인 광해군 13년(1621) 신유辛酉에 원주原州로 양이量移되어 옮겨진다.

따라서 인근의 많은 명사들이 이 집승정集勝亭을 찾아와 약봉과 교유하게 되는데 그 중에서도 우복愚伏 정경세鄭經世(1563~1633)의 문인으로 역시 광해군 난정 시에 이곳 영양 연당동蓮塘洞으로 낙향해 와 살던 석문石門 정영방鄭榮邦(1577~1650)과 가장 친숙했던 듯하다. 우복이 서애西崖 유성룡柳成龍(1542~1607)의 제자로 퇴계退溪학맥을 이었지만 이기설理氣說에서는 율곡栗谷의 이기일원론理氣一元論을 추종하여 사계沙溪와 약봉 등 율곡의 제자들과 서로 지기知己를 허하는 터였으니 약봉은 석문에게 스승의 지기에 해당하는 존장尊丈이기 때문이었다.

그래서 「집승정集勝亭에 제題함題集勝亭」이라는 시에서 이렇게 읊고 있다.

고기잡이 뱃군(무릉도원武陵桃源에 들어갔었다고 함) 기다리기 위해, 바위문 밤에 도 닫지 않노라.

맑은 밤 숲 속에서 바라보면, 달빛이 집승정에 가득하다.

爲待漁舟子, 巖扉夜不扃. 淸宵林下見, 月滿集勝亭.

徐渻, 『藥峯遺稿』 卷四 附錄, 集勝亭事蹟, 題集勝亭

그리고 석문의 손자인 수와垂窩 정요성鄭堯性은 「임천산수기臨川山水記」를 지어 석문과 입암 일대의 경치를 서술하고 약봉과 그 조부 석문이 교유했던 사실을 기록으로 남기고 있다. 겸재와 거의 비슷한 시기를 살았을 이 수와의 「임천산수기」 전문을 옮겨 보겠다. 이를 읽고 나면 겸재가 왜 이 〈쌍계입암〉을 그리게 되었으며 또 이렇게 그려야만 했던지를 이해하게 될 것이다.

자양산紫陽山 동쪽 가닥이 첨예하여 남쪽으로 달리다가 양쪽 물을 만나 산이 끊어지니 산의 동쪽 서쪽 벼랑이 모두 석벽石壁으로 깎은 듯하다. 가파르고 험해서 올라갈 수 없는데 멀리서 그 정상을 바라다보면 아득해 끝이 없는 듯하다. 동서 벽은 길이가 각각 이백여 보 되는 듯하고 높이는 사오십 길이 됨 직하다. 바위 아래 물 가까운 곳에 작은 길이 있어 바위 사이를 가로지르니 민첩한 사람은 그것을 따라 갈 수 있다.

자금병紫錦屛의 북쪽 가닥은 동북쪽에서 돌면서 또 양쪽 물을 만나 산이 끊어지니 북쪽 벼랑과 서로 대하게 된다. 석벽도 역시 그것과 같아서 두 바위산이 서로 만나 문이 되었는데 서로 백삼십 보쯤 떨어져 있다. 마치 한산의 가운데가 갈라져서 이루어진 듯하므로 세속에서는 남애南崖라 부른다.

입석立石이 있는데 뒤로 석벽에 의지하고 앞은 연못에 기대었다. 높이는 거의 석벽과 비슷하나 조금 낮은 감이 있다. 정상은 짧고 목은 길며 아래로 내려올수록 점점 땅으로 넓게 퍼져 있으니 멀리서 그것을 바라보면 마치 거인巨人이 관을 쓰고 윗물을 바라다보고 서 있는 듯하다. 푸른 두루미가 때마다 와서 그 위에 둥지를 튼다.

석문의 북쪽 절벽을 따라서 삼백여 보를 올라가면 또 암석이 있어 석벽을 등지고 서 있다. 높이가 수십 길이나 크기는 남쪽 바위에 비해 반쯤 된다. 두 돌이 마주 서 있고 크고 작음이 있으므로 마을 말로는 암수로 이름 짓는다.

남암南岩 절벽에 오르면 이마를 집승정集勝亭이라 부른다. 돌아가신 재상 서약봉徐藥峯이 귀양 와서 사시던 곳으로 석문공石門公도 역시 일찍이 올라와 앉으셔서 서로 시를 주고받았었다. 정자는 지금 허물어졌으나 남은 터는 돌층계 위에 있는데 지극히 위험한 곳이다.

紫陽山東支尖銳, 南走得兩水, 而山斷, 山東西厓, 皆石壁如削. 絶險不可攀, 望其頂, 縹緲若無際. 東西壁長, 各二百餘武, 高可四五十丈. 巖下近水處, 有小逕, 横巖石間, 捷者緣之. 紫金屛北支, 東北轉, 又得兩水, 山斷, 而與北厓相對. 石壁亦如之, 兩石山 相値爲門, 相去百三十武. 如一山 中坼而成, 故俗云南厓.

有立石, 後依壁, 前據潭. 高幾埒石壁, 而小有殺. 頂矮頸長, 下漸豐盤于陸, 遠望之, 如巨人冠, 而向上水立. 青鶴時來巢其上. 門北厓沿, 而上三百步, 又有石, 負壁而立, 高數十丈, 大比南巖半之. 二石對立, 而以其有大小, 故里諺以雌雄名. 上南巖厓壁, 顚曰集勝亭, 故相國徐藥峯, 謫來棲息之所, 而石門公, 亦嘗登臨, 而唱酬. 亭今頹圮, 遺址在石磴, 極危險處.

徐渻,『藥峯遺稿』卷四, 集勝亭事蹟. 鄭堯性, 臨川山水記

이렇듯 영양의 석문입암은 빼어난 경치를 자랑하는 곳으로 율곡의 핵심제자이던 약봉 서성이 귀양 와서 살던 유적이 남아 있는 곳이니 인근 청하현감으로 내려와 있던 겸재로서는 꼭 가 보고 싶지 않을 리 없었을 것이다. 하물며 청하에서 예안禮安의 도산서원陶山書院으로 가자면 그 길초에 있었음에랴!

그래서 겸재는 도산서원을 오갈 때마다 이곳에 들려서 그 빼어난 경관을 돌아보고 이렇게 그려 냈던 모양이다. 아마 그때마다 위에 든 「임천산수기臨川山水記」의 저자인 석문의 손자 수와 정요성 진사가 앞장서 안내했을 것이다. 그는 그곳에 살면서 선대유적을 수호하고 있었기 때문이다.

웅강雄强한 골필骨筆 상악준법霜鍔皴法이 호방장쾌하게 구사되고 송림松林의 표현이 거침없는 묵법墨法으로 일관된 것이 곧 겸재 60세 전후한 이 시기 청하현감 시절의 그림임을 말해 준다.

아무리 입암이 석문 사이에 흘립한 절묘한 경치라 한들 누가 감히 이와 같은 구도로 표현해 낼 수 있을까. 입암의 탱천撑天하는 기세는 제 힘을 제가 못 이기는 듯 솟구치다 못해 사뭇 한쪽으로 끄떡 휘어져 있다. 그 힘차게 휘어진 표현에서 무한한 역동감力動感을 실감할 수 있으니 과연 겸재는 우리 강산의 이렇듯 아름다운 정경을 남김없이 그림으로 표현해 내기 위해 이 땅에 태어났었던가 보다.

예리한 상악준법으로 일관된 좌우 석문석벽의 수직준도 이 휘어지도록 성난 기세에는 감히 얼씬도 못할 만큼 주눅이 들어 있다. 그 밑둥을 세차게 부딪치며 흘러내린다는 대천수大川水 거센 물결이 장쾌한 수파문水波文으로 소용돌이쳐 내려가고 있으니 음양陰陽의 조화를 위해서는 더없이 좋은 배포配布라 하지 않을 수 없다.

입암의 성난 표면 위로 농묵의 소편점小扁點을 거칠게 툭툭 쳐 나간 것은 바위 위 송림을 상징하려 한 것이겠으나 그것이 더욱 그 기세를 거세게 했으며 길게 휘도는 담묵선의 수파문은 더욱 물살을 사납게 해 주고 있다. 이것이 바로 의외묘意外妙인데 겸재는 이것조차 흉중에서 모색하고 있었을 것이다. 물가 따라 표현된 짙은 송림의 효과야 더 말해 무엇하겠는가.

대안對岸의 솔숲 밑 너럭바위 위에 앉고 서서 입암의 기세에 압도당한 듯 찬탄하고 있는 두 사람의 탐승객은 혹시 겸재와 수와가 아니었는지 모르겠다. 이 두 사람이 모두 두건인지 휘항인지 모를 모자를 써서 방한하는 옷차림인 듯하고 초록빛이나 단풍의 흔적이 없는 것으로 보면 아마 아직도 날씨가 쌀쌀한 초봄의 얼음 풀린 화창한 어느 날 정경인가 보다.

1992년 임신壬申 9월 17일 이 〈쌍계입암雙溪立岩〉의 실경을 확인하기 위해 영양 팔백리 길을 달려가 보았다. 「임천산수기」에서 서술한 대로 대천과 청기천이 마주치는 곳에 이들 두 시내를 바라보고 입암이 서 있는데 두 시내가 합수되는 곳에 과연 자양산 석벽이 삼각으로 돌출돼 자주색 암병岩屛을 이루고 있으며 입암 뒤로 다시 자금병紫錦屛 석벽이 마주 서 있어 석문의 형상을 짓고 있었다.

겸재가 보고 그렸을 시각을 찾아 입암 맞은편 사주沙洲로 가서 바라보니 대충 분위기는 흡사하다. 그러나 그렇게 입암이 석문 석벽을 제압할 만큼 웅강거대雄强巨大하지는 않다. 그런 것을 이렇게 돌올탱천突兀撑天하는 독립거암獨立巨岩으로 표현해 놓고 있다. 그림같은 실경을 더욱더 그림답게 그려낼 수 있었던 것이 바로 화성畵聖 겸재의 기량이었음을 다시 한 번 확인하며 감탄을 금치 못했다.

옛날 입암 아래 대천변으로 나 있었다는 천변소로川邊小路는 간 곳 없고 그곳을 따라 십여 미터 높이의 회벽을 치며 새로 낸 국도 길이 달리고 있어 입암의 풍치가 반 넘어 손상돼 있다. 단절된 문화의식을 비참한 심정으로 한탄할 밖에 없다. 그 길을 따라 오 리쯤 올라가면 바로 정석문鄭石門의 구기舊基인 서석지瑞石池가 나온다. 지금도 그 옛날 아취 있던 사대부 생활의 자취를 더듬어 볼 수 있을 만큼 유적이 상당히 남아 있다. 원형대로 잘 보존돼 주었으면 좋겠다.

이 그림은《집고금화첩集古今畵帖》이라는 화첩 속에 들어 있는데 혹은 운수도인雲水道人이라 하고 혹은 운초거사雲樵居士라고 자호自號한 배성식裴成植이라는 이의 제시題詩가 이렇게 곁들여져 있다.

> 이 노인 필법 스스로 천진하여, 그림 종이에 그대로 절묘하게 입신入神했네.
> 열손가락 휘돌리는 조화 속에서, 금강산金剛山 풍물風物이 홍진紅塵에 떨어졌구나.
> 운수도인雲水道人이 제題한다.
> 斯翁筆法自天眞, 畵紙居然妙入神. 宛轉十指造化裏, 金剛風物落紅塵.

운수도인이 배성식이라는 사실을 알 수 있는 것은 '배성식인裴成植印'이라는 방형주문인장方形朱文印章이 그 아래 찍혀 있기 때문인데 다른 폭에서는 운초거사 또는 운초雲樵라 하고 같은 인장을 찍고 있다.

간간 계미癸未니 혹은 갑신甲申이니 하여 제시題詩하던 해의 간지를 밝히고 있어 화첩을 꾸미던 시기를 짐작하게 하는 단서를 제공하는데, 자하紫霞 신위申緯(1769~1845)가 이의봉李儀鳳이라는 이를 위해 대숭戴嵩의 〈우도牛圖〉에 제사題詞를 쓴다고 첫장에서 밝히고 있고 이의봉의 수장인收藏印이 권수卷首에 찍혀 있는 것으로 보면 대체로 자하가 55세와 56세 되던 순조 23년 계미(1823)와 24년 갑신(1824) 사이에 이 화첩이 꾸며졌던 것 같다.

도산서원陶山書院도판21

『퇴계집退溪集』 부록附錄, 퇴계선생연보退溪先生年譜에 의하면 퇴계선생은 명종 12년(1557) 정사丁巳 3월에 도산陶山 남쪽에 서당書堂자리를 마련해 도산서당陶山書堂을 짓고 강학 장소로 삼았다 한다. 그래서 퇴계선생이 70세로 서거하자(1570) 4년 뒤인 선조 7년(1574) 갑술甲戌 봄에 제자들이 도산서당 뒤에다 도산서원을 건립하기 시작하여 다음 해인 을해乙亥(1575) 여름에 완공하고 도산서원陶山書院이란 사액賜額을 받아내서 선생의 유훈遺薰을 기리게 되었다 한다.

그렇다면 이 그림에는 도산서당과 도산서원이 모두 다 표현되었다고 보아야 할 터인데 얼마나 정확하게 그려 냈는지 비록 도산서원이 건립되기 이전 기록이지만 도산서당 일대의 경개를 가장 소상하게 묘사하고 있는 퇴계선생 자찬自撰의 「도산잡영병기陶山雜詠幷記」를 통해 확인해 보아야 하겠다. 이 기문記文은 퇴계선생이 환갑 되던 해인 명종 16년(1561) 신유辛酉 동짓날에 지은 것이다.

> 영지산靈芝山의 한 가닥이 동쪽으로 나와서 도산陶山이 되는데 혹은 이르기를 그 산이 두 번 이루어져서 도산이라 이름 지었다 하기도 하고, 혹은 이르기를 산중에 옛적 질그릇 가마가 있었기 때문에 이름 지었다 하니 그 사실로서이다. 산 됨됨이 심히 높거나 크지는 않으나 앉음새가 넓고 산세가 우뚝하며 방위方位를 차지하되 치우치지 않은 까닭에 그 곁의 봉우리들과 시내 골짜기가 모두 이 산을 머리 숙여 떠받들며 둘러싸고 있는 듯하다.
>
> 도산의 왼쪽에 있는 것을 동취병東翠屛이라 하고 오른쪽에 있는 것을 서취병西翠屛이라 했는데 동병東屛은 청량산淸凉山으로부터 와서 도산의 동쪽에 이르르니 늘어선 바위봉우리들이 아득하고, 서병西屛은 영지산靈芝山으로부터 와서 도산의 서쪽에 이르르니 치솟은 봉우리들이 드높다. 양병兩屛이 서로 바라보며 굼실굼실 남행南行하여 팔구 리八九里쯤을 서리어 가다 동쪽 것은 서쪽으로 서쪽 것은 동쪽으로 향하여 남쪽들의 벌판 밖에서 합세한다.
>
> 물은 도산의 뒤에 있는 것을 퇴계退溪라 하고 도산의 남쪽에 있는 것을 낙천洛川이라 하는데 퇴계는 도산의 북쪽을 돌아 도산의 동쪽에서 낙천으로 들어가고

도산서원陶山書院 도판21
1734년 갑인甲寅경, 지본담채紙本淡彩, 56.3×21.2cm, 선면扇面, 간송미술관 소장.

낙천은 동병으로부터 서쪽으로 나가 도산의 발치에 이르면 물길이 깊어져 깊이가 아래위 몇 리 간은 배로 갈 만하다. 금모래 옥자갈에 물빛이 맑고 푸르르니 곧 이른바 탁영담濯纓潭이다. 서쪽으로 서병의 기슭을 스치면서 드디어 그 아래로 아울러 나가 남쪽으로 큰 들을 지나 부용봉芙蓉峯 아래로 들어가는데 부용봉은 곧 서쪽 것이 동쪽으로 가서 합세한 곳이다.

처음에 내가 퇴계退溪 위에 살터를 잡아 시내에 임하여 몇 간 집을 얽고 책을 쌓아 두고 수양하는 곳으로 삼으려 했는데 대개 그 땅을 이미 세 번이나 옮겼었으니, 문득 비바람에 무너진 바 되고, 또 시내 위가 너무 한적한 곳으로 치우쳐서 넓게 트이지 못해서였다. 이에 다시 옮김을 꾀해 도산의 남쪽에서 땅을 얻었다.

여기에 소동小洞이 있으니 앞으로는 강교江郊를 내려다보아 아득하게 트여 있고 바위산 기슭은 고요하고 나무 무성하며 돌샘은 물맛이 달고 시원하니 숨어 사는 곳으로는 꼭 마땅하다. 시골 사람이 그 가운데서 밭을 일구고 있으므로 돈으로 샀다. 법련法蓮이라는 승려가 있어 그 일을 주관했는데 조금 있다 법련이 죽자 정일淨一이라는 사람이 그것을 이었다.

정사년丁巳年(1557)으로부터 신유년辛酉年(1561)에 이르기까지 오 년이 걸려서야 서당과 정사精舍 두 집이 대충 지어져서 깃들어 쉴 만하게 되었다. 서당은 대체로 삼간三間인데 일간一間을 완락재玩樂齋라 하고……동쪽 일간을 암서헌巖栖軒이라 했으며……또 합쳐서는 도산서당陶山書堂이라고 편액을 써 걸었다. 정사는 대체로 팔간八間인데 서재書齋는 시습재時習齋라 하고 요사寮舍는 지숙료止宿寮라 하며 마루는 관란헌觀瀾軒이라 했고 합쳐서 편액하기는 농운정사隴雲精舍라 했다.

서당의 동쪽에 작은 모난 연못을 파서 그곳에 연을 심고 정우당淨友塘이라 했으며 그 동쪽이 몽천蒙泉이 되는데 몽천 위 산자락을 파내어 관란헌과 마주 평등하게 하고 축대를 쌓아 단壇을 만들고 그 위에 매화, 대, 소나무, 국화를 심고 절우사節友社라 했으며 서당 앞의 출입처는 사립문으로 막고 유정문幽貞門이라 했다.

문밖의 작은 길이 시내를 따라 내려가다 동구에 이르면 두 산기슭이 서로 마주 대하게 되니 그 동쪽 기슭에 바위를 열어 터를 닦으면 작은 정자를 지을 수 있으나 힘이 미치지 못해 다만 그곳을 두기만 했으나 산문山門과 같은 데가 있으므로 곡구암谷口巖이라 했다.

이로부터 동쪽으로 몇 발짝을 돌면 산기슭이 갑자기 끊어져 바로 탁영담 위로 빠져드니 큰 바위가 깎아지른 듯 서 있고 층층이 쌓인 것이 십여 길이나 된다. 그 위를 쌓아 대臺를 만드니 소나무 그늘이 해를 가리고 위의 하늘과 아래의 물에 새와 물고기가 날고뛰며 좌우의 취병翠屛이 그림자를 움직여 푸르름을 담그니 강산江山의 아름다움을 한 번 보아 모두 얻을 수 있으므로 천연대天淵臺라 했다.

서쪽 산기슭도 역시 비슷하게 대를 쌓고 그것을 이름 지어 천광운영대天光雲影臺라 하니 그 경치가 천연대보다 응당 못하지 않다. 반타석盤陀石은 탁영담 가운데에 있는데 그 모양이 안장 같아서 배를 매어 놓고 술잔을 전할 수 있다. 매양 물이 불어남을 만나면 곧 가즈런히 함께 들어갔다가 물이 떨어지고 물결이 맑아진 연후에 이르러서야 비로소 드러난다.……

靈芝之一支 東出, 而爲陶山, 或曰 以其山之再成, 而命之曰 陶山也, 或云, 山中舊有陶竈, 故名之, 以其實也. 爲山不甚高大, 宅曠而勢絶, 占方位不偏, 故其旁之峯巒溪壑, 皆若拱揖環抱於此山然也. 山之在左曰 東翠屛, 在右曰 西翠屛, 東屛 來自淸涼, 至山之東, 而列峀縹緲, 西屛 來自靈芝, 至山之西, 而聳峯巍峨. 兩屛相望, 南行迤邐, 盤旋八九里許, 則東者西, 西者東, 而合勢於南野莽蒼之外.

水在山後曰 退溪, 在山南曰 洛川, 溪循山北, 而入洛川於山之東, 川自東屛而西趨, 至山之趾, 則演漾泓渟, 沿泝數里間, 深可行舟. 金沙玉礫, 淸瑩紺寒, 卽所謂濯纓潭也. 西觸于西屛之崖, 遂竝其下, 南過大野, 而入于芙蓉峯下, 峯卽西者東, 而合勢之處也. 始余卜居溪上, 臨溪縛屋數間, 以爲藏書養拙之所, 蓋已三遷其地, 而輒爲風雨所壞, 且以溪上偏於闃寂, 而不稱於曠懷. 乃更謀遷, 而得地於山之南也.

爰有小洞, 前俯江郊, 幽敻遼廓, 巖麓悄蒨, 石井甘洌, 允宜肥遯之所. 野人田其中, 以資易之. 有浮屠法蓮者, 幹其事, 俄而蓮死, 淨一者繼之. 自丁巳 至于辛酉, 五年而堂舍兩屋粗成, 可棲息也. 堂凡三間, 中一間曰 玩樂齋,……東一間曰 巖栖軒,……又合而扁之曰 陶山書堂. 舍凡八間, 齋曰 時習, 寮曰 止宿, 軒曰 觀瀾, 合而扁之曰 隴雲精舍.

堂之東偏, 鑿小方塘, 種蓮其中, 曰 淨友塘, 又其東爲蒙泉, 泉上山脚, 鑿令與軒對平, 築之爲壇, 而植其上梅竹松菊, 曰 節友社, 堂前出入處, 掩以柴扉, 曰 幽貞門. 門外小徑, 緣澗而下, 至于洞口, 兩麓相對, 其東麓之脅, 開巖築址, 可作小亭, 而力不及, 只存其處, 有似山門者, 曰 谷口巖.

自此東轉數步, 山麓斗斷, 正控濯纓潭上, 巨石削立, 層累可十餘丈. 築其上爲臺, 松棚翳日, 上天下水, 羽鱗飛躍, 左右翠屛, 動影涵碧, 江山之勝, 一覽盡得, 曰 天淵臺. 西麓亦擬築臺, 而名之曰 天光雲影, 其勝槪, 當不減於天淵也. 盤陀石, 在濯纓潭中, 其狀盤陀, 可以繫舟傳觴. 每遇潦漲, 則與齊入, 至水落波淸, 然後 始呈露也.

李滉, 『退溪集』 卷三, 陶山雜詠幷記

과연 겸재는 위에서 기술된 도산서당 일대의 경개를 한 폭 선면에 빠짐없이 묘사해 놓고 있다. 도산陶山, 퇴계退溪, 낙천洛川, 천연대天淵臺, 천광운영대天光雲影臺, 반타석盤陀石, 도산서당, 도산서원, 동취병東翠屛, 서취병西翠屛 그리고 반타석 곁에 맨 배 등등 어느 것 하나 빼놓지 않았다. 분명히 『퇴계집』에서 이 글을 읽고 또 읽어 이 경치에 익숙해진 다음 이곳을 탐방하여 사생해 냈을 것이다.

아무리 겸재의 날카로운 눈매라지만 몇 번 본 것으로 수십 년 터 잡아 살면서 이곳을 직접 꾸며 냈던 퇴계선생의 치밀한 기술記述에 이렇게 일치할 수는 없다. 바로 이렇게 기록을 통해 예비지식을 충분히 갖추고 진경사생眞景寫生에 임하는 자세가 곧 겸재만이 할 수 있었던 화성畵聖다운 자세라 하겠다.

선면 우측 상단을 강 건너 정자의 아련한 표현으로 막아 내린 것이나 도산서원과 도산서당을 산에 가득 차게 표현하면서 주변 경개와 조금도 조화를 잃지 않게 한 것 및 양쪽 하단에 송림을 배설하여 강산의 그윽한 정취를 북돋되 그 역시 봉우리와 평지의 음양 대조를 보여 주는 것 등에 이르면 과연 겸재다운 기량이로구나 하는 감탄이 절로 나온다.

신록이 싱그러운 초여름인 듯 산야는 연두와 초록빛으로 물들어 있고 소나무 숲은 더욱 검푸르며 강물은 맑고 푸르게 잔물결을 일으키는데 원생院生들은 모두 학업에 몰두하는 듯 내외內外에 인영人影이 전무하고 오직 수복守僕 하나가 그물인지 쇠스랑인지 모를 것을 어깨에 메고 서원에서 내려오다 서당 쪽 울타리 밖에 이르러 울안을 넘겨다보고 서 있다. 참으로 한적한 분위기를 실감나게 묘사해 놓고 있다.

도산서원陶山書院 부분

제5장

진경화풍의 확립

13

영남첩嶺南帖의 잔해殘骸

성류굴聖留窟도판22

현재의 행정구역으로는 경상북도 울진군 근남면近南面 구산리九山里에 있는 명승이다.

하늘을 찌를 듯한 석봉石峯 아래에 연륜 2억 5천만 년이나 되는 종유굴鐘乳窟이 4백여 미터 길이로 뚫려 있어 기기묘묘한 형상을 자랑하므로 고래古來로 호기심 많은 탐승객들의 발길이 끊이지 않는 곳이다.

더구나 그 아래로 왕피천王避川 맑은 물이 굽이쳐 흘러가 미구에 동해로 돌아드니 이곳에 이르면 선계仙界에 오른 듯 황홀한 느낌이 든다 한다. 그래서 선유굴仙遊窟이라고도 한다는데 이는 원래 석류굴石溜窟, 즉 돌물이 떨어져서 이루어진 석회암굴石灰岩窟이란 뜻의 이름으로부터 발음상 같은 음인 성류굴聖留窟이라는 불교적 색채 깃든 이름으로 바뀌고, 다시 그 발음이 와전되어 붙여진 이름일 듯하다.

◆ **발연**勃然
불끈 성내는 모양

그림에서 보면 거대한 기둥 모양의 암봉岩峯이 화면 중앙에 발연勃然◆ 돌기突起하고 그 주변으로 낮은 산봉우리들이 줄기줄기 이어져 감싸고 있다. 그 중에 왕피천 물굽이가 암봉의 밑자락을 휘감아 씻어 가니 마치 암봉은 물속에서 불쑥 솟아난 듯한 느낌이 든다.

◆ **수직쇄찰법**垂直刷擦法
수직으로 쓸어내리는 먹칠법

◆ **탱천**撑天
하늘을 떠받칠 듯 솟구침

암봉은 청묵靑墨으로 쓸어내리는 수직쇄찰법垂直刷擦法◆을 과감하게 구사하여 천 길 절벽이라는 사실을 강렬하게 표현해 놓고 있는데 암두岩頭(바위 끝)에 천년 노송림을 가득 채워 놓아 더욱 탱천撑天◆하는 기세를 북돋우고 있다. 밋밋하게 단일 색조로 쓸어내리기만 하면 자칫 용솟음쳐 오르는 암봉의 기세가 손상

될까 보아 수직쇄찰을 가하면서 농담지속濃淡遲速◆의 묘妙를 곳곳에서 살려 놓고 그도 부족하면 태점苔點으로 이를 보완했다.

◆농담지속濃淡遲速 짙고 옅으며 느리고 빠름

성류굴이 있는 하단에 이르면 마치 괴수의 두 눈처럼 빠끔히 뚫린 굴 주변으로 둥근 바윗덩어리들이 알심 있게 표현되며 짙은 솔숲이 그를 에워싼다. 이때도 많은 탐승객들의 내왕이 있었던 듯 왕피천 냇가 벼랑을 따라 난 길이 굴 앞 너른 공터에까지 이어지고 있다. 사실 이 공터에는 성류사聖留寺라는 절이 있었다 하는데 임진왜란에 불타 없어져 이때도 이렇게 빈터만 남아 있었던 모양이다.

고려 후기 성리학의 대가이며 대문장가이던 가정稼亭 이곡李穀(1298~1351)은 「성류사기聖留寺記」에서 다음과 같이 기록해 놓고 있다.

> 절은 바위 벼랑 아래 큰 내 위에 있다. 벼랑바위는 절벽으로 천 척千尺이나 솟아 있고 절벽에 작은 구멍이 있으니 성류굴聖留窟이라 부른다. 굴의 깊이는 헤아릴 수 없으며 또한 어두워 불을 밝히지 않으면 들어갈 수 없다. 사승寺僧으로 하여금 횃불을 들고 인도하게 하고 익숙하게 드나들던 뱃사람들을 앞뒤로 따르게 했다.
>
> 굴 입구는 좁은데 무릎걸음으로 4, 5발짝을 가자 조금 넓어졌다. 일어나 몇 발짝을 더 가자 낭떠러지가 나오는데 세 길이나 되어 사다리를 타고 내려가니 점점 평이하며 높고 넓어졌다. 수십 보를 걸어가면 평지가 나오는데 여러 마지기가 됨직하고 좌우의 돌 모양이 이상하다.
>
> 또 10여 보쯤 걸어가면 구멍이 있는데 북쪽 구멍이 더욱 좁아 기어서 들어가니 그 아래는 진흙탕물이라 자리를 깔아 젖는 것을 막았다. 7, 8보를 가면 조금 넓어지고 좌우는 더욱 이상해져서 혹은 당번幢幡과 같고 혹은 부도浮屠와 같다. 또 십수 보를 가면 그 돌은 더욱 기괴해져서 그 형상을 더욱더 많이 알아볼 수 없다. 당번 같고 부도 같은 것들은 더욱 길고 넓고 높고 커지는데 다시 4, 5보步를 가면 불상佛像 같은 것도 있고 고승高僧 같은 것도 있다.
>
> 또 못물도 있으니 맑고 심히 넓어 여러 마지기나 되고 가운데 두 개의 돌이 있는데 하나는 수레바퀴 같고 하나는 정병淨甁 같기도 하다. 그 위와 곁으로 드리워진 번개幡蓋는 모두 오색찬란한데 처음에는 석유石乳가 엉킨 것이므로 심히 굳세지는 않으리라 생각하고 지팡이로 두드려 보았더니 각각 소리가 다르다. 그

성류굴聖留窟 도판22

1734년 갑인甲寅경, 지본담채紙本淡彩, 28.5×27.2cm, 간송미술관 소장.

길고 짧은 것에 따라 청탁의 구분이 있으니 마치 편경編磬과 같은 것이다.

사람들 말로는 못을 따라 들어가면 더욱 기괴하다 하나 나는 이를 세속이 더럽히며 구경할 것이 아니라 생각해 곧 되돌아 나왔다. 그 양쪽 옆에도 많은 구멍이 있는데 사람이 잘못 들어가면 나올 수 없다고 한다. 그 사람들에게 굴이 얼마나 깊은지 물어봤더니 아무도 그 끝을 가 본 사람은 없으나 혹은 평해군平海郡 해변에 도달한다고 말하기도 하는데, 대개 여기서 20여 리나 되는 거리라고 대답한다.

처음에는 그을리고 때 묻힐까 보아 종의 옷과 모자를 빌려 쓰고 들어갔다가 나와서 옷을 바꿔 입고 씻고 나니 꿈속에 화서지국華胥之國◆에서 놀다가 갑자기 깨어난 것 같다. 시험해 생각해 보니 조물造物의 신묘함을 너무 많이 헤아릴 수 없구나.

◆**화서지국**華胥之國
황제黃帝가 낮잠 자다 꿈속에서 가 보았다는 이상향理想鄕

나는 국도國島 및 이 굴에서 더욱 그것을 보았다. 그 자연으로 이루어졌을까. 혹시 그것을 고위故爲로 했을까. 자연이라고 생각한다면 어찌 그 임기응변하는 기교가 이와 같이 지극하단 말인가. 그것을 일부러 했다고 생각한다면 비록 귀신의 공력이 천만년을 다한다 한들 또한 어떻게 이런 극치에 이르겠는가.

寺在石崖下長川上. 崖石壁立千尺, 壁有小竇, 謂之聖留窟. 窟深不可測, 又幽暗, 非燭不可入. 使寺僧執炬導之, 又使舟人之慣出入者, 先後之. 竇口狹, 膝行四五步稍闊. 起行又數步, 則有斷崖可三丈, 梯而下之, 漸平易高闊. 行數十步有平地, 可數畝, 左右石狀殊異.

又行十許步有竇, 北竇口益隘, 蒲伏而行, 其下泥水, 鋪席以防霑濕. 行七八步, 稍開闊, 左右益殊異, 或若幢幡, 或若浮圖. 又行十數步, 其石益奇怪, 其狀益多不可識. 其若幢幡浮圖者, 益長廣高大, 又行四五步, 有若佛像者, 有若高僧者. 又有池水, 清甚闊可數畝, 中有二石, 一似車轂, 一似淨甁. 其上及旁, 所垂幡盖, 皆五色燦爛, 始意石乳所凝, 未甚堅硬, 以杖叩之, 各有聲. 隨其長短, 而有清濁. 若編磬者.

人言若沿池而入, 則益奇怪, 余以爲此非世俗所可褻玩者, 趣以出. 其兩旁多穴, 人有誤入, 則不可出. 問其人窟深幾何, 對以無人窮其源者, 或云可達平海郡海濱, 盖距此二十餘里也. 初慮其熏且汚, 借僮僕衣巾以入, 旣出易服洗盥, 若夢遊華胥, 遽然而覺者. 嘗試思之, 造物之妙, 多不可測. 余於國島及是窟, 益見之. 其自然而成耶. 抑故爲之耶. 以爲自然, 則何其機變之巧, 如是之極耶. 以爲故爲之, 則雖鬼工神力, 窮千萬世, 而亦何

성류굴聖留窟 부분

以至此極耶.

『東國輿地勝覽』 卷四十五, 蔚珍 佛宇 聖留寺

『동국여지승람』 권45 강원도 울진 불우조佛宇條 성류사聖留寺 세주에 위의 내용이 이기되어 있는데 그 앞에는 그 위치를 이렇게 밝혀 놓고 있다.

백련산白蓮山에 있으니 현 남쪽 17리里에 있다. 곧 성류굴聖留窟이니 옛 이름은 탱천굴撑天窟이다.

在白蓮山, 距縣南十七里. 卽聖留窟, 古名撑天窟.

그런데 조선 후기 정조 이후에 이루어진 『울진현읍지蔚珍縣邑誌』에서는 성류사에 대한 기록은 전혀 보이지 않고 다만 성류굴에 대한 기록만 다음과 같이 실려 있다.

성류굴은 현의 남쪽 10여 리에 있다. 석봉石峯이 탱천撑天하여 심히 장대壯大하고 웅위雄偉한데 그 하면에는 작은 구멍이 있어 들어가면 그 안은 광활하여 가히 말을 달릴 만하다. 점차 5, 60보쯤 더 들어가면 그 구멍은 다시 좁아져서 겨우 무릎걸음으로 갈 수 있으며 형상은 마치 문호門戶와 같다.

그 문턱을 지나면 또다시 넓어지는데 수십 보를 가게 되면 좌우석벽은 그 구멍이 혹 솟기도 하고 패이기도 하며 높낮이가 가지런치 않아 스스로 기이한 모양을 이루니 마치 물상物像을 조각해 놓은 듯하다. 그 중에 한 줄기 곧은 돌이 기둥처럼 위를 받치는데 불을 밝혀 보면 황색이 영롱하다.

위로부터 드리워 내린 것은 얼마나 되는지 알지 못하겠고 형상은 개이빨과 같으며 북채로 치면 그 소리가 북 같기도 하고 종 같기도 하다. 크게 치면 웅장하고 작게 치면 가늘고 맑아 음률音律이 있는 것 같다. 그 중간에 물이 있으니 못과 같다. 기이한 형태의 괴이한 구멍들은 이름 붙일 수도 없다.

聖留窟, 在縣南十里許. 石峯撑天, 壯甚雄偉, 其下面, 有小竇, 而入則其內廣闊, 可容走馬. 漸進五六十步許, 則其竇還狹, 僅容膝行, 狀如門戶. 過其限, 則又復開廣, 行數十步, 左右石壁, 其竇或凸或凹, 高低不齊, 自成奇紋, 況若物像雕篆.

中有一莖直石, 如柱而撑上, 以火燭之, 則黃色玲瓏. 自上垂下者, 不知其幾許, 而狀如犬牙, 以桴擊之, 則其聲 如鼓如鐘. 大打, 則雄而壯, 小打, 則細而淸, 似有音律. 其中間有水, 如池. 奇形怪穴, 不可名焉.

이런 정황이 겸재의 〈성류굴〉에서 이미 회화화되어 분명하게 표현되고 있다.

청하성읍淸河城邑 도판23

청하는 영일만 북쪽 동해변 산해간山海間에 위치한 소현小縣이었다. 겸재가 도임하는 해보다 불과 35년 뒤인 영조 44년(1768) 무자戊子에 만들어지는 읍지邑誌에서 전현全縣의 호구수가 1,045, 인구가 남녀 도합 6,907구라 했으니 그 크기를 대강 짐작할 수 있다. 그래서 정사政事가 매우 한가했던 모양이니 겸재보다 13대나 뒤에 왔던 현감 안석전安錫佺이 칠정헌七政軒이란 동헌 현판을 육청헌六淸軒으로 고치면서 이런 기문記文을 남겨 놓고 있다.

> 내가 없는 재주로 승평한 시기를 만나 외람되이 청하淸河를 맡게 되었으나 읍이 작고 일이 없으니 종일 적적하다. 공당公堂의 현액을 예전에는 칠정七政이라 했었는데, 내가 또 육청六淸이라 명명했더니 내게 들려가는 사람이 그것을 묻는다.
>
> 내가 이렇게 말했다. '시절이 맑고 물이 맑으며, 관청이 맑고 인심이 맑으며, 바람이 맑고 잠이 맑은 것이라.' 객客이 이르기를 '내가 경내에 들어와서 정사 맑은 것을 알았으니 여섯에 아울러서 일곱 가지 일로 빗대는 것이 좋겠다' 고 한다. 나는 이렇게 말했다. '이는 내가 능히 할 수 있는 바다.' 객이 가고 매미소리 나무에 가득한데 작은 동헌이 조금 시원한지라 책상을 베고 누웠더니 마당 그림자가 바뀌는 줄도 몰랐다.
>
> 余以不才, 遭遇昇平, 叨守淸河, 邑小事簡, 終日寂如也. 公堂之額, 舊以七政, 余又命曰六淸, 有過余者問之. 余曰 時淸而河淸, 官淸而心淸, 風淸而睡淸. 客曰 吾入境, 知政淸也. 幷於此六, 以擬七事之數可乎. 余曰 是則吾所能也. 客去而蟬聲滿樹, 小軒微涼, 枕几而臥, 不知庭陰之改也.
>
> 李純謙, 『淸河邑誌』, 公廨 六淸軒條

이렇게 한가한 고을이니 겸재는 도임하여 대강 정무를 정돈한 다음 대개 그림 그리는 일로 소일했을 것이다. 우선 자신이 도임해 와 살며 다스리는 읍성도邑城圖를 그려 냈다. 그것이 〈청하성읍〉이다. 크기 25.9×31.8cm밖에 안 되는 소폭 그림인데, 진산鎭山인 호학산呼鶴山이 보이도록 동쪽에서 바라본 시각으로 처리하고 있다.

담묵淡墨으로 우려서 음영을 살려 놓은 산봉우리 위에 여러 농도의 미점米點을 덧찍어 임상林狀을 표시하고 있으나 연운煙雲의 표현이 없어 약간 메마른 느낌이 든다. 이는 겸재가 건조한 날이 많은 우리 기후의 특징에 따라 청명淸明한 산색山色을 전신傳神할 때 항용 쓰는 기법이기도 하다.

청하읍성도 거의 정방형正方形에 가까우며 평지의 구릉 위에 축조돼 있다. 동헌, 내아, 객사 등 관아는 모두 성안에 있는 듯, 성안에는 기와집들이 즐비하게 들어차 있는데 동헌 구역과 객사 구역, 내아 구역이 질서정연하게 나뉘어 있다. 서쪽이 정사政事 공간인 동헌 구역으로 중심건물들이 모두 남향南向해 있고, 생활공간인 내아는 동북쪽에, 휴식공간인 객사 구역은 동남쪽에 배치돼 있다. 건물 표현에서 기와지붕의 먼 쪽 끝이 치솟는 것은 겸재법이라 할 수 있는데 건물 배치는 철저한 사생에 입각한 듯 누각樓閣만은 동향東向을 하고 있다.

성안 곳곳에 해묵은 잡목이 서 있고 남쪽과 서쪽 성벽을 따라서 대숲이 표현되어 있다. 아마도 화살을 만들 수 있는 시죽림矢竹林일 것이다. 동문 밖에는 작은 언덕에 소나무숲이 우거져 있고 그 아래에 초가집이 있다. 그 북쪽 언덕 아래에도 관청인 듯한 기와집이 보이고 동쪽 바닷가에는 울창한 송림松林이 보인다.

『청하읍지』에서는 이렇게 기록하고 있다.

> 성지城池 읍성邑城은 선덕宣德 정미丁未(세종 9년, 1427)에 현감 민인閔寅 때에 쌓은 것으로 안동·봉화·풍기·영천 등의 읍군이 와서 쌓았다. 주위가 1,353척, 높이가 9척이고, 성가퀴가 한 가퀴 있으며, 동서에 문이 있다. 안에는 두 개의 연못과 두 개의 우물이 있는데 하나의 우물은 지금 못쓰게 되었다.
>
> 城池邑城, 宣德丁未, 縣監閔寅時, 安東奉化豊基榮川等邑軍, 來築. 周一千三百五十三尺, 高九尺, 女堞一堞, 有東西門. 內有二池二井, 一井今廢.

대체로 그림에 보이는 성의 윤곽과 일치하는 내용이다.

특이하게도 청하읍성은 남북 문이 없다. 서고동저西高東低의 지세 때문일 것이다. 따라서 동문東門이 정문인데 그 문루門樓는 부옹루孚顒樓란 이름을 가졌었

청하성읍清河城邑 도판23

1734년 갑인甲寅경, 지본담채紙本淡彩, 25.9×31.8cm, 겸재기념관 소장.

다고 한다. 세종 10년(1428) 경상도 관찰사 홍여방洪汝方(?~1438)이 쓴 「부옹루기孚顒樓記」가 있다고 『동국여지승람』 권23, 청하 누정조樓亭條에서 밝히고 있으니 아마 홍여방이 지은 이름일 듯하다. 이곳에서 일출日出의 장관을 보고 아마 거대한 불새알이 부화하는 것 같은 느낌을 받았었던 모양이다.

그런데 이 그림에서는 그 부옹루의 뚜렷한 표현이 없고 오히려 서문이 분명할 뿐 아니라 서문 밖으로 민가가 모여 있다. 아마 겸재시대는 동문이 정문 구실을 하지 못하여 서문이 정문이었던가 보다. 이 사실은 겸재보다 무려 23대 뒤에 오는 현감 김명연金命淵이 봉송정鳳松亭 소나무를 베어다가 이 부옹루를 중건하고 그 중건기를 짓는 것으로 확인할 수 있다.

객사 구역에 있는 거대한 누각은 회재晦齋 이언적李彦迪(1491~1553)의 기문記文과 청천靑泉 신유한申維翰(1681~1752)의 중영기重營記가 있었다는 해월루海月樓일 터이고 그 곁의 객관은 덕성관德城館, 중앙의 번듯한 건물들은 동헌인 칠정헌七政軒(뒷날 육정헌六淸軒으로 개명)을 비롯한 서청관西淸館, 읍창邑倉, 군기고軍器庫 등 부속건물일 것이다. 장관청將官廳, 군관청軍官廳, 사령청使令廳, 관노청官奴廳 등은 모두 읍성 동쪽에 있었다 하니 성밖 동북쪽 언덕 아래 보이는 기와집들이 모두 그런 관사인가 보다.

『동국여지승람』에서 '현의 동쪽 2리里에 있다. 장송長松 수백 주가 있어 해문海門을 가려준다.(左縣東二里. 有長松數百株, 掩翳海門.)' 고 한 봉송정 송림은 근경으로 표현된 바로 그 소나무숲이다. 농묵濃墨으로 파묵破墨해서 임리淋漓한 엽상葉狀을 나타내고 수간樹幹도 같은 먹빛으로 농담의 차이를 두며 붓 가는 대로 죽죽 한 번씩 그어 내린 겸재 특유의 송림법松林法으로 그려져 있다. 우리 솔숲을 표현하는 데 가장 적절한 화법이다.

내연삼용추內延三龍湫도판24

겸재는 청하淸河에 부임하자 자신을 이런 경치 좋은 고을 수령으로 내려보내 준 국왕 이하 여러 동지들의 기대에 어긋나지 않게 하려고 관내의 명구는 물론이고 동해안 및 인근의 승지를 찾아다니며 경치를 사진寫眞하기에 여념이 없었다. 이 〈내연삼용추內延三龍湫〉도 그렇게 그려진 진경眞景 중 하나다.

내연산內延山은 청하 읍치에서 북쪽으로 11리 떨어진 곳에 있는 명산이다. 해발 930m의 큰 산으로 한반도의 척량脊梁인 태백산맥의 줄기답게 산세가 웅장하고 산형山形이 혼후활대渾厚闊大하나 내부에 들어서면 계곡이 유수幽邃하고 암벽岩壁이 초절峭絶하여 십이폭十二瀑을 자랑하는 절경이 전개된다.

그 중에서 상중하上中下 삼용추三龍湫가 있는 큰 폭포가 더욱 빼어나서 내연산 삼용추로 불리는데 겸재는 이를 화폭에 올렸다. 겸재가 얼마나 자주 이 내연산을 내왕하며 진경사생에 골몰했는지는 자세히 알 수 없으나 세상에 여러 폭의 〈내연산도內延山圖〉가 전해지고 있는 것을 보면 범연히 지나치지 않았었다는 것을 알 수 있다.

그래서 필자는 겸재의 유적이 필연 이 산 어느 곳엔가 남겨져 있으리라는 기대를 가지고 1980년 여름에 내연산 12폭을 모두 더듬어 살핀 끝에 상폭上瀑 좌측 바위굴 벽면에서 '갑인甲寅 추秋 정선鄭敾'삽도53이라는 각자刻字를 발견해 낼 수 있었다. 갑인甲寅년이면 바로 겸재가 청하현감으로 부임해 온 다음 해인 영조 10년(1734)이다. 겸재가 59세 되던 해다. 그림 솜씨가 바야흐로 가경佳景에 접어들던 때에 이런 좋은 경치를 만났으니 어찌 호흥豪興이 발동하지 않을 수 있었겠는가.

겸재는 능숙한 필치로 현재 국립중앙박물관에 소장된 〈내연삼용추內延三龍湫〉를 그려 냈다. 고절초삭高絶峭削한 암벽을 서릿발 같은 상악霜鍔준과 길게 내리 쪼개는 장부벽長斧劈준 등을 섞어 쓰며 통쾌하게 그려 내고 절벽 위 토산은 미가산법米家山法으로 수림樹林을 임리淋漓하게 표현해 내고 있는데 경골硬骨의 암벽岩壁을 유연柔軟한 토산土山이 감싸고 있는 음중양陰中陽의 화면구성畵面構成이다.

이는 겸재가 『주역周易』의 음양조화陰陽調和 이치에 통달해 있었기 때문에 이

내연삼용추內延三龍湫 도판24

1734년 갑인甲寅경, 견본담채絹本淡彩, 21.1×29.7cm, 국립중앙박물관 소장.

내연산 삼용추 상폭上瀑(왼쪽)
좌측 바위굴벽에 겸재 각자가 새겨져 있다.

내연산 겸재 각자刻字 삽도53(오른쪽)

렇게 그려 낸 것만은 아니다. 실제 산형山形이 그렇다. 그러나 이를 꿰뚫어 보는 통찰력과 이치를 헤아릴 줄 아는 식견이 없었다면 이런 화면구성은 불가능했을 것이다.

더구나 겸재는 삼용추의 용폭龍瀑 높이와 용연龍淵 깊이를 강조하기 위해 쌍폭을 이루며 떨어지는 중폭을 화면의 중간 좌측에 분명히 표현하면서 그 우측으로는 절벽 중간에 도로를 내어 그 끝으로 사라지게 했다. 그래서 더욱 고절차아高絶嵯峨한 느낌이 든다. 쌍폭 아래 왼쪽 절벽 밑에 뚫린 세 개의 암굴岩窟은 실재하지 않는다.

이런 암굴은 저 멀리 한 끝만 보이게 표현한 상폭 아래에 있는 것이다. 그런데 겸재는 문득 이것들을 중폭으로 끌어내려 그 유수한 흥취를 더해 놓고 있는 것이다. 과연 그 정신성까지 그리려는 전신傳神 기법이라 할 수 있으니 이것이 겸재 진경산수화법의 묘리다.

내연산 삼용추를 아는 사람이면 이 그림에서 내연산 삼용추의 진면목을 직감적으로 감지하게 될 터이고 오히려 미처 못 느꼈던 감흥을 차근차근 음미해 갈

내연삼용추內延三龍湫 부분

수 있을 것이다. 이런 그림을 그려 내 내연산의 아름다움을 천하에 알려 준 이가 겸재니 내연산과 겸재의 인연이 적다 할 수 없는데 1992년 4월 4일에 다시 내연산을 찾아가 보니 '정선鄭敾'의 각자刻字가 십여 년 동안 유산객들의 발길에 밟혀 거의 알아볼 수 없게 되어 있다. 보호대책을 세워야 하겠다.

해인사海印寺도판25

해인사는 경상남도 합천군陜川郡 가야면伽倻面 치인리緇仁里 10번지에 현존하는 법보종찰法寶宗刹이다. 이 절은 신라 애장왕 3년(802) 임오壬午, 즉 정원貞元 18년에 의상義湘대사의 법손이며 신림神琳대사의 제자인 순응조사順應祖師가 창건하고 이정선백利貞禪伯이 대가람으로 확장했다고 한다. 그 자세한 내용은 고운孤雲 최치원崔致遠(857~?)선생이 효공왕 4년(900) 경신庚申, 즉 광화光化 4년에 지은 「신라가야산해인사선안주원벽기新羅伽倻山海印寺善安住院壁記」에 기록돼 있다.

『삼국유사三國史記』 권46 최치원전崔致遠傳에 의하면 선생은 진성여왕의 비정을 보고 세상을 바로잡을 수 없다고 판단, 일가를 거느리고 가야산 해인사로 들어가 은거하며 친형인 해인사 승려 현준賢俊, 정현定玄 양 대사와 더불어 도의道義로 사귀며 만년을 보냈다 하니 이 기록은 해인사 현장에서 문견한 사실을 채록한 것이라 가장 정확한 내용이라 하겠다.

이후 930년경 승통僧統 희랑希朗대사가 고려 태조를 도와 견훤 세력을 물리친 공으로 전지田地 5백 결을 하사받아 대중창을 이룩했다 하며 최씨 집권시대로부터는 『명종실록』을 비롯한 역대 왕의 실록을 보관하는 사고史庫를 이곳 해인사에 설치해 왕실의 보호를 받기 시작했던 모양이다.

조선왕조에 들어와서는 태조 6년(1397) 정사丁巳에 강화도 선원사禪源寺에 보장해 온 고려대장경을 해인사로 옮길 계획을 세워 서울을 거쳐 해인사로 옮기기 시작, 정종 원년(1399) 기묘己卯에 완전히 이안移安해 모심으로써 법보종찰法寶宗刹의 기틀을 갖추게 된다.

이에 불교에 경도돼 있던 세조는 해인사의 대장경전을 증축할 계획을 세우게 되고 그 계획은 그 자부인 인수仁粹, 인혜仁惠 양 대비에 의해 성종 22년(1491) 신해辛亥에 해인사 대중창 불사 회향으로 완결지어진다. 이때 대문장가인 매계梅溪 조위曺偉(1454~1503)가 이 대중창불사를 총지휘한 학조學祖대사의 청으로 「해인사중창기海印寺重創記」를 짓는데 그 중 일부를 옮겨 그 규모를 살펴보기로 하겠다.

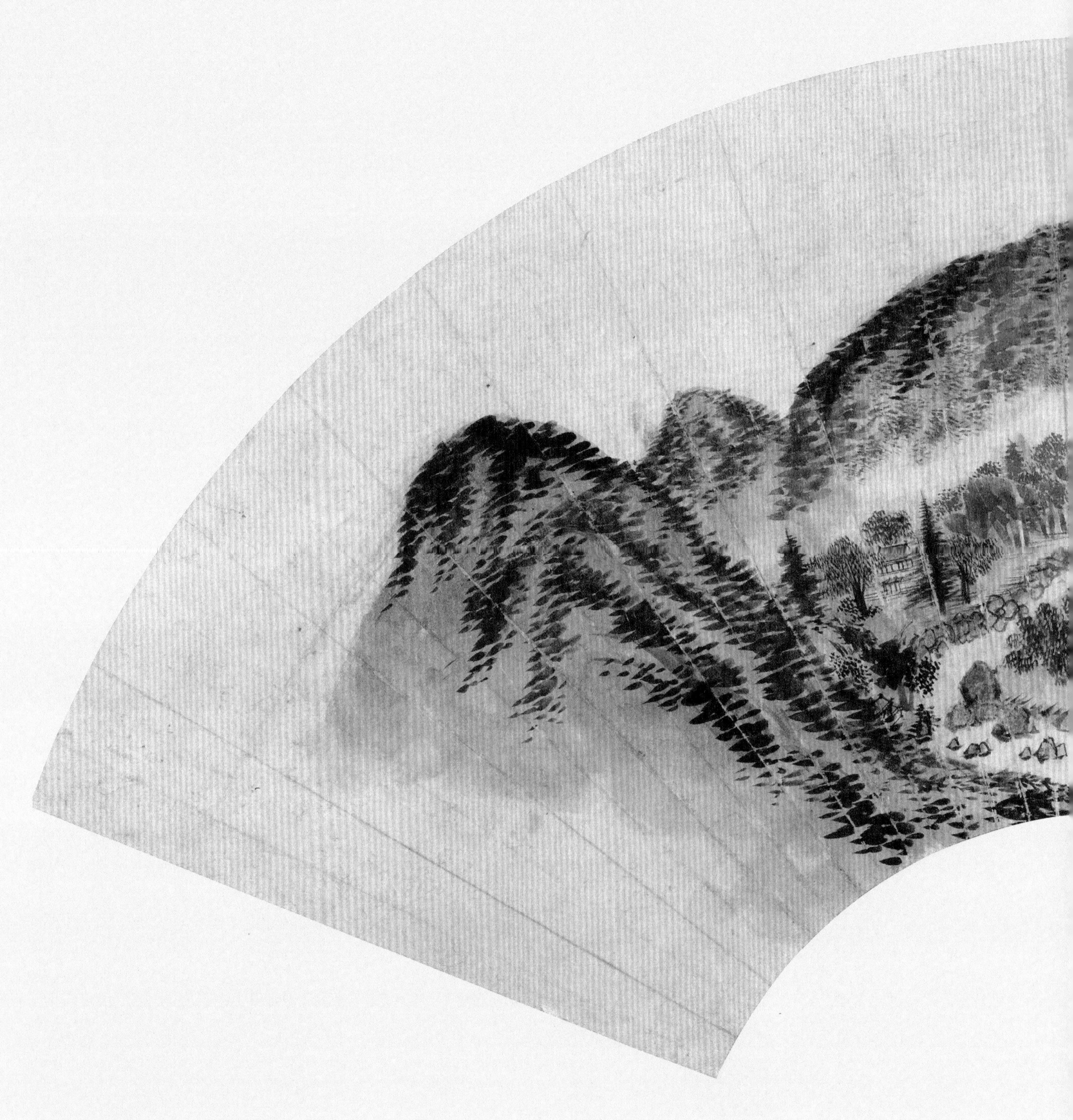

해인사海印寺 도판25

1734년 갑인甲寅경, 지본채색紙本彩色, 67.5×21.8cm, 선면扇面, 국립중앙박물관 소장.

가야산은 동남쪽에서 가장 빼어나 높고 높은 절벽이 그림 같은데 산의 남쪽에 거찰이 있어 해인사라 하니 신라 애장왕 때 고승 순응順應이 창건한 바이다. 절 앞에 봉래蓬萊, 방장方丈, 영주瀛洲 등의 봉우리가 있고 시냇물은 앞 골짜기를 싸고 나와 급히 흐르면서 바위를 치니 우레처럼 시끄럽다. 세상에서는 홍류동紅流洞이라 부른다.

무릉교武陵橋로부터 절에 이르기까지 십여 리인데 붉고 푸른 마애석벽이 깊어질수록 더욱 좋으니 옛 기록에 산 모습은 천하에 으뜸이고 지덕地德은 해동에서 하나뿐이라고 한 것이 거짓 아님을 알겠다. 문창공文昌公 최치원崔致遠이 만년에 벼슬을 버리고 이곳에 숨어 살았는데 그의 독서당은 지금 없어졌으나 제시석題詩石은 아직 남아 있다.

고려 때는 나라의 역사를 보장했었고 또 대장경판을 보장하게 되니 산이 도지圖誌에 실리고 절이 동방에 으뜸되는 것은 당연하다. 우리 세조 혜장대왕께서 왕업을 중흥하고 나라를 나스리는 여가에 석노釋道에 유의하여 불교를 널리 펴서 여러 중생을 널리 제도하려 생각하시고 천순天順 무인戊寅(세조 3년, 1458)에 승려 죽헌竹軒 등에게 명해 본사에 가서 대장경 50건을 인쇄하게 하시고 또 혜각慧覺존자 신미信眉와 등곡燈谷 학조學祖에게 명해 가서 살펴보게 하시니 장경당藏經堂이 좁고 더럽다 하는지라 인하여 본도 감사에게 명하사 조금 옛 제도보다 늘려서 40여 간을 짓게 했으나 12년이 지난 무자戊子(세조 13년, 1468)에 세조는 돌아가시고 말았다.

정희왕후貞熹王后께서 대의大義를 정하시고 동민東民을 편안히 다스리시어 길고 도타운 어진 혜택이 원근에 젖어 듦에 세조께서 받들고 믿으시던 것이 대장경이던 것을 생각하시고……개연히 중영重營할 뜻이 있어 신축辛丑(성종 12년, 1481)에 주지를 갈고 학조에게 명하여 그 절을 맡게 했으나 마침 흉년으로 국가의 일이 많아져서 거행할 겨를이 없게 되었다.

계묘癸卯(성종 14년, 1483)에 정희왕후께서 승하하시자 인수, 인혜 왕대비전하께서……정희왕후의 뜻 두고 이루지 못하심을 애달파하여 곧 학조에게 명하여 그 역사를 가서 감동하게 하고 무신戊申(성종 19년, 1488) 봄에 내수사內需司의 쌀과 무명 약간을 시주하고 도료장都料匠 박중석朴仲石 등을 보내 판당板堂 30간을 다시 짓게 하고 편액을 보안당普眼堂이라 했다. 또 판당 중 불전佛殿 3간을 헐어 적광전寂光殿 서쪽에 옮겨 짓고 편액을 진상전眞常殿이라 했으며 또 조당祖堂 3간을 헐어 진상전 곁에 옮겨 짓고 편액을 해행당解行堂이라 했다.

명년 기유己酉(성종 20년, 1489) 봄에도 또 미포米布를 보시하고 또 명년에도 그렇게 하여 궁현당窮玄堂, 탐진당探眞堂, 감물당鑑物堂, 쌍운당雙運堂 및 일원료一源寮, 곡응료谷應寮, 총지료摠持寮, 도병료倒甁寮 등을 짓고 강당을 지어 무설전無說殿이라 하고 식당을 만월당滿月堂이라 했다. 비로전毘盧殿을 고쳐 지어 대적광전大寂光殿이라 하고 주불主佛 및 보처補處는 모두 황금黃金으로 고쳐 꾸몄다.

종루鍾樓를 원음루圓音樓라 하고, 중문을 세워 불이문不二門이라 했으며 옛 대장전大藏殿을 헐어 적광전 동쪽에 옮겨 짓고 편액을 함허료含虛寮라 하여 은자대장경銀字大藏經 몇 권을 수장했다. 또 해설解說, 소연蕭然, 현감玄鑑, 원융圓融, 쌍할雙割, 호연浩然, 두원逗遠, 연기緣起, 명진冥眞, 현근玄根, 달속達俗, 성행省行, 중형重瑩, 전생轉生, 작숙作熟 등 요사寮舍를 지었다. 또 동서에 누고樓庫를 세워 동쪽을 무진장無盡藏, 서쪽을 식영式盈이라 하니 무릇 집이 160간이 되었다. 혹 보태기도 하고 혹 덜기도 함이 모두 옛 제도에 인연했으나 굉장하고 화려 정밀하고 문채 나는 것은 배나 되었다.

伽倻之山, 最秀東南, 峻絶峭壁如畵. 山之陽有巨刹曰, 海印, 新羅 哀莊王時, 高僧順應所創也. 寺前有蓬萊方丈瀛洲等峰, 衆壑之水, 繞出前洞, 奔流激石, 萬雷轟豗, 俗號紅流洞. 自武陵橋, 抵寺十有餘里, 丹崖翠壁, 愈深愈佳, 古記山形絶於天下, 地德隻於海東者, 信不誣矣.

文昌公崔致遠, 晩年掛冠, 卜隱於此, 讀書堂廢, 而題詩石尙在. 高麗時藏國乘, 又藏大藏經板, 山之著於圖誌, 寺之額於東方者, 尙矣. 我世祖惠莊大王, 中興王業, 萬機之暇, 留意釋道, 思欲洪揚竺敎, 普濟群生, 天順戊寅, 命僧竹軒等, 就本寺, 印大藏五十件, 又命慧覺尊者信眉 燈谷學祖等, 往視之, 藏經之堂, 隘且陋.

因命本道監司, 稍增舊制, 措四十餘間, 越十二年戊子, 世祖上賓, 貞熹王后, 克定大義, 寧濟東民, 深仁厚澤, 浹于遠近, 念維世祖之尊崇篤信者, 琅函秘典……慨然有重營之志, 而歲辛丑始停住持, 命學祖主其寺, 屬因歲侵, 國家之多事未遑擧也. 癸卯貞熹昇遐, 仁粹王大妃, 仁惠王大妃殿……悼 貞熹之有志, 而未就也.

則又命學祖, 往董其役, 戊申春施內需司米布若干石匹, 遣都料匠朴仲石等改構板堂三十間, 扁曰普眼堂. 又撤板堂中佛殿三間, 移構於寂光殿西, 扁曰 眞常殿, 又撤祖堂三間, 移構於眞常殿側, 扁曰 解行堂. 明年己酉春, 又施米布, 又明年亦如之, 構窮玄 探眞 鑑物 雙運 等堂, 及一源 谷應 摠持 倒瓶 等寮, 修講堂曰, 無說, 食堂曰 滿月. 改營毘盧殿, 曰 大寂光, 主佛補處, 皆改飾黃金.

起鍾樓曰, 圓音, 建中門, 曰, 不二, 撤舊大藏殿, 移營於寂光殿東, 扁曰 含虛寮, 藏銀字大藏經幾卷. 又營解說 蕭然 玄鑑 圓融 雙割 浩然 逗遠 緣起 冥眞 玄根 達俗 省行 重瑩 轉生 作熟 等寮. 又起東西樓庫, 東曰 無盡藏, 西曰式盈, 凡爲屋百六十間, 或增或損, 皆因舊制, 而宏麗精彩倍之. (以下 省略)

曺偉, 『梅溪集』 卷四, 海印寺重創記

그런데 이때 이처럼 대규모로 중창해 놓은 해인사는 다행히 임진왜란을 거치면서도 소실을 모면했다. 법보法寶를 지키기 위해 승군僧軍들이 결사적으로 수호한 때문이기도 했지만 고려대장경의 신통력을 두려워한 왜군의 침략이 없었기 때문이기도 했을 것이다. 이렇게 병화를 모면한 해인사는 무슨 까닭인지 숙종 21년(1695) 을해乙亥로부터 연속적인 화재를 만나 옛 모습을 상실해 간다. 아마 주산主山의 석화성石火星이 비쳐 그리 되었던 모양이다.

숙종 21년은 겸재 20세 나던 해인데 이때는 동쪽 요사채에서 불이 나 만월당滿月堂 원음루圓音樓 등이 소실되어 뇌음당雷音堂 경연敬演선사가 중건한다. 다음 해인 숙종 22년 병자丙子에는 다시 서쪽 요사채에서 불이 나 무설전無說殿을 비롯한 여러 요사가 타서 역시 뇌음선사가 중건한다. 그리고 영조 19년(1743) 계해癸亥에 다시 불이 나서 대적광전 앞 큰 축대 이하 수백 간 당우가 모두 소실되어 경상감사 김상성金尙星(1703~1755)의 도움을 받아 능운당凌雲堂 일종一宗선사가 중건한다.

이는 겸재 68세 때 일이니 이 〈해인사海印寺〉가 그려지는 겸재 58세로부터 60세 사이의 청하현감 시절보다 10년 뒤의 일이다. 따라서 이 그림은 동서요사채와 무설전, 만월당, 원음루 등 몇몇 건물만 중건한 상태의 해인사 본 모습 그대로를 보여 주는 것이라 할 수 있다. 그래서 대적광전은 2층 누각 형태인데, 순조 17

년(1817) 정축丁丑 2월 1일에 발생한 화재는 대장경각을 제외한 모든 사우를 전소시켜 2층 대적광전도 이때 소실되고 만다.

이때의 경상감사는 추사秋史 김정희金正喜(1786~1856)선생의 생부인 유당酉堂 김노경金魯敬(1766~1838)이었던 바 사재 일만 냥을 시주하고 경상도 66군현의 관장들로 하여금 다시 일만 냥을 시주케 하여 이를 바탕으로 전소된 해인사를 중창한다. 이때 대적광전 상량문은 33세의 추사가 쓰고 있다.

대적광전이 150간 규모의 2층 1전殿이었다는 것은 화재가 나기 이전에 가야산을 유람하고 남겨 놓은 찬자 미상의 「가야산유록伽倻山遊錄」에서 확인할 수 있으니 그 내용은 다음과 같다.

> 대적광전大寂光殿은 비로삼존毘盧三尊을 봉안했는데 백오십 간 한 채 이 층이다.
>
> 大寂光殿, 安毘盧三尊, 而百五十間, 一厦二層.

이런 백오십 간 이 층 대적광전을 중심으로 소위 칠처구회七處九會의 화엄회상華嚴會相을 7단七段으로 구현해 놓았다는 해인사 사우寺宇가 즐비하게 늘어서 있다. 그런데 맨 위에서는 지금도 그 모습 그대로인 대장경각을 확인할 수 있다.

대적광전 서편 고대 상에서는 고운선생 유훈이 서린 학사대學士臺를 짐작하겠고, 그 개울 건너 수림 속에서는 사명대사가 기거하던 홍제암弘濟庵을 찾아볼 수 있다. 가을철인 듯 수림은 모두 홍황紅黃으로 단풍丹楓 들어 있는데 사역寺域을 둘러싼 좌우후면左右後面의 모든 산은 미점米點을 대담하게 난타하여 중첩시킨 발묵파묵묘潑墨破墨妙로 지덕地德이 뛰어난 토산土山임을 상징했다. 원산에만 골산骨山을 배치했으니 석화산石火山의 주봉主峯을 상징하면서 음양조화를 도모하려는 의도일 것이다.

선면 하단에서 모여 나가는 물이 장차 그 아래에서 홍류동紅流洞이 될 것이니 고운孤雲선생은 거기서 이렇게 읊었다.

> 미친 듯 바위쳐서 산을 울리니, 사람 말 지척에서 분간 어렵다.
>
> 행여나 시비소리 들릴까 보아, 물 흘려 산을 모두 감싸 놓는가.

狂奔疊石吼重巒, 人語難分咫尺間.

常恐是非聲到耳, 故敎流水盡籠山.

그러나 겸재는 이 좋은 기회를 오래 붙들고 있을 수 없었다. 그 모부인母夫人 밀양박씨密陽朴氏가 92세의 고령으로 영조 11년(1735) 을묘乙卯 5월 16일에 작고했기 때문이다. 60세의 겸재는 벼슬을 버리고 복상服喪을 위해 상경해야만 했다. 겸재가 청하로 떠나오기 직전에 병으로 간성군수 자리를 내놓고 먼저 상경한 순암도 겸재가 상을 당하던 그해 10월 6일에 타계하고 사천은 겸재가 환갑이 되던 해인 다음 해(1736) 병진丙辰 4월에 삼척부사 자리를 버리고 상경해 오니 이들의 동해변 아회雅會는 이대로 무산되고 말았다.

한편 당시 정국은 무신난 잔당들이 아직 재기의 기회를 엿보며 각처에서 준동하고 있었다. 그 중 호남지역은 반란 당시 반란이 미수에 그쳤으므로 불만세력이 가장 많을 수밖에 없었다. 이에 겸재가 청하현감으로 발령받기 전인 영조 9년(1733) 3월 6일에 호남에서 국왕을 비방하는 흉서凶書◆가 나붙는 변고가 일어났다.

◆ **흉서**凶書 흉악한 글

4월 15일에도 남원 백복사百福寺(만복사萬福寺의 별명別名)의 석불상 위에 흉서가 나붙었는데 4월 16일 부임차 이곳을 지나던 삼도수군통제사 박찬신朴纘新(1679~1755)이 이를 발견하고 즉각 처리하지 않고 다음 날 운봉에 가서야 남원부사에게 통지한다. 박찬신이 무신잔당으로 위장취직하고 있었기 때문이다.

이를 눈치채고 있었던 영조는 4월 20일 박찬신을 파직하고 귀록歸鹿 조현명趙顯命(1691~1752)[삽도54]을 전라감사로 임명해 이 사건을 해결하도록 한다. 조현명은 효장孝章세자(1719~1728)빈인 현빈賢嬪 풍양조씨豊壤趙氏(1715~1751)의 숙부로 백악사단에 속하는 온건소론이었다. 그는 겸재의 동네후배로 겸재를 존경할 뿐만 아니라 그 그림을 몹시 좋아하던 인물이다.

영조에게는 또 하나의 신뢰하는 신하가 있었다. 장밀헌藏密軒 송인명宋寅明(1689~1746)[삽도55]이었다. 왕세제시절 신임사화를 만나 환관 박상검의 계략으로 폐위의 위기에 처했을 때 익위사翊衛司 관원으로 있으면서 영조를 보호하여 고비를 넘기게 했던 인물이다. 이 역시 온건 소론으로 농암 김창협의 이질이며 김

조현명趙顯命 **초상**肖像 **삽도54**
19세기, 견본채색絹本彩色,
29.1×37.0cm,
일본 덴리대天理大 도서관 소장.

수홍 사위인 지촌芝村 이희조李喜朝(1655~1724)의 생질로 백악사단과 깊은 연관이 있었다.

이에 영조는 이해 10월 3일 송인명을 호조판서로 임명해 나라재정을 맡긴다. 11월 16일에 병조판서 윤유尹游(1674~1737)가 조송건곤趙宋乾坤(조씨와 송씨의 천하)이라는 노랫말이 떠돈다는 얘기를 조회석상에서 발설할 정도였다.

겸재 59세 때인 영조 10년(1734) 갑인甲寅 1월 15일에는 월성위月城尉 김한신金漢藎(1720~1758)의 부친 김흥경金興慶(1677~1750)이 우의정이 되고 동국진체의 대가인 백하白下 윤순尹淳(1680~1741)이 3월 12일 예조판서 겸 예문제학이 되며 7월 5일에는 전라감사 조현명이 임무를 끝마치고 체직상경한다. 월성위는 2년 전인 영조 8년(1732) 11월 29일 동갑나기인 화순和順옹주(1720~1758)에게 장가들었다.

송인명趙顯命 초상肖像 삽도55
19세기, 견본채색絹本彩色,
39.5×51.2cm,
일본 덴리대天理大 도서관 소장.

화순옹주는 고 효장세자의 동복누이동생으로 영조의 장녀였다.

7월 22일 호조판서 송인명이 이조판서가 되어 인사권을 장악하는데 7월 22일에는 삼연문하의 대선배인 청풍계주인 모주茅洲 김시보金時保(1658~1734)가 77세의 고령으로 작고한다. 9월 2일에는 예조판서 윤순이 홍문관, 예문관 양관대제학을 겸해 문형文衡을 전담하고, 9월 20일에는 조현명이 총융사總戎使가 되어 군권을 장악한다. 문신의 군권장악은 흔치 않은 일이니 영조의 신임이 어떠했던지 짐작할 만하다. 10월 12일 관아재가 전생서典牲署주부(종6품)가 된다.(『승정원일기』788책 참조)

겸재가 모친상을 당하는 영조 11년(1735) 을묘乙卯 역시 다사다난한 해였다.

1월 1일에 무신난을 고변해 반란의 평정을 수월하게 했던 전 영의정 최규서崔奎瑞(1655~1735)가 81세로 돌아가고 1월 10일에는 소론 영수 명재明齋 윤증尹拯(1629~1714)의 제자로 무과에 급제하여 소론정국에서 항상 군권을 장악해 온 함은군咸恩君 이삼李森(1677~1735)이 59세로 타계했다.

1월 12일에는 영빈寧嬪 안동김씨(1669~1735)가 67세로 서거하는데 영빈은 영조의 양모로 친정집안이 거의 멸족당하는 참화를 무릅쓰면서까지 영조를 보위에 올려놓았다. 후사 없이 돌아갔으므로 영조는 뒷날(1753) 넷째 따님인 화유和柔옹주(1740~1777)를 후사로 삼아 제사를 받들도록 한다. 1월 21일에는 영빈暎嬪 이씨가 원자元子를 출산하니 사도思悼세자(1735~1762)다. 4년 전 장릉천봉의 효과가 이제야 나타났는지 모를 일이다. 구장릉이 우두혈牛頭穴에 장생파長生破의 자손이 끊길 자리라 했기 때문이다.

3월 24일에는 삼연을 따라 놀던 송애松崖 정동후鄭東後(1659~1735)가 77세로 돌아가고, 5월 16일 겸재 모친 밀양박씨가 돌아간다. 겸재집안에서도 이해 둘째 손자인 손암巽庵 정황鄭榥(1735~1800)이 출생하는데 장차 겸재의 진경산수와 풍속화풍을 계승한다. 10월 6일에는 순암順菴 이병성李秉成(1675~1735)이 61세로 타계하고 11월 26일에는 운와芸窩 홍중성洪重聖(1668~1735)이 68세로 서거하여 겸재를 슬프고 외롭게 한다. 이들은 모두 겸재 그림을 애호하던 동문 사우들이었다.

2월 18일에 관아재 조영석을 경상도 의령宜寧현감으로 발령하여 (『승정원일기』 795책 참조) 4월 9일 하직한다.(『승정원일기』 798책 참조) 그사이 3월 25일에는 영희전永禧殿에 봉안한 세조 어진이 오래되어 물크러진 것을 발견하고 이를 개모하기 위해 7월 28일 영희전 현장에서 군신이 합좌 논의하는데 영조가 겸재의 근황을 묻자 우의정 김흥경이 상중에 있다고 대답한다.

영조는 겸재에게 부담을 주지 않기 위해 '벌써 늙었을 것이라면서 윤대관일 때(1729) 보니 이미 늙어 있었고 세상에 돌아다니는 화법이라는 것도 대단하지 않다'고 논의 중에서 제외할 뜻을 분명히 한다. 제자다운 아름다운 배려라고 생각된다. 그리고 '의령현감 조영석이 사람의 형상을 그리는 데 매우 핍진할 수 있다' 는 김흥경의 말에 따라 조영석을 불러올리라 한다.

(乙卯七月二十八日巳時初刻, 上幸永禧殿 …… 上曰 卽今百冠班行中, 能有解畫者耶. 尹淳,

凡事能知妙理, 故亦能解畫矣. 鄭歚安在. 興慶曰 今方在喪矣. 上曰 亦已老矣. 興慶曰 宜寧縣監趙榮祏, 畫人之像能得逼眞云矣.…… 上曰 鄭歚曾於輪對官時, 見其已老, 而其畵法之行於世者, 亦不爲大段矣. 『승정원일기承政院日記』 805책)

8월 3일, 6일, 18일 연속 상경을 재촉하지만 관아재는 꿈적도 하지 않는다. 사대부가 어진의 집필모사는 할 수 없다는 것이었다. 벼슬을 내놓으면서까지 거부하는데 임금도 어쩌지 못해 8월 27일에 화원 이치李治와 장득만張得萬으로 하여금 모사하도록 한다. 9월 6일 조현명은 평안감사가 되고 11월 20일에는 김흥경이 영의정, 김재로金在魯(1682~1759)가 좌의정, 송인명이 우의정이 된다.

14

사군첩四郡帖과 구학첩丘壑帖

겸재 환갑 해인 영조 12년(1736) 병진丙辰 1월 1일에 2세의 원자를 왕세자로 책봉하고 1월 4일에 이름을 선愃이라 지었다. 1월 3일이 겸재 회갑일이나 모친상중이라 회갑연은 베풀 수가 없었을 것이다. 4월 8일 진향사進香使 낙창군洛昌君 당樘(1689~1761) 등이 돌아와 복명하는데 청의 대왜對倭 교역이 심히 많았음을 보고한다. 동래 물화物貨 감소 이유를 알게 되었다. 4월 9일에 조현명이 이조판서가 되어 인사권을 장악하고 우의정 송인명과 함께 영조의 뜻에 따라 소론 탕평당蕩平黨을 결성해 가니 노·소의 과격파들은 불만이 대단했다.

그래서 7월 15일 송인명이 죄인 배윤명裵胤命을 추국할 때 배윤명은 똑바로 쳐다보며 큰 소리로 송인명을 꾸짖어 욕하기를 '조송건곤趙宋乾坤 금장식金粧飾에 일국 권위가 다 돌아갔으니 장차 최충헌崔忠獻(1149~1219)의 화가 있을 것이다' 하며 '권흉간신權凶奸臣이라' 하니 한자리에 앉았던 사람들이 얼굴빛을 잃고 여러 송씨와 조씨들이 금오문金吾門 밖에서 왕명을 기다렸다.(『영조실록』 권42, 12년 7월 15일 정미)

8월 11일에는 양명학陽明學의 대가로 알려진 하곡霞谷 정제두鄭齊斗(1649~1736)가 88세로 강화도에서 돌아간다. 원교圓嶠 이광사李匡師(1705~1777)가 평생 사사事師하기 위해 일가를 이끌고 강화도로 이사하는 중 갑진甲津에서 그 부고를 받았다 한다.

10월 15일에는 당시 노론 영수인 영부사 장암丈巖 정호鄭澔(1648~1736)가 89세로 서거하고 11월 28일에는 노론 선봉장인 봉조하 단암丹巖 민진원閔鎭遠(1664~1736)이 73세로 타계한다. 신임사화에서 살아남은 노론 강경파 원로들이 한 달 간격으로 유명을 달리하니 이제부터 정국의 변화는 피할 수 없게 되었다.

이에 영조는 백악사단의 소장파 거두인 지수재知守齋 유척기兪拓基(1691~1767)를 노론 영수로 인정하여 11월 25일 평안감사 자리에서 동경연同經筵으로 불러들이고 12월 2일에는 대사간을 삼는다. 11월 21일에 탕평소론의 영수인 송인명이 지수재의 발탁을 강력하게 요구했었다. 비록 탕평당이 대권을 장악하고 있지만 세도世道의 주체는 어디까지나 백악사단 계열의 노론이라는 사실을 잘 알고 있었기 때문이었다.

이해 5월에 겸재가문에서는 겸재 7촌 조카三從姪인 삼회재三晦齋 정오규鄭五奎(1678~1744)가 『광주정씨족보光州鄭氏族譜』 초간본을 간행해 낸다. 겸재의 큰아버지인 반곡盤谷 정시설鄭時卨(1621~1681)의 가장본家藏本을 저본底本으로 편찬했다 한다. 삼회재는 이런 내용을 족보 발문에서 밝히고 있다.

겸재는 영조 13년(1737) 정사丁巳에 62세로 모부인의 3년상을 치른 다음 울적한 심회를 달랠 겸 그동안 손 놓았던 화필을 다시 가다듬을 겸 겸사겸사해서 남한강을 거슬러 올라 청풍淸風, 단양丹陽, 영춘永春, 영월寧越 등 경치 좋기로 이름난 사군四郡의 명승지로 사생유람을 떠난다. 이 유람에서 겸재는《사군첩四郡帖》을 그려 오는데 이 화첩은 청하현감 시절에 그려 온《영남첩嶺南帖》과 함께 사천에게 기증됐던 모양이다.

후계 조유수(75세)는 이를 부러워하면서 여기에 제시를 붙이니 「일원이 소장한 정이 그린 사군 영남 2첩에 제함題一源所藏鄭畵四郡嶺南二帖」이 그것이다.

내용은 〈수옥정漱玉亭〉, 〈월탄홍정月灘洪亭〉, 〈한벽루寒碧樓〉, 〈구담옥순봉龜潭玉筍峯〉, 〈봉서정鳳棲亭〉, 〈하선암下船巖〉인데 오언五言 혹은 칠언七言으로 제화시를 달고 있다. 이 시기에 그려졌다고 생각되는 그림이 간송미술관에 수장된 〈단사범주丹砂泛舟〉[도판26], 〈구담龜潭〉[도판27], 〈한벽루寒碧樓〉[도판28] 등이다. 이 그림들을 보다 더 자세히 살펴보겠다.

단사범주丹砂泛舟 도판26

구담龜潭 도판27

한벽루寒碧樓 도판28

단사범주丹砂泛舟 도판26

옥순봉玉筍峯에서 구담봉龜潭峯으로 이어지는 남한강 상류에 배를 띄워 강산승경江山勝景을 유람하는 장면의 진경이다.

예부터 우리나라에서 산수의 아름다움을 꼽을 때 해악승경海岳勝景으로는 동해변 금강산을 중심으로 하는 관동팔경關東八景이 제일이라 하지만, 강산승경으로는 사군산수四郡山水가 으뜸이라 한다. 사군四郡이라 함은 남한강 상류에 있는 청풍淸風, 단양丹陽, 영춘永春, 영월寧越의 네 고을을 일컫는 말인데 이곳의 바위는 단애를 이루기도 하고 솟구쳐 오르기도 하며, 뾰족하다 평퍼지고 붉다가 푸르며 희다가 검어지는 등 형형색색의 변화를 보인다. 그 사이를 푸른 강물이 굽이쳐 흐르니 과연 선경仙境이라 할 만한 곳이다.

그래서 이곳은 일찍부터 풍류를 아는 선비들의 사랑을 독차지했으니 연산군 갑자사화甲子士禍 때 사화史禍의 장본인으로 죽음을 당한 거유巨儒 탁영濯纓 김일손金馹孫(1464~1498)은 「이락루기二樂樓記」를 지으면서 이 일대를 신선세계, 즉 단구丹丘라는 이름으로 명명하고 있다. 그 기문記文의 일단을 소개해 보겠다.

> 중원中原(충주忠州)으로부터 동쪽으로 죽령竹嶺을 향해 가다 보면 그 사이에 즐길 만한 산수가 한둘이 아니다. 황강黃江, 수산壽山 두 역驛을 거쳐 청풍淸風 지경을 다 지나가서 고개 하나를 넘으면 단양丹陽 경계에 들어선다.
>
> 장회원長會院에서 고삐를 당겨 그 아래로 내려가면 점점 가경佳景에 들게 되는데 홀연 바위가 쌓여 불쑥 솟아오르기도 하고 뭇 봉우리들이 짙푸르름을 드러내기도 한 것을 보게 되어 좌우를 어리게 하고 동서를 어지럽게 하니, 비록 교력巧歷◆이라 해도 헤아릴 수 없겠다. 벼랑이 열리고 산골이 터져서 한 줄기 강물이 그 사이로 쏟아져 나오는데 넘실대는 물결은 푸르고 푸르르다.
>
> 강 북쪽 기슭의 낭떠러지는 수백 보를 오르면 성城이 있어 숨을 만하므로 옛날에는 가은암可隱岩이라 했다. 내가 그 앞에 말을 세우자 연무烟霧가 길을 가리어 희미하니 신선세계에 들어온 듯한 생각이 든다. 절경絶景에 이름 없는 것이 안타까워 비로소 단구丹丘라 이름 지었다.

◆ **교력**巧歷
수학數學에 정통한 사람
『장자莊子』 제물론齊物論 참조

단사범주丹砂泛舟 도판26

1737년 정사丁巳, 지본담채紙本淡彩, 29.5×30.3cm, 간송미술관 소장.

自中原東行向竹嶺, 其間山水之可樂者不一. 過黃江壽山兩驛, 行盡淸風境, 踰一帖入丹陽界. 得長會院, 按轡其下, 漸入佳景, 忽見積石斗起, 攢峯疊翠, 迷左右眩東西, 雖巧歷莫能較也. 崖開峽坼, 一江中注, 溶漾藍碧. 江北岸側之絶險, 上數百步, 有城可隱, 舊名可隱岩. 余立馬其前, 烟霧路迷, 依稀然 有爛柯之想. 惜絶景之無稱, 肇名之曰丹丘.
『東國輿地勝覽』 卷十四, 丹陽, 樓亭, 二樂樓

뒷날 퇴계退溪 이황李滉(1501~1570)이 이곳 단양군수로 부임해 와서 옥순봉이 청풍과 단양 사이에 끼어 있어 경계 시비가 있는 것을 보고 옥순봉 석벽에 '단구동문丹丘洞門'이란 사자각석四字刻石을 남김으로써 옥순봉을 확고하게 단양 경내로 편입시켜 놓았다는 것이 『단양군지丹陽郡誌』 명승조名勝條 옥순봉玉筍峯의 세주細注 내용인데 퇴계선생은 탁영선생이 명명한 단구丹丘의 이름을 잊지 않았던 것이다.

이런 승경을 진경시대 선비들이 어찌 유람하지 않았겠으며 시화詩畵로 사생해 내지 않았겠는가. 겸재의 스승인 삼연三淵 김창흡金昌翕은 그가 36세 나던 해인 숙종 14년(1688) 3월에 마침 청풍부사로 나가 있는 그 중형仲兄 농암農巖 김창협金昌協을 찾을 겸 이곳 사군 산수의 유람길에 오른다. 한강을 거슬러 오르는 이 유람 행로를 「단구일기丹丘日記」라는 유람일기로 남기는데 이 단구동문丹丘洞門에서 노닐 때의 정경을 이렇게 기록하고 있다.

3월 13일 바람. 충주목사와 함께 배를 나란히 하여 출발하고 앞서거니 뒤서거니 나아가니 배 당기는 소리와 젓대소리가 뒤섞여 일어난다. 학서암鶴棲岩을 지나 화탄花灘, 유탄楡灘으로 거슬러 오르니 왼쪽으로 도화촌桃花村, 능강촌淩江村 등 여러 마을이 보이는데 그윽하여 아름다운 풍치가 있다. 칠송정七松亭도 있어 역시 빽빽하고 울창하여 사랑스러운데 장인이 사시는 곳이다.

얼마 안 가서 옥순봉이 나오는데 빼어나게 솟아나서 강을 떠받치니 이로부터 단구동문이 된다. 두 산이 빙 둘러 합쳐져 있거늘 배가 푸르름 속으로 들어가 흘리 저어 나가며 홍을 이어가니 물이 돌아서 구담龜潭이 된다. 오른쪽에 구봉龜峯있으니 특별히 가파르고 왼쪽으로는 채운彩雲, 현학玄鶴, 오로五老, 가은봉可隱

峯이 나열해 서로 이어져 있는데 높으나 손에 잡힐 듯하다.

三月十三日風. 與忠倅, 竝船而發, 或先或後, 拏音笛聲, 迭奏間作. 歷鶴棲岩, 謝花灘 楡灘, 左眄桃花 凌江諸村, 幽曖有佳致. 有七松亭, 亦森蔚可愛, 舅氏所卜也. 無何, 玉筍峯出焉, 聳秀撑江, 自此爲丹丘洞門. 兩山環合, 船入積翠間, 亹亹延興, 水轉而爲龜潭. 右有龜峯, 特爲峭崒, 左則彩雲 玄鶴 五老 可隱, 羅列相接, 崒乎可挹也.

金昌翕, 『三淵集』 拾遺 卷二十七, 丹丘日記

겸재가 13세 나던 때의 기록이지만 겸재는 뒷날 스승이 보고 기록한 그 장면을 그대로 보고 그림으로 표현한다. 스승이 남긴 장시長詩가 그의 화상畵想을 자극했을지도 모른다. 그 장시는 『삼연집三淵集』 권4에 위의 일기 내용과 비슷한 시서詩序 아래 수록되어 있다.

이제 그 일부를 옮겨 보겠다.

내가 영수嶺水를 거슬러 오니, 돛단배 탈 없이 이른다.

한벽루에서 잠시 문 닫고, 먼 길 홍취를 며칠 기른다.

여울물 소리 침석枕席을 시끄럽혀서, 나를 재촉해 안개배 띄우게 한다.

달이 떠 강과 성을 비추니, 구담舊潭은 누구와 함께 찾아갈거나.

태수太守가 예성蘂城◆에서 오면서, 생황노래 한 배 가득 실었구나.

◆ **예성**蘂城 충주忠州의 별호

푸른 안개 자네 위해 배 끄는 밧줄이 되고, 푸른 물결 자네 위해 술이 되었네.

뜸집 부엌에는 비단 쏘가리 고기, 술잔은 넘실넘실 떠다니누나.

촛불 밝혀 어둔 물가 맞이하려고, 노 저어 새벽물결 헤쳐 나간다.

기약 없던 새벽모임, 홍이 일자 또 사양이 없네.

배에 탄 여덟아홉 사람, 맑고 맑은 즐거움에 서로 보며 웃는다.

시문 짓는 재주는 다투어 빛나고, 술잔은 큰 주량을 자랑하는구나.

봄이 번화하여 꽃받침 떨기 지니, 물결 부딪어 훈호壎篪로 노래한다.

사람과 바람이 진짜 즐거워, 산수를 만족하게 바라보노라.

앞엣것 탐하여 신선한 아름다움 빼앗아 오고, 뒤엣것 그리워서 빠지고 잊을까 두려워한다…….

我來溯嶺水, 風帆到無恙. 碧樓暫閉戶, 遐興數日養.

灘瀨聒枕席, 催我動煙榜. 月出照江城, 龜潭誰與訪.

茂宰藥城來, 笙歌載一舫. 蒼霞爲君筰, 碧波爲君釀.

行廚錦鱖腴, 羽觴泛汪汪. 張燭迓暝渚, 齊橈泛曙漲.

不期也冥會, 當興且無讓. 倚船八九人, 湛樂笑相向.

文藻競璀璨, 杯杓詫洪量. 春繁花蕚叢, 浪激壎箎唱.

人風眞可樂, 山水滿俯仰. 貪前掠鮮美, 戀後恐漏忘.

……

金昌翕, 『三淵集』 卷四

겸재는 스승이 유람하던 그 장소에서 스승이 보던 그 시각으로 옥순봉과 구담을 바라보고 그 빼어난 절경을 화폭에 올리고 있으니 창날 같은 상악霜鍔준을 예리하게 구사하여 마치 수정水晶돌처럼 표현해 놓은 두 봉우리가 옥순봉일 것이고 그 건너 너럭바위를 켜켜로 쌓아 놓은 듯한 층암절벽이 구봉일 것이다.

그 사이 소를 이루며 흘러가는 강물이 구담일 터인데 지금 겸재 일행을 태운 유람선이 청풍 쪽 하류에서 구담을 향해 저어 올라오고 있다. 많은 선비들이 타고 있으며 구담 쪽으로 상륙하려는 듯 그들을 기다리는 인마人馬가 강변 풀 언덕에 등대하고 있다.

죽순처럼 솟구쳐 오른 옥순봉을 둘러싸고 있는 여러 암봉들이 거의 절대折帶준과 부벽斧劈준을 섞어 쓴 듯한 층판암層板岩의 표현을 하고 있는 것은 겸재의 음양조화 감각 때문일 것이다. 은은한 수청색水青色이 암봉岩峯과 강물을 해맑게 수윤水潤해 청징淸澄한 일색日色을 강조했는데 강변 토파土坡는 연둣빛으로 봄기운을 드러냈다.

구담龜潭 도판27

충청북도 단양읍丹陽邑 장회리長淮里에 있는 명승名勝이다. 사군산수四郡山水니, 단양팔경丹陽八景이니 하여 우리나라 강안승경江岸勝景의 최고로 꼽는 남한강 상류의 절경 중에서도 으뜸이라는 곳이니 겸재가 이곳을 지나면서 이 경치를 그리지 않을 리 없다. 겸재가 남한강을 거슬러 올라 청풍淸風, 단양丹陽, 영춘永春, 영월寧越의 사군산수四郡山水을 탐방하며 진경사생眞景寫生에 임하는 것은 겸재 62세 나던 해인 영조 13년 정사丁巳(1737) 초가을인 듯하다. 그해 5월 16일에 모친 밀양박씨의 삼년상을 치르기 때문이다.

당시 사대부들은 성리학적 사회윤리 강령綱領인 예법禮法의 준수에 엄격하여 가례家禮에서 규정한 대로 부모상중에는 죄인을 자처하며 근신 복상服喪하는 것을 원칙으로 하고 있었다. 벼슬 살던 이도 그날로 벼슬에서 물러나고 색의미식色衣美食을 일체 가까이하지 않는 것은 물론 부부관계까지 삼가하는 것을 미덕으로 알았으니 여타 기욕嗜欲을 자제하는 것은 두말할 나위 없는 일이었다. 무덤 곁에서 시묘侍墓하거나 상청喪廳을 지키는 일로 상기喪期를 일관해야 했으므로 유람을 한다거나 그림을 그린다는 것은 꿈에도 생각할 수 없는 일이었다.

그래서 겸재는 그 화도畵道수련이 가경佳景에 이른 단계인 환갑 전후한 시기에 만 2년 동안 부득이 화필을 놓고 지내지 않을 수 없었던 것이다. 그런데 이제 대상을 지내고 그 후 만 두 달 만인 7월 16일에 담제禫祭마저 모두 마쳐 완전히 탈상을 하게 되자 어디로든 훌쩍 떠나 진경사생에 몰두함으로써 모친을 여읜 슬픔을 떨쳐 버리고 싶었을 것이다. 그런데 마침 동문同門 후배인 홍진유洪晉猷(1691~1743)가 이해에 청풍부사淸風府使로 도임해 가 있으면서 겸재의 이런 사정을 잘 알고 겸재를 초청했던 것이다.

『청풍부읍지淸風府邑誌』 선생안先生案에 의하면 홍진유는 건륭乾隆 정사丁巳년(1737)에 도임했다가 건륭 경신庚申년(1740)에 이임하는 것으로 되어 있으니 바로 영조 13년 정사丁巳에 해당하는 이해이다. 이 홍진유는 겸재 스승인 농암農岩 김창협金昌協의 넷째 사위 박사한朴師漢(1688~1773)의 큰 매부妹夫로 역시 농암과 삼연 문하에 출입했기 때문에 겸재와 지기를 허하던 백악사단의 일원이었다.

이에 겸재는 심정을 헤아려 주는 지기의 초청에 감격하며 뱃길로 남한강을 거슬러 오르는 사군산수의 진경사생 유람을 떠나게 되는 듯하다. 이는 바로 그들의 스승인 농암이 청풍부사로 나가자 삼연이 농암의 부름을 받고 사군산수 탐승을 나서던 진경시眞景詩 유람을 재현하는 듯하여 이들 두 동문들에게는 더욱 큰 의미가 있었을 것이다.

삼연이 사군산수를 탐방하며 「단구일기丹丘日記」와 많은 진경시를 남겨 놓는 것은 겸재가 13세이고 삼연이 36세 되던 해인 숙종 14년(1688) 3월이었다. 이제 그 뒤 50년 만에 겸재가 당시 스승인 삼연 나이의 두 배 나이로 이 여행길에 나서게 되었으니 이들 두 동문의 감회가 어떠했었겠는가. 그래서 되도록이면 「단구일기」에 기록된 대로 그 행로를 따라 유람하며 진경시眞景詩과 진경산수화眞景山水畵로 스승들의 시의화정詩意畵情에 공감하려 했을 것이다.

이 〈구담龜潭〉도 그렇게 그려진 진경산수화 중의 하나다. 그러니 우선 이 그림을 이해하기 위해서는 삼연의 「단구일기」에 기록된 구담의 묘사를 먼저 살펴봐야 하는데 이미 전항前項에서 그 일부는 소개했으므로 이제 그 뒷부분을 옮겨 보겠다.

> 배를 왼쪽(북쪽 - 역자 주) 언덕에 대고 구봉龜峯을 바라보니 산세가 자못 웅장하고 기이하며, 서리서리 뻗어 내렸다. 풍악산楓岳山에 있으면 중품中品에는 들 만하겠으나 이 강변에 솟아 있는 까닭으로 이름을 멋대로 드날리고 있다. 장회뢰長淮瀨로 올라가서 남쪽으로 설마동雪馬洞을 지향해 갔다가 북쪽으로 강선대降仙臺에 오르고 저녁에는 하진촌下津村의 촌사村舍에서 묵었다. 단양군치丹陽郡治에서 몇 리 안 된다. 이날 얻은 시는 오언고시五言古詩 4수四首다.
>
> 泊舟左岸, 仰見龜峯, 勢頗雄奇, 盤紆磅礴. 在楓岳, 可居中品, 而乃峙江邊, 所以擅名也. 上長淮瀨, 南指雪馬洞, 北登降仙臺, 暮宿下津村舍. 去丹陽郡治, 無數里. 是日得詩, 五言古四首.
>
> 金昌翕, 『三淵集』 拾遺 卷二十七, 日記, 丹丘日記, 三月 十三日.

구담의 승경을 묘사한 것은 삼연이 처음이 아니었다. 조선성리학의 원조元祖

구담龜潭 도판27

1737년 정사丁巳, 견본담채絹本淡彩, 20.3×26.8cm, 고려대학교박물관 소장.

격이라 할 수 있는 퇴계退溪 이황李滉(1501~1570)이 벌써 명종 3년(1548) 무신戊申 정월에 단양군수丹陽郡守(종4품)로 부임해 가서 그해 여름에 단양 일대의 명승지를 돌아보고 「단양산수로 놀 만한 것을 이어 씀丹陽山水可遊者續記」이라는 글을 지어 그 경개의 빼어남을 이미 소상히 밝혀 놓고 있다.

속기續記라는 제목을 붙인 것은 이미 선배 거유巨儒인 탁영濯纓 김일손金馹孫(1464~1498)이 「이락루기二樂樓記」에서 이 부근의 경치를 묘사해 놓고 있었기 때문이다. 「이락루기」는 앞서 살펴보았으니 퇴계退溪의 「속기」 중 일부를 옮겨 보겠다.

하오월夏五月에 나는 청첩에 따라 장차 청풍에 가려고 하진下津에서 배를 타고 단구협丹丘峽으로 나아갔다. 구담을 지나 화탄花灘으로 내려가는데 이날은 비가 오기도 하고 맑기도 하여 구름이 뭉게뭉게 일어나고 골짜기와 절벽이 나타났다 사라지니 잠깐 사이에도 만 가지 변화가 일어난다.

불어난 물이 치달려 흐르니 배도 심히 빨라서 비록 빼어난 경관이 무궁하건만 그 요령을 얻을 수 없다. 그날 밤 청풍군의 응청각凝淸閣에서 자고 이튿날 새벽 서늘함을 틈타 사람들로 하여금 배를 끌게 하여 물결을 거슬러 올라갔다.

삼지탄三知灘을 지나 내매담乃邁潭 위에 이르러 봉창蓬窓을 걷고 바라다보니 물이 두 골짜기 사이에서 나와 높은 데로부터 곧장 아래로 쏟아져 내려 뭇 바위에 부딪침에 노한 형세가 사방으로 흩어져 구름물결 눈보라가 용솟음치며 솟구쳐 오르는 것이 있다. 바로 화탄花灘이다. 산봉우리는 그림 같고 골짜기 문은 마주 대하여 꺾어졌는데 물이 그 안에 쌓이니 깊고 맑아 푸른빛이 엉기어 마치 거울을 새로 간新磨 듯하고, 공중에 있는 것 같기도 하다. 구담이다.

여울을 거슬러 올라 나아가서 남쪽 물가 절벽을 따라 내려가면 그 위 여러 봉우리가 죽순처럼 깎아질러 서 있다. 높이는 천백 길이나 될 만큼 우뚝 솟은 받침 기둥인데 그 빛이 혹은 푸르기도 하고 혹은 희기도 하다. 푸른 등나무와 고목이 아득히 가려서 우러러볼 수는 있으나 올라갈 수는 없다. 이름을 지어 달라 하기에 옥순봉玉筍峯이라 했다. 그 모습으로서이다.

구담의 북쪽 물가는 곧 적성산赤城山의 한 가닥이 남쪽으로 치달리다가 갑자기 끊어진 것이다. 그 봉우리는 크게 셋이 있는데 모두 물가에 임하여 우뚝 솟아 났으며 중봉中峯이 우두머리가 된다.

층진 바위가 빼어남을 다투고 뾰족한 돌이 다투어 맞당기니 귀신이 새긴 듯 기기괴괴奇奇怪怪하여 갖추어 형용할 수가 없다. 때에 산비 처음 개어 산골 기운 새롭고 구름에 잠긴 물색 맑고 고운데 마침 검은 두루미玄鶴(먹황새)가 있어 중봉으로부터 날아 나와 여러 바퀴를 돌고 구름 밖으로 들어간다.

내가 배 안에서 술 마시며 시를 읊으니 초연히 찬바람 타고 마음대로 노니는 뜻이(신선이 된 느낌) 있다. 이로 인해서 그 봉우리의 아래 있는 것을 채운彩雲이라 일컬었고 그 가운데 것을 현학玄鶴이라 했으니 그 본 바로서이다. 그 위 것은 오로五老라 했는데 그 형상으로서이다.

배를 저어 조금 올라가다 흐름을 끊고 북쪽으로 가면 중봉을 이미 지나 오로봉五老峯의 아래에 닿는데 봉우리의 동쪽에 또 한 큰 봉우리가 있어 단구협과 서로 닿으니 실은 지지地誌에서 일컬은 바 가은암산加隱岩山이며 가은성加隱城이 있다. 물이 장회탄長淮灘 서쪽으로 내려와 구봉의 기슭에 부딪치면 돌아서 구담의 머리가 되는데 또 북쪽으로 돌아 서쪽으로 꺾이면 구담의 허리가 되고 구담의 꼬리는 채운봉 발치에서 끝이 난다.……

그 구봉이라고 일컫는 것은 동쪽에서 구담이 찌르는 것을 막고 북쪽에서 구담의 굽이침을 내려다보는데 붉고 푸른 절벽이 더욱 특별히 빼어나다. 일담一潭으로 말미암아 이루어진 바이라 그것을 이름하여 구봉이라 했다.

夏五月, 余沿牒, 將往清風, 乘舟于下津, 出于丹丘峽, 歷龜潭下花灘. 是日也, 乍雨乍晴, 雲烟吐呑, 崖谷出沒, 頃刻萬變, 而漲水奔流, 舟行甚駃, 雖偉觀無窮, 而不能得其要領也. 其夜余宿于清風郡之凝淸閣, 翌日乘曉凉, 使人挽舟泝流而上.

過三智灘, 至乃邁潭之上, 搴蓬而望之, 則水出于兩峽之間, 從高而直下, 礧擊于衆石, 怒勢奔放, 雲濤雪浪, 洶湧而澎湃者, 花灘也. 峯巒如畵, 峽門對折, 水積于其中, 而涵泓凝碧, 如鏡新磨, 如在空中者, 龜潭也. 泝灘而進, 循南涯絶壁下, 其上諸峯, 削立如筍, 高可千百丈, 突兀撑柱, 其色或翠或白, 蒼藤古木縹緲晻靄, 可仰而不可攀也. 請名之曰玉筍峯, 以其形也.

潭之北涯, 卽赤城山一支, 南騖而陡斷者也. 其峯之大有三, 皆臨水峭拔, 而中峯爲最,層巖競秀, 矗石爭拏, 如鬼刻神剜, 奇奇怪怪, 不可具狀焉. 于時山雨初霽, 峽氣如新, 雲物淸姸, 適有玄鶴, 自中峯飛出, 盤廻數匝, 而入於雲霄之表. 余於舟中, 取酒吟詩, 超然有御冷風遊汗漫之意, 因以名其峯之在下者, 曰 彩雲, 其中者曰, 玄鶴, 以其所見也. 其上者曰五老, 以其形也.

棹舟稍上, 截流而北, 則已過中峯, 而泊于五老峯之下, 峯之東, 又有一大峯, 與丹丘峽相接, 實地誌之所謂 加隱巖山, 而加隱城在焉. 水下長會灘西, 觸于龜峯之崖, 匯而爲龜潭之首, 又北轉西折, 而爲龜潭之腰, 而潭之尾, 盡於彩雲峯之趾.…… 其曰, 龜峯者, 東捍潭衝, 而北俯潭曲, 丹崖翠壁, 尤絶特, 是一潭之所由成也, 故名之曰 龜峯.

李滉,『退溪集』卷四十二, 丹陽山水可遊者續記

겸재에게 삼연은 스승이었지만 퇴계는 겸재 외조모 남양홍씨南陽洪氏(1624~1680)의 진외조부 이안도李安道(1541~1584)의 조부였으므로 외계外系로 선대 조상이었다. 그러니 퇴계의 기문記文이 겸재에게 특별한 의미가 있었을 것은 당연하다. 이에 겸재는 이 두 기행기에서 묘사된 내용을 염두에 두고 진경사생에 임했던 듯하다.

우선 배의 방향으로만 보면 단양 쪽에서 청풍 쪽 하류로 흘리저어 내려가는 듯한데 어찌 보면 강의 남안인 옥순봉 쪽에서 구담봉龜潭峯 쪽의 북쪽을 향해 구담을 가로질러 가는 듯도 하다. 어떻든지 구담봉으로 불리는 채운彩雲, 현학玄鶴, 오로五老 삼봉三峯의 석벽산石壁山이 앞을 절벽처럼 막아서고 있는데 그 아래 강물이 휘돌아 큰 못을 이루고 있는 구담龜潭 위로 차일 친 놀잇배 한 척이 5, 6명의 갓 쓴 선비들을 태우고 구담봉을 향해 떠나가는 모습을 그린 것이 이 그림이다.

삼연이 지적했듯이 금강산에 갖다 놓으면 중품中品에나 들 수 있는 석벽산이지만 상악준霜鍔皴을 대형화시키고 수직준찰垂直皴擦을 이와 대담하게 연계시켜 절벽의 표현을 깎아지른 듯 장쾌하게 표현해 냄으로써 그 웅자雄姿가 더욱 돋보인다. 대형화된 서릿발 모양의 봉두峯頭를 따라 짙은 먹으로 편점扁點을 난타하여 극원極遠 송림松林을 상징하고 있는 것이 석벽산의 단조로움을 많이 중화시켜 주고 있다.

석벽 밑을 감돌아 흐르는 유연한 수파문水波文이 일단 골기탱천骨氣撑天하는

구담龜潭 부분

구담봉 석벽의 웅기雄氣를 크게 억제해 놓지만 이것만으로도 부족한 듯 대안에 미가운산식米家雲山式의 임리淋漓한 장림운봉長林雲峯을 배치하고 그 아래로는 짙은 먹빛으로 일관한 송림석대松林石臺를 무수히 배포配布했다. 그리고 구담봉 절벽 아래로도 비록 담묵淡墨으로 처리하기는 했지만 무수한 송림석대를 배설配設하여 음양조화에 일조를 담당하도록 하고 있다.

강물이 돌아 내려오는 담문潭門 저쪽 상류에는 아주 흐린 청묵빛으로 높다란 삼각봉三角峯을 세장細長하게 표현해 담문 밖이 허하게 터지는 것을 막아 주면서 심오감深奧感을 살려 냈다. 거기에다 구담 서쪽 절벽에서 폭포가 떨어지고 있음에라! 경개도 경개려니와 화면구성에서 음양의 완벽한 조화를 이루어 내고 있는 것이다. 이런 구담 승경을 창암蒼巖 박사해朴師海(1711~1778)는 이렇게 읊고 있다.

> 한 노로 중류中流에서 물길 삼가니, 어디서 온 석봉기세 빽빽하고 가파르구나.
> 수놓은 비단처럼 찬란한 빛 허공에 넘실대고, 묶어 세운 규장圭璋은 큰 못에 가득.
> 물 쌓여 검은 연못 혼백도 두렵거늘, 산 높아 백일白日은 빛 맑음 잃어버렸네.
> 사군四郡에 명승名勝 많다 말하지 말게, 어디를 둘러 봐도 감히 너와 다투겠는가.
>
> 一棹中流愼水程, 何來峯勢鬱崢嶸. 燦如繡綺搖空蕩, 簇立圭璋滿太淸.
> 水積玄淵怵魂魄, 山高白日失光晶. 休言四郡多名勝, 何處環觀敢爾爭.
> 朴師海, 『蒼巖集』 卷五, 龜潭 其三

한벽루寒碧樓 도판28

사군산수四郡山水가 강산 승경의 으뜸이라 하나 각기 특색이 있으니 단양은 수석암동水石岩洞이 빼어나고 청풍은 누각樓閣 규모가 제일이라 한다. 이는 청풍부아淸風府衙가 바로 남한강 물줄기 굽이치는 강가에 자리 잡고 있어 여주목처럼 강변 관부官府의 운치를 살리고 있기 때문이다.

여주 관아의 대안은 낮은 구릉과 넓은 들이 이어져서 평천광야平川曠野의 광활한 쾌감이 있다면 이곳 청풍관아의 대안은 수려한 금병산錦屛山 산봉우리들이 병풍처럼 앞을 둘러치고 그 뒤로는 금수산, 삼조산, 두모곡산 등의 높은 산들이 첩첩이 쌓여 강산의 조화를 느끼게 해 주는 것이라 하겠다.

그래서 이곳에 일찍부터 관부의 터를 잡고 누각을 세워 요산요수지락樂山樂水之樂을 누렸던 모양이니 이미 고려중기의 문사로 지도첨의부사知都僉議府事를 지낸 문절공文節公 주열朱悅(?~1287)이 다음과 같은 한벽루 제영시題詠詩를 남겨 놓는다.

> 물빛은 맑고 맑아 거울과 같고, 산 이내 자욱하여 연기와 같다.
> 시리도록 푸른빛 엉키어 이뤄낸 고을, 청풍淸風 맑은 바람 만고에 전할 이 없네.
> 水光澄澄鏡非鏡, 山嵐靄靄烟非烟. 寒碧相凝作一縣, 淸風萬古無人傳.

이후에 이 운자韻字를 빌려 많은 고려 문사들이 제영시를 남겼다. 조선에 들어와서는 잠곡潛谷 김육金堉(1580~1658)이 충청도 관찰사로 이곳에 와서 지은 다음과 같은 제영시의 운자가 또한 계속 차운借韻된다. 장차 김육의 손녀가 현종비 명성왕후明聖王后가 됨으로써 그 관향貫鄕인 청풍淸風을 부府로 승격케 했기 때문이다.

> 밤은 응청각凝淸閣에서 잠들고, 아침에 한벽루를 올랐다.
> 산바람 세속귀 일깨우고, 강비는 때 낀 눈 씻어 준다.
> 아직 왕사王事를 다 못 마쳤건만, 다만 금의錦衣로 노닐기만 했구나.

신선땅 오래 머물 수 없으니, 내일은 강 타고 내려가야지.

夜宿凝淸閣, 朝登寒碧樓. 山風醒俗耳, 江雨洗塵眸.

未施霄衣軫, 徒爲盡錦遊. 仙鄕難久駐, 明日下中流.

이런 제영시뿐 아니라 창건기創建記와 중수기重修記가 끊임없이 지어지고 있었던 모양으로 『여지도서輿地圖書』 권상卷上 충청도忠淸道 청풍부淸風府 누정樓亭조에서 이렇게 기록하고 있다.

한벽루는 큰 강을 내려다보고 있어 기이하고 빼어남이 으뜸이 되니 노닐기에 가장 좋다. 전조前朝부터 이미 있었으므로 부사 송처관宋處寬의 기記가 있었다 하나 전해지지 않고 지금은 진산군晋山君 하공河公 륜崙(1347~1416)과 창석蒼石 이공李公 준埈(1560~1635)의 기문記文이 문미門楣 위에 걸려 있다.

寒碧樓, 俯臨大江, 奇勝爲上, 遊冠. 自前朝已有之, 府使宋處寬有記, 而不傳, 今有晋山君 河公崙, 蒼石 李公埈 記文, 懸揭楣上.

그러고 나서 태종 6년(1406)에 지은 하륜河崙의 중수기와 인조 12년(1634)에 지은 이준李埈의 중수기를 싣고 있다.

그런데 이곳 청풍은 사군산수의 초입일 뿐만 아니라 사군 중 가장 거읍으로 사군의 중심이었으므로 일찍부터 산수지락山水之樂을 탐하는 풍류문사들이 군태수郡太守 자리를 욕심내는 곳이었다. 따라서 명문세가의 풍류문사 아니고서는 이곳 수령으로 부임할 수 없었는데 더욱이 명성왕후가 세자빈으로 책봉되어(1651) 그 중요성이 높아지자 이곳은 오직 서인의 핵심 가문 후예들만 군수나 부사로 나오게 되었다.

청풍이 부사府使아문으로 승격되는 것은 현종 즉위년(1659)부터인데 이후부터는 서인 영수이던 우암尤庵 송시열宋時烈(1607~1689)의 주목을 받아 그의 측근 인사들이 계속 이곳 부사로 부임해 부아의 확장 건설에 심혈을 기울인다.

우암의 동문인 용암龍岩 이상일李尙逸(1600~1674)은 부임하자(1669) 한벽루에 잇대어 객관客館을 짓고 우암에게 그 중수기를 짓게 하고(1670), 청음淸陰 김상헌

한벽루寒碧樓 도판28

1737년 정사丁巳, 견본담채絹本淡彩, 20.5×25.5cm, 간송미술관 소장.

金尙憲의 장손인 곡운谷雲 김수증金壽增(1624~1701)은 도임하여(1683) 유연재翛然齋를 신건하고 다시 우암에게 중수기를 짓게 한다(1684).

우암의 제자들도 이 사업을 계승하고 있으니 직재直齋 이기홍李箕洪(1641~1708)은 팔영루八詠樓를 중수하고 동문인 장암丈岩 정호鄭澔(1648~1736)에게 중수기를 짓게 하며, 지촌芝村 이희조李喜朝(1655~1724)는 동헌인 관수당觀水堂을 확장 증축하고 그 중수기를 손수 짓고 쓰는데 그와 그 주변 인사들이 얼마나 청풍부아를 아끼고 가꾸었던지 그 내용의 일단을 소개해 보기로 하겠다.

예전 내 나이 7세 때 돌아가신 아버님李端相을 따라 이 동헌에 왔었으니 곧 신축辛丑년(1661) 8월이었다. 당시 내가 비록 매우 어렸었지만 강산의 빼어남과 누각의 아름다움을 능히 좋아할 줄 알아서 다음 해 아버님께서 부름을 받고 갈려 돌아가실 때 떠나면서 눈물을 흘렸었으니 그 아끼고 사랑했던 것을 가히 알 만하다.

그 후 24년 만에 내가 상산常山(진천鎭川) 원을 할 때 편에 따라 한 번 곡운장谷雲丈을 유연재에 와서 뵙고 이 집에서 하룻밤 묵었었으며 또 4년 뒤에는 내가 부양斧壤(평강平康)으로부터 농암農巖 형을 찾아 이곳에 와서 서로 6~7일 동안 지키다가 돌아갔고, 또 16년 뒤에 내가 외람되게 이 직책을 맡게 되었다(1701).

이때 나는 겨우 초토화草土化를 겪고 나서(1689, 기사환국己巳換局) 만 가지 생각이 모두 식었으나 이곳은 묵은 빚이 있는 듯하여 마침내 부임하지 않을 수 없게 되었다. 이미 관에 도임하고 나자 곧 2간間 소정小亭을 헌軒의 왼쪽에 응청각으로 통하게 하고 명월정明月亭이라 편액했으니 옛날에 있었으나 지금 없어진 때문이었다.

그러고 나서 이 동헌에 이르러 방실房室을 넓히고, 아울러 한벽루, 응청각과 함께 단청을 고쳐 입히고 청풍선부淸風仙府라는 4대자四大字를 새겨 대문에 걸었다.

昔余年七歲, 隨先君子到此軒, 卽辛丑八月也. 當時余雖稚甚, 然 於江山之勝, 樓閣之美, 亦能之好, 翌年先君子, 承召遞歸, 余臨去, 至出涕, 其眷然可知也. 後二十四年, 余宰常山, 因便一至, 拜谷雲丈於翛然齋, 仍宿軒中, 又後四年, 余自斧壤, 訪農巖兄於此, 相守六七日而歸, 又後十六年, 余叨是任.

時余纔經草土, 萬念俱灰, 而此卽似有宿債存焉, 遂不得不赴. 旣到官, 卽構二間小亭於軒之左, 以通凝淸, 而扁之曰明月亭, 昔有而今無故也. 已又就此軒, 恢拓房室, 竝與寒碧 凝淸, 而改施丹雘, 仍刻淸風仙府四大字, 揭之大門.

『輿地圖書』 卷上, 忠淸道 淸風, 樓亭, 觀水堂 細註

지촌芝村은 관아재 조영석의 처백부이자 스승이며 농암農巖 김창협金昌協(1651~1708)은 겸재의 스승이고 지촌과 농암은 처남남매간이다. 지촌과 농암은 정관재靜觀齋 이단상李端相의 자제와 서랑으로 또한 그 문인門人이며 우암문하에서도 함께 배운 동문이었던 것이다.

그러니 겸재에게는 모두 학연이 직결되는 스승들인데 이분들이 이렇게 대를 물려가며 청풍부아를 가꿔 놓았다면 겸재가 어찌 심혈을 기울여 이 부아의 모습을 그려 남기지 않을 수 있었겠는가. 겸재의 스승인 농암의 경우 그 조부인 김광찬金光燦(1597~1668)으로부터 백부 김수증을 거쳐 자신에 이르기까지 3대에 걸쳐 청풍태수의 책임을 맡고 있었다.

이런 인연으로 그려진 그림이 바로 이 〈한벽루寒碧樓〉라고 생각된다. 그래서 다른 어떤 관부의 진경보다도 성실하게 표현했으니 누각 규모가 굉장하다. 강가 절벽 위로 수직 토담을 쌓은 바로 안에 지은 누각이 한벽루일 것이고 그 서쪽에 있는 큰 집이 객관인 응청각일 것이며 다시 그 서쪽에 있는 가장 큰 집이 동헌인 관수당觀水堂이고 응청각과 관수당 사이에 있는 집이 명월정明月亭일 것이다. 객관에도 이중 삼문이 있고 동헌에도 이중 삼문이 있는데 동헌의 바깥 대문 위에 청풍선부淸風仙府의 현판이 걸려 있었을 것이다.

부아 전체를 버드나무, 느티나무, 전나무 등 노거수들이 숲을 이루며 에워싸 있고 부아 담장 밖에는 기와집이 즐비하게 들이차서 부중 살림이 은성함을 알려준다. 수륙水陸 물화의 교역으로 이런 부富를 누릴 수 있었다고 생각된다. 강 건너에는 금병산이 나직하게 병풍처럼 뒤를 가려 주고 있다.

지금 이곳은 충주댐의 건설로 말미암아 수몰水沒되어 있고 한벽루를 비롯한 관아 건물 일부는 다른 곳으로 이건되어 있어 이 경치는 다시 볼 수 없게 되었다.

겸재가 이렇게 사군산수를 사생해 오는 동안 관아재는 무료하여 몇 해 전에 우연히 그려 두었다가 사람들이 사천 같다고 하는 바람에 사천에게 빼앗기고 만 〈노인부장도老人扶杖圖〉를 사천댁에서 다시 감상하며 찬문贊文을 덧붙인다. 사천은 이미 이렇게 찬문을 붙이고 있었다.

미목眉目은 전혀 아닌데, 의태意態는 대략 있는 듯하다.
멀리서는 사천 같으나, 가까이서는 일원이 아니니다.
늙은 오동나무 풍월風月은, 내집 정원과 방불하다.
眉目全未, 意態略存. 遠似槎川, 近非一源. 老桐風月, 彷彿家園.
李秉淵, 『槎川詩選批』 卷下, 宗甫作老人

관아재의 찬문이 이어진다.

내가 연전에 〈노인부장도〉를 그렸더니 사람들이 사천 모습과 같다고 하자 사천이 드디어 꾸며서 가리개를 삼고 스스로 찬문을 지었다. 또 내게 한마디 말을 요구하므로 이끌려 제하노라.

그것을 대하니 그것이 내 그림이라는 것을 알지 못하겠고, 그것을 생각해도 그 그림이 어느 해 그렸던지 알지 못하겠다.

나는 곧 산과 못 사이에서 노니는 사람을 그렸었더니, 사람들이 혹 우리 동네의 사천이라 이르기도 한다.

오직 필묵筆墨 밖에서 응당 마음이 맞으면 그만인데, 하필 미목眉目이나 모발毛髮의 짝을 꼭꼭 맞춰야만 하겠는가.

余於年前, 作老人扶杖圖, 人以爲似槎川像, 槎川遂粧爲障子, 自作贊文, 又要余一語, 故牽率以題. 對之不知其爲吾畵, 思之亦不知其畵於何年. 吾則寫山澤間遊人, 人或謂吾里之槎川, 惟當會心於筆墨之外而已,何必規規然, 眉目毛髮之倫也.
趙榮祏, 『觀我齋稿』 卷三, 題畵

겸재가 청하시절 이와 같이 진지한 사생 여행을 하며 여러 가지 새로운 화법을 창안해 냈기 때문에 장차 60대 이후부터 그의 진경화법眞景畵法은 더욱 원숙한 단계로 발전해 나가게 되었다. 이 시절 겸재는 다만 동해안 일대를 사생하는 데 그치지 않고 경상도 전역의 명승지를 탐방하며 그 빼어난 경치를 사생하고 다녔던 듯하다. 겸재가 상경하고 난 직후인 영조 13년(1737) 정사丁巳에 관아재 조영석이 「구학첩발丘壑帖跋」을 지으면서 이렇게 말하고 있기 때문이다.

원백元伯의 이 화권畵卷은 먹 쓰는 데 흔적이 없고 선염渲染하는 데 법도法度가 있어서 깊고 깊어 빽빽하고 울창하며 짙고 진하며 빼어나게 아름다워 거의 미남궁米南宮(불芾)이나 동화정董華亭(기창其昌)의 울타리 안에 들 만하니 우리나라 3백 년 동안에 대개 이와 같은 것이 있었던 것을 보지 못했다. 가만히 말하건대 우리 동쪽(나라)의 산수山水를 그린다는 사람으로 '윤곽, 위치 및 16준법十六皴法에 만 가지 흐름이 굽이치나 한 가닥 실처럼 어지럽지 않다' 는 말을 능히 알 만한 사람이 없었다.

그런 까닭으로 비록 쌓이고 겹친 봉우리들이라도 오직 수묵水墨을 쓰는 한 가지 법식만으로 발라대고 다시 그 향배向背나 원근遠近·고하高下·심천深淺과 토석土石의 평이하고 험준한 형세 따위를 변별하지 않았으며 물을 그림에는 잔잔한 흐름이나 일렁이는 것을 막론하고 아울러 두 붓을 잡아 승교繩交* 형태를 지었으니 어찌 다시(진정한) 산수(화)가 있다고 하겠는가. 내가 일찍이 논論하기를 이와 같이 하니 원백元伯도 역시 옳게 여겼었다.

* **승교**繩交 노끈을 꼼

원백元伯은 일찍이 백악산白岳山 아래에 집이 있어 살았는데 뜻이 이르면 문득 산을 대하여 사생하니 준치고 먹 쓰는 데 마음속에서 스스로 터득한 것이 있었다. 그러고 나서 금강내외산金剛內外山을 드나들고 또 영남嶺南을 두루 밟았으며 위로 여러 명승에 노닐어서 그 물과 산의 형세를 모두 얻었으니 그 공력의 지극함은 곧 거의 붓을 묻어 무덤을 이룰 만했다. 이에 스스로 신격新格을 창안하여 우리 동쪽 사람이 한 가지 법식으로만 발라대는 고루함을 씻어 내니 우리 동쪽나라 산수화는 대개 원백元伯으로부터 비로소 새로 열렸다(개벽했다).

그러나 내가 원백元伯이 그린 바 금강제산첩金剛諸山帖을 보니 모두 두 붓으로 끝을 세워 쓸어 가서 난시준亂柴皴을 짓고 있었는데 이 화권畵卷도 역시 그러하다. 어찌 영동嶺東과 영남嶺南의 산 모양 때문에 같겠는가. 문득 원백元伯이 붓과 벼루를 다루는 데 게을러서 그런 까닭으로 이렇게 쉽게 휘둘렀는가.

또 그 포치鋪置도 때때로 너무 모두 빽빽하고 답답하게 화폭에 가득 차서 언덕과 골짜기에 한 가닥 빈 하늘빛도 없으니 원백元伯의 그림은 경영수단에서 미진한 것이 있는 듯하다. 원백元伯은 어떻게 생각하는지 모르겠구나.

元伯此卷, 用墨無跡, 渲染有法, 深沈森蔚, 濃潤秀麗, 殆可入於南宮華亭之藩籬, 本朝三百年, 盖未見如此者也. 竊謂我東之畵山水者, 於輪廓位置十六皴之法, 萬流曲折, 一絲不亂之說, 未有能知之者. 故雖層峰疊嶂, 惟以水墨一例塗抹, 不復辨其向背 遠近 高下 淺深 土石夷險之勢, 畵水, 無論潺湲與洶湧, 竝執兩筆, 作繩交形, 豈復有山水哉. 余嘗論之如此, 而元伯亦以爲是也.

元伯嘗家居白岳山下, 意至輒對山而寫, 掠皴行墨, 有自寤於心者. 旣而出入金剛內外山, 又遍嶺南, 上遊諸勝, 盡得其流峙之勢, 而若其功力之至, 則亦幾乎埋筆成塚矣. 於是能自創新格, 洗濯我東人 一例塗抹之陋, 我東山水之畵, 盖自元伯, 始開闢矣. 然余見元伯所爲 金剛諸山帖, 皆以兩筆, 竪尖掃去, 作亂柴皴, 是卷亦然. 豈嶺東嶺南山形故同歟. 抑元伯倦於筆硯而故, 爲是便捷耶. 且其鋪置, 往往太皆密塞滿幅, 丘壑無一窾天色, 元伯之畵, 於落笳手段, 似猶有所未盡者. 未知元伯以爲如何.

趙榮祏, 『觀我齋稿』 卷三, 丘壑帖跋

서당西堂 이덕수李德壽(1673~1744)가 영조 13년(1737) 정사丁巳에 지은 「겸재의 구학첩에 제함題謙齋丘壑帖」에 의하면 겸재는 당시 대수장가이자 대감식안인 상고당尙古堂 김광수金光遂(1699~1770)를 위해 《영남첩》과 《사군첩》을 그렸다 하고 있다. 그 내용을 옮기면 다음과 같다.

근세에 그림 잘 그리기로 꼽으면 금성金城현감 홍득구洪得龜(1653~1703) 및 진사 윤두서尹斗緖(1668~1715)를 가장 일컫는다. 그러나 윤의 그림은 인물과 금수禽獸◆에 뛰어나고 산수에 뒤처지며, 홍은 산수에 능하기는 하나 규모가 매우 잔다라니 지금 하양사군使君 정원백鄭元伯(1676~1759)은 뒤에 났으나 이름이 앞사람을 덮는다.

◆**금수**禽獸 새와 짐승

그 김성중金成仲(광수光遂, 1699~1770)을 위해 영남 및 4군의 여러 명승을 그렸는데 더욱 정묘精妙하게 되었다. 마음과 경계가 녹아들어 붓과 만나니 산이든지 물이든지 암석이든지 수목이든지 멀고 가깝고 짙고 옅음이 각기 그 모습을 다했다.

◆ **영외**嶺外
태백준령 밖, 즉 영남

◆ **형사**形似
겉모양을 같게 그림

나는 비록 일찍이 영외嶺外◆에 발자취를 미치지 않았다. 사군과 같으면 대개 일찍이 두루 노닐었었다. 이제 화첩 중의 그린 바를 보니 모두 비슷하여 그 형사形似◆를 얻었다. 이로써 영외의 여러 명승을 그린 것도 반드시 진짜 형태와 지극히 닮았으리라고 아는 데 의심이 없다. 원백의 가슴속에 산을 옮기고 돌을 몰아오는 기술이 있다고 말하는데 어찌 지나치다 하겠는가.

◆ **명리**名利
명예와 이익

세상의 명리名利◆에 깊이 빠져 있는 자들은 산수가 어떤 물건인지도 모르고 그 혹시 일로 말미암아 우연히 그 땅을 지나쳤다 하더라도 가면 곧 이를 잊는다. 이제 성중은 어둠을 무릅쓰고 끝까지 찾아내어 음식이 입에 넘치는 것 같은데도 이에 그 뜻이 아직도 다 차지 않은 곳이 있어 겸재에게 부탁하여 하나하나 모사하여 평생 누워서 즐길 자료를 삼기에 이르니 그 산수를 사랑함이 독실하다 할 수 있다.

그리고 의지와 취향의 빼어남이 또 어찌 지금 세상에 있는 바이겠는가. 병중에 창 아래 나가서 펼쳐보니 홀연 있는 곳이 곧 저잣거리의 먼지 나고 시끄러운 가운데인 것을 알지 못하겠고, 짚신과 청려장으로 마치 몸이 조령鳥嶺과 월악산月嶽山 남쪽에 있는 듯하다. 화첩에 빈 폭이 있어 어지럽게 이를 제하여 돌려준다.

近世號能畫, 最稱洪金城得龜, 及尹上舍斗緖. 然尹畫長於人物禽獸, 而短於山水, 洪能山水 而規模最窄. 今河陽使君鄭元伯, 後出而名掩前人. 其爲金成仲, 寫嶺南 及四郡諸勝, 尤爲精妙. 心與境, 融與筆會, 凡山也 水也 岩石也, 樹木也, 遠近濃淡, 各極其態. 余雖足迹 未嘗及於嶺外, 而若四郡, 則盖嘗遍遊矣. 今觀帖中所畫, 皆彷彿得其形似. 以此而知畫嶺外諸勝, 亦必克肖眞形無疑矣. 謂元伯胷中, 有移山驅石之術, 豈爲過也.

世之沈酣利名者, 不知山水之爲何物, 其或因事偶經其地, 去則忘之. 今成仲, 旣冥搜窮探, 若飮食之飫於口矣. 乃其意猶有所不慊, 至倩元伯, 一一摸寫, 以爲終身卧遊之資, 其愛山水, 可謂篤矣. 而志趣之超絶, 又豈今世所有哉. 病中就窓下展看, 忽不知是所處, 卽闤闠塵囂之中, 而芒鞋藜杖, 怳若在乎鳥嶺月嶽之南矣. 帖有空幅, 漫題此以還之.

李德壽,『西堂私載』卷四, 題謙齋丘壑帖

그런데 이해부터는 탕평당에 대한 여론이 특히 좋지 않아 민간에서까지도 5색色 이외의 색이나 5미味 이외의 맛을 모두 탕평이라 이름 붙이고 있다고 노론인 지평持平 이정보李鼎輔(1693~1766)는 2월 12일에 상소로 논박하고 있다. 노론과 준소 및 남인이 모두 탕평당을 질시하게 되었던 것이다.

이에 영조는 8월 8일 조정 중신을 모두 불러 놓고 예전에는 다만 서인西人과 남인南人만 있었는데 이제는 노론老論과 소론少論, 청남淸南과 탁남濁南, 완소緩少◆와 준소峻少◆의 구별이 있으니 임금은 하나인데 각 당은 어떤 임금을 섬기려 하느냐고 꾸짖는다.

◆**완소**緩少 온건소론

◆**준소**峻少 강경소론

그리고 이광좌李光佐를 다시 영의정으로 불러들이고 노론인 김재로金在魯를 좌의정, 탕평소론 송인명宋寅明을 우의정으로 하여 3색色 조화調和를 이루어 놓는다. 이를 세상에서는 3색 도화桃花라 일컬었다. 이해에 우의정 송인명은 자신이 소싯적에 과거시험 공부를 했던 곳인 양천 개화사開花寺를 크게 중창한다. 자신의 출세를 과시하고자 해서였을 것이다.

백악사단은 이해에도 큰 손실을 맞게 되는데 9월 27일에 삼연三淵을 그렇게 존경하여 학문과 예술은 물론 그 행의行儀까지도 본받으려 했던 동계東谿 조구명趙龜命(1693~1737)이 불과 45세의 한창 나이로 타계한 것이다. 삼연문하에서 삼연의 은일적隱逸的 기질과 통유通儒의 금도襟度를 가장 잘 계승한 이로는 담헌澹軒 이하곤李夏坤(1677~1724)과 서암恕庵 신정하申靖夏(1680~1715)와 동계를 꼽을 수 있다.

이들이 모두 겸재 그림을 지극히 좋아하여 겸재의 화명畵名을 세상에 전파하는 데 앞장섰었는데 서암이 불과 37세로 요절하더니 담헌이 48세로 뒤따르고 동계도 45세의 장년기를 넘기지 못하니 겸재에게는 이런 타격이 있을 수 없었다.

15

관동명승첩關東名勝帖 완성完成

영조 14년(1738) 무오戊午에 들어서면 겸재는 더욱 창작 활동에 열을 올린다. 이제 진경산수화법에 대해서 확실한 자신감이 생겼기 때문이다. 청하현감 시절에 동해안을 따라 오르내리며 해악海嶽 승경勝景을 마음껏 사생하고, 다시 영남 66 군현郡縣을 두루 더트며 각처에 산재한 명구승지를 꼼꼼히 사생했었다.

모부인 삼년 복상 중 비록 화필은 놓고 있었지만 심사묵고沈思默考로 화상畵想을 가다듬은 다음, 탈상 후에 청풍·단양·영춘·영월 등 호서湖西 사군四郡을 여행하며 우리나라 제일의 강산江山 승경勝景이라는 여러 경치를 사생하고 왔다. 그러니 겸재는 이제 우리 국토 안의 명승으로 그려 보지 않은 산수가 없게 되었다.

실로 진경산수화에 관한 한 파겁破怯의 경지에 이르른 것이다. 이에 일문一門 개설의 자신감을 가지고 왕성한 의욕으로 작품에 임하게 되었던 모양이다. 5월에는 동문후배로 그의 진경산수화에 심취해 있는 동포東圃 김시민金時敏(58세)에게 〈만폭동萬瀑洞〉을 그려 주었던 듯, 동포는 이런 제화시를 남기고 있다.

> 꿈속에서 금강산 생각하기 삼십 년, 와유臥遊로 오늘에서 흡족함을 얻어 냈구나.
> 세로가로 급한 폭포 용이 골짜기를 타고 오르듯, 빽빽이 모인 뭇 뾰죽봉들 옥玉이 하늘을 찌르듯.
> 소나무 아래위로 눈보라 치니, 암대巖臺 좌우로는 운연雲烟이 인다.
> 깊은 서재 5월에도 더위를 모르겠고, 고요한 밤에는 물소리 베개 끝에서 인다.
> 夢想金剛三十年, 臥遊今日得犂然. 縱橫急瀑龍騰壑, 森簇群尖玉揷天.
> 松盖高低飛雪霰, 巖臺左右起雲烟. 深齋五月不知暑, 靜夜水聲生枕邊.

金時敏, 『東圃集』 卷六, 壁掛鄭元伯萬瀑圖

그러나 무엇보다도 이해에 남긴 그 대표적인 작품은 우암寓庵 최영숙崔永叔 창억昌億(1679~1748)에게 그려 준 《관동명승첩關東名勝帖》 11폭이다. 현재 간송미술관에 비장돼 있는데 그 내용은 〈총석정叢石亭〉도판29, 〈삼일호三日湖〉도판30, 〈청간정淸澗亭〉도판31, 〈수태사동구水泰寺洞口〉도판32, 〈시중대侍中臺〉도판33, 〈죽서루竹西樓〉도판34, 〈망양정望洋亭〉도판35, 〈월송정越松亭〉도판36, 〈해산정海山亭〉도판37, 〈천불암千佛岩〉도판38, 〈정자연亭子淵〉도판39 등이다. 이 중 몇 폭의 그림을 보다 자세히 살펴보겠다.

총석정叢石亭도판29

삼일호三日湖도판30

청간정淸澗亭 도판31

수태사동구水泰寺洞口 도판32

시중대侍中臺 도판33

죽서루竹西樓 도판34

망양정望洋亭 도판35

월송정越松亭 도판36

해산정海山亭 도판37

천불암千佛岩 도판38

정자연亭子淵 도판39

총석정叢石亭 도판29

1738年 무오戊午 가을, 지본담채紙本淡彩, 57.8×32.3cm, 《관동명승첩關東名勝帖》, 간송미술관 소장.

삼일호三日湖 도판30

1738년 무오戊午 가을, 지본담채紙本淡彩, 57.8×32.3cm, 《관동명승첩關東名勝帖》, 간송미술관 소장.

三湖
謙齋

청간정清澗亭 도판31

청간정은 현재 행정구역상 강원도 고성군 토성면土城面 청간리清澗里 81의 1번지로 되어 있으나 원래는 간성군杆城郡에 속해 있던 곳이니 속초에서 동해안을 따라 간성으로 북상해 가는 국도변에 위치한다. 진경문학의 선구인 택당澤堂 이식李植(1584~1647)이 잠시 이곳 간성군수로 내려와 있으면서 편찬해 놓은 간성군지杆城郡誌인 『수성지水城誌』 청간정의 세주細注를 보면 다음과 같이 기록되어 있다.

> 본래 청간역 정자로 만경대萬景臺 남쪽 2리里에 있었다. 간수澗水◆에 임해 있는 까닭으로 그렇게 이름 했다. 만경루가 허물어지자 역의 정자를 대 곁으로 옮겨 옴에 드디어 승지勝地가 되었다. 정자가 바닷물과 떨어진 것이 겨우 5, 6보步이나 만경대로 모퉁이를 삼고 물속의 험준한 섬이 둘러막아 먼저 물결과 싸우는 까닭에 예부터 수해를 입지 않는다. 비록 큰 바람으로 바다가 넘칠지라도 앞 계단을 넘어 닥치지 못하니 도리어 기관奇觀이 된다.
>
> 정자 위에 앉으면 물과 바위가 서로 부딪어 산이 무너지고 눈을 뿜어내는 듯한 형상이나 갈매기 천백 마리가 아래위로 떠돌아다니는 것을 마음껏 볼 수 있다. 그 사이에서 일출日出과 월출月出을 바라보는 것이 더욱 좋은데, 밤에 헌방軒房◆에 누워 바람과 파도 소리를 들으면, 창문을 뒤흔들어 마치 뱃속에서 물 잠자는 듯하다.
>
> 옛 정자는 누가 지었던지 모르겠으나 지금 정자는 군수 최천崔倩이 을묘년(명종 10년, 1555)에 중수했다고 할 뿐이다.
>
> 本清澗驛亭, 在萬景臺南二里. 以臨澗水故名. 及萬景樓廢, 移驛亭于臺側, 遂爲勝地. 亭去海水, 纔五六步, 以萬景臺, 當其隅, 而水中嵁巇環拱, 先與波浪鬪, 故自古不受水害. 雖大風海濫, 不可跳蹙前階, 轉爲奇觀.
>
> 坐亭上, 縱眺水石相激, 山頹雪噴之狀, 鷗鳥千百, 回翔上下. 其間尤宜觀日月出, 夜臥軒房, 聽風濤聲, 撼窓牖, 況如水宿舟中. 舊亭 初不知何人建, 今亭 郡守崔倩, 時乙卯, 重修此亭云耳.

◆ **간수**澗水
바위 사이를 흐르는 물

◆ **헌방**軒房
정자 한 켠에 꾸며진 방

그리고 같은 책 만경대萬景臺조의 세주에는 또 다음과 같이 기록해 놓고 있다.

군의 남쪽 40리에 천후산天吼山 한 가닥이 굼실굼실 바닷가로 내려와서 작은 언덕을 가로 벌려 놓았다. 앞에 석봉石峯이 있는데 층층으로 돌기突起◆하여 축대와 같고 위는 평평한 책상 같으며 높이는 가히 수십 길이 됨 직하다. 삼면에 바닷물이 둘러싸 일렁이지만 바람 자고 물 맑으면 내려다보고 고기등魚背을 헤아릴 수 있다.

◆돌기突起 불쑥 솟아남

대 위 네 귀퉁이에 고송古松◆ 몇 그루가 마주 보고 서 있어 그림자를 교차시키는데, 동변에는 예전에 소루小樓가 있어 만경루萬景樓라 했다 하나 어느 때 폐하여 없앴는지 모르겠고 지금은 대臺라고 개칭해 부르고 있다.

◆고송古松 오래된 소나무

郡南四十里, 天吼山一枝, 迤來海之瀕, 橫開小崗. 前有石峯, 突起層層, 如築臺, 上如平案, 高可數十仞. 臺三面, 海水涵湛澎湃, 風靜水淸, 可俯數魚背. 臺上四隅, 古松數株, 對列交蔭, 東邊舊有小樓, 名曰萬景樓, 不知何時廢除, 而今則改稱爲臺.

이 기록들을 통해 보면 택당이 간성군수로 내려가서 『수성지』를 편찬하던 숭정崇禎 계유癸酉, 즉 인조 11년(1633)경에는 이미 만경루가 없어지고 그 곁에 청간정淸澗亭이 옮아온 것을 알 수 있다.

그런데 중종 25년(1530)에 편찬한 『동국여지승람』 권45 간성杆城 청간역淸澗驛 세주에서 보면 "군 남쪽 44리里 해안에 있다" 했고 같은 책 만경루萬景樓의 세주에서는 다음과 같이 말하고 있다.

청간역 동쪽 몇 리쯤에 있다. 석봉石峯이 돌기突起하여 대臺처럼 층층으로 된 것이 있는데 그 높이가 수십 길이다. 위에 굽은 소나무 몇 주가 있고 대의 동쪽에 소루小樓가 있으며 대 아래에는 모두 어지러운 돌들이다. 우뚝 바닷가에 꽂히었고 물은 맑아 바닥을 비추나 바람이 불면 놀란 파도가 돌 위를 어지럽게 쳐서 나는 눈이 사방으로 흩어지니 정말 기관奇觀이다.

在淸澗驛東數里. 有石峯突起, 層層如臺, 其高數十仞. 上有虯松數株, 臺東構小樓, 臺下皆亂石. 嵯峨揷海瀕, 水淸徹底, 風來則驚濤亂撲石上, 飛雪四散, 眞奇觀也.

청간정淸澗亭[도판31]

1738년 무오戊午 가을, 지본담채紙本淡彩, 57.8×32.3cm, 《관동명승첩關東名勝帖》, 간송미술관 소장.

아직 만경루가 만경대 위에 있었던 사실을 밝혀 주는 내용이다. 어느 때인가 만경루가 없어지고 인조 연간에 벌써 만경대란 이름으로 불리던 이곳은 진경문화를 배양해 내던 숙종이 이곳을 관동팔경의 하나로 꼽아 관동팔경시의 시제로 택하면서부터 관동의 대표적 명승으로 크게 부상한다.

가을날 만길 대 위에 오르매, 아리따운 풍경 금강산을 이긴다.
때때로 물결 부딪혀 뒤채며 눈 되니, 흥 올라 난간에 기대 돌아갈 줄 모른다.
秋日來登萬仞臺, 可憐風景勝蓬萊. 時時水拍飜成雪, 興到憑軒却忘廻.
肅宗, 『列聖御製』 卷九, 詠關東八景, 萬景臺

이것이 숙종 어제御製의 그 만경대 시다.

겸재가 어찌 그런 만경대를 진경화제로 삼지 않았겠는가. 《관동명승첩》 속에 들어 있는 〈청간정〉이 바로 그 그림이다. 천후산 줄기가 내려와 가로 벌려 놓았다는 작은 산언덕 아래로 누각형 큰 건물인 청간정이 정말 바다와 몇 발짝 떨어져 있지 않게 표현되고 그 앞에는 차아嵯峨* 한 석봉石峯이라는 만경대가 우람하게 불끈 솟아 있다.

그 위에 중종 때도 있었으며 택당도 보고 겸재도 본 천년 노송 몇 그루가 서로 마주 보며 의연한 자세로 해풍을 받아 송뢰松籟*를 토해 내는 듯하다. 그 사이 평대상平臺上에 두 선비가 시동 하나를 데리고 일렁이는 파도를 바라보며 기관奇觀에 취해 있다. 아마 이곳을 함께 찾은 삼척부사 사천槎川 이병연李秉淵과 청하淸河현감 겸재 정선의 모습일 것이다. 정녕 진경시대의 시화쌍벽詩畵雙璧* 으로 진경문화를 이끌어 간 주역들다운 모습이다.

겸재가 이 청간정과 직접 관련을 맺는 것은 사천의 아우 순암 이병성이 영조 7년(1731) 신해辛亥에 간성군수로 도임하면서부터다. 진경문화의 최대 후원자이던 국왕 영조가 당세 진경문화의 주역들인 사천형제와 겸재를 동해안 명승지의 군태수로 임명해 이들이 서로 내왕하며 함께 진경시와 진경화로 명승을 사생함으로써 진경문화를 한껏 꽃피우게 하려 한다. 그래서 우선 순암을 제일 먼저 간성군수로 내려보내고 뒤이어 그 다음 해인 영조 8년(1732) 임자壬子에는 사천을

* **차아**嵯峨
높게 우뚝 솟은 모양

* **송뢰**松籟
솔바람 소리

* **시화쌍벽**詩畵雙璧
두 개의 벽옥처럼 시와 그림 쪽을 대표하는 양대 거장

청간정淸澗亭 부분

삼척부사三陟府使로 발령했으며, 다음 해인 영조 9년(1733) 계축癸丑에는 겸재(58세)를 청하현감에 제수除授했기 때문이다.

이에 이들 삼대가三大家는 서로의 명승지 부임을 축하하며 장래를 기약하게 되니 순암은 간성에서 겸재가 청하현감으로 부임해 간다는 소식을 듣고 이런 축하시를 보낸다.

「원백元伯이 청하淸河로 부임하는 데 보냄贈元伯之任淸河」

미원장米元章이 늙어 미쳤다 성내지 말게, 가는 곳마다 비단과 먹을 싣고 배를 띄웠네.

겸옹謙翁의 이 걸음도 좋은 물건 없고, 주역도 오직 옛날 강하다 남은 헌 책뿐이네.

영남사람 응당 사또 이름 알 테니, 복사꽃 오얏꽃 산에서 피고◆ 학이 춤추며◆ 맞으리라.

해당화 피는 백사장 다 밟고 나서 멀리 배를 부르게, 죽서루竹西樓 위에는 우리 형님 계시니.

不忿元章老且顚, 縑煤隨處載行船. 謙翁此去無長物, 羲易惟殘舊講篇.

嶺人應知使君名, 桃李山開舞鶴迎. 踏盡棠沙遙喚艇, 竹西樓上有吾兄.

李秉成, 『順庵集』 卷四, 贈元伯之任淸河

◆**복사꽃 ~ 피고** 청하淸河 봉수대가 있는 산이 도리산桃李山임

◆**학이 춤추며** 청하읍淸河邑 진산鎭山이 호학산呼鶴山임

영조의 이런 아치雅致 있는 정령政令을 부러워하지 않는 이들이 없었으니 당시 71세의 노대가인 후계后溪 조유수趙裕壽는 다음과 같은 시찰詩札을 간성군수 이병성에게 보내 그 선망羨望을 표시한다.

「청간정주인淸澗亭主人 이자평李子平(병성秉成의 자字)에게 붙임寄淸澗亭主人李子平」

이악하李嶽下(악하는 사천 이병연의 또 다른 호이다) 형제가 일시에 명루名樓(유명한 누각. 삼척에는 죽서루가 있고 간성에는 청간정이 있어 이런 말을 했다.) 주인이 되었으니 다시 산해山海의 울림으로 원백元伯을 자랑스럽게 만들리라. 예전

에 득의得意하여 놀던 것보다 더 잘 읊으면 족히《해악전신첩》을 이을 수 있을 것이다.

지금 청간정을 읊으라는 명령에 대략 선가仙家의 성사盛事를 기술하는 것은 내가 부러워하는 뜻을 전하는 것뿐이요 감히 억지로 황학사黃鶴詞◆를 글제로 하여 이최二崔◆의 사이에 끼이려 함이 아니노라.

李嶽下弟伯, 一時爲名樓主人, 復此山海之響, 作元伯詩. 勝舊唱得意之遊, 足以續瀛嶽帖矣. 今於賦淸澗之命, 略述仙家盛事, 以致余羨慕之意, 非敢强題黃鶴詞, 列二崔之間也.

죽서루 청간정 서로 뻐기나, 반드시 전당호錢塘湖◆가 약야계若耶溪◆를 부러워 않지.
동해변 누대樓臺는 모두 신기루蜃氣樓◆, 신선神仙 형제네 띠풀집일세.
정화백鄭畵伯 불러다 전첩前帖 채우면, 감히 내시로 옛깁 비취리.
곁에는 높은 산 솟아 있으니, 이 정자 늘려 내어 고선古仙 맞으라.

竹西淸澗兩相誇, 未必錢湖羨若耶. 瀛海樓臺皆蜃樓, 神仙伯仲是茅家.
須徵鄭畵完前帖, 敢以吾詩暎舊紗. 更有雲根方突兀, 此亭增重荷皇媧.
趙裕壽,『后溪集』卷四, 寄淸澗亭主人李子平

그러나 불행하게도 순암은 겸재가 청하로 도임해 가는 그해 가을에 병으로 부득이 간성군수 자리를 내놓고 상경하게 되니 이들 셋이 함께 청간정 청유淸遊를 즐길 기회는 갖지 못하게 된다. 이에 겸재는 순암이 떠난 이후 어느 때 사천과 함께 이곳을 찾아와 이런 그림을 그리며 미진한 회포를 풀었던 모양인데 이 그림은 그것을 원본으로 하여 뒷날 63세 때에 서울에서 그린 그림이다.

◆**황학사**黃鶴詞
당나라 시인 최호崔顥가 지은 「동황학루登黃鶴樓」라는 칠언율시七言律詩. 동시대 시인인 이백李白이 이를 보고 감복해 자신은 황학루 시를 짓지 않고 그에 필적할 만한 명시를 짓기 위해 이 시의 운韻을 따서 「등금릉봉황대登金陵鳳凰臺」라는 칠언율시를 지어 남겼다. 모두 『고문진보古文眞寶』 전집에 수록돼 역대로 사람들의 입에 널리 오르내리는 명시가 되었다.

◆**이최**二崔
이최李崔의 오기誤記니 이백李白과 최호崔顥를 아울러 일컫는 말이다.

◆**전당호**錢塘湖
중국 절강성 항주에 있는 호수. 경치 좋은 명승지이다.

◆**약야계**若耶溪
중국 절강성 소흥현 약야산 아래 있는 시내. 월나라 미인 서시西施가 깁을 빨았던 곳이라 한다. 경치 좋은 명승지를 뜻한다.

◆**신기루**蜃氣樓
바다나 사막에 나타나는 허상의 누각. 이무기가 신기를 토해 내면 이루어진다 하여 이런 이름을 붙였으나 대기의 밀도에 이상이 생겨 광선의 굴절 현상으로 나타나게 된다고 한다.

수태사동구水泰寺洞口 도판32

수태사水泰寺는 강원도 금화군金化郡 근북면近北面 건천리乾川里에 있는 절로 금화 북쪽 삼십오 리 지점에 있다 하니 지금은 휴전선 이북에 있어 가 볼 수 없는 곳이 되었다.

숙종 21년(1695) 을해乙亥, 즉 겸재가 20세 되던 해에 이 부근 출신으로 성균成均 생원生員이던 윤제민尹濟民이 지은 「유명조선국강원도금화현오신산수태사사적비명병서有明朝鮮國江原道金化縣五申山水泰寺事蹟碑銘幷序」에서 다음과 같이 기록하고 있다.

> 화강花江 읍치의 북쪽 삼십여 리 되는 곳에 산이 있으니 오신五申이라 하고 절이 있으니 수태水泰라 한다. 산은 크고 웅장하며 특별히 빼어남이 있고 절은 드높고 장려한 아름다움이 있다.
>
> 세간의 명산거찰名山巨刹◆이 형승形勝◆ 드러난 것으로는 오신산五申山 수태사水泰寺의 뛰어난 것보다 반드시 더 호사스럽지 못하건만, 마침내 이 산은 풍악楓嶽이라는 제일 선산仙山과 이웃해서 달이 밝으면 별이 드물 듯이 이름이 관동에서 떨치지 못하여 실제 형승보다 드러나지 못했을 뿐이다.
>
> 절은 어느 때 세웠는지 알 수 없으며, 세상에 전해 오기로는 박빈朴彬 거사居士가 황해도 연안延安부사를 지내고 벼슬을 그만 둔 다음 내려와서 이 절을 처음 지었는데 소금을 묻고 주초를 세웠으며 뒤이어 금강산으로 가서 또 선암船庵을 창건했다고 한다. 이는 근거 있는 이야기일 터이니 신선과 도사들이 평범한 산으로 보지 않은 것을 가히 알 수 있다.
>
> 절은 산 아래 평지 위에 있는데 산은 밝고 빼어나며 물은 곱고 크며 깊다. 사면의 산봉우리들이 옹기종기 높이 솟아 있어 마치 높은 관 쓴 대부大夫들이 단정히 공수拱手◆하여 서로 읍례揖禮◆를 올리는 것 같으니 이는 대개 이 절의 기이한 구경거리이며 향로봉香爐峰이나 중향성衆香城과 서로 백중伯仲을 다툴 만한 것이다.
>
> 법전法殿 이외에 선승당禪僧堂·좌우상실左右上室·남암南庵·길상전吉祥殿은 모두 예부터 있던 것이고 수년래에 번갈아 가며 일으켜 터 잡아 놓은 것으로는

◆**명산거찰**名山巨刹
이름난 산의 큰 사찰

◆**형승**形勝
모양, 즉 경치가 빼어나게 아름다움

◆**공수**拱手
공경하는 뜻을 보이기 위해
왼손 바닥을 오른손 등에 포개어 드는 것

◆**읍례**揖禮
공수한 손을 이마 근처까지 들고
허리를 앞으로 깊이 굽혔다가
펴면서 내리는 인사 예절. 주로
평교 간에 행하며 노상에서는
윗사람에게 행한다.

종각鐘閣, 동서별실東西別室, 시왕전十王殿 같은 것이 모두 그것이다. 또 6기基의 부도浮屠가 있는데 그 4기는 어느 때 누구 것인지 알 수 없고 듣고 보아 기억하는 것은 명진冥眞·퇴휴退休 2대사大師일 뿐이다.

전우殿宇*와 낭료廊寮*는 옛날에 비해서 크게 갖추어졌는데 홀로 고루대각高樓大閣*이 없어 풍광風光을 담아 둘 수 없으니 거승居僧*과 유객遊客*들이 모두 이로써 맘에 차지 않게 생각했다. 갑인년甲寅年(1674)에 이 절 승려인 회언懷彦과 도안道安 등이 삼나무와 젓나무 속 바윗돌 사이에서 한 곳을 얻어 나무를 베고 터를 닦고 바위로 주초를 삼아 일루一樓를 창건하고 이름 붙이기를 만세루萬歲樓라 하니 대개 만세 전에 없던 바이나 만세 뒤로 영원히 전해지라는 뜻에서 취했으리라.

◆**전우**殿宇
신불이 모셔진 큰 집. 전각과 당우의 준말이다.

◆**낭료**廊寮
승려가 거처하는 생활공간. 회랑과 요사의 준말이다. 규모가 전우에 비해 작다.

◆**고루대각**高樓大閣
높고 큰 누각

◆**거승**居僧
살고 있는 승려

◆**유객**遊客
놀러 온 손님

花江治之北, 可一舍餘, 有山 日五申, 有寺曰水泰. 山有魁偉絶特之勝焉, 寺有雄嵬壯麗之美焉. 世間名山巨刹之以形勝著者, 未必侈於五申水泰之勝, 而是山也, 適隣於楓嶽第一仙山, 月明星稀, 所以名不擅於關東, 實未著於形勝耳.

寺不知何代所建, 而世傳 朴彬居士, 作宰海西之延城, 解官而歸, 始創此寺, 而用鹽安礎, 因往金剛, 又創船庵云. 此乃可據之跡, 而仙群道流之不以凡山看者, 可見矣. 寺在山之下平陸上, 山明而秀, 水麗以泱, 四面峯巒, 簇簇高屹, 若峨冠大夫, 端拱相揖, 此盖寺之大奇觀, 而香爐衆香之可相與伯仲者也.

法殿之外, 禪僧堂, 左右上室, 南庵, 吉祥殿, 皆有舊貫, 而數年來, 迭興而肇基者, 若鐘閣, 若東西別室, 若十王神殿, 皆是也. 又有六浮屠焉, 其四, 不知某代某釋, 而耳目所記, 卽冥眞 退休二大師已. 殿宇廊寮, 視古大備, 而獨無高樓大閣, 不可以府庫風光, 居僧遊客, 咸以是歉焉. 歲舍閼逢攝提格, 寺之僧懷彦, 道安等, 於杉檜中巖石間, 得一處焉, 斬木而址之, 因岩而礎之, 創一樓, 額之曰萬世, 盖取前萬歲所無, 後萬歲永傳之義也.

『楡岾寺本末寺誌』, 水泰寺誌, 事蹟

이 내용을 통해서 보면 금화읍의 진산鎭山*이라는 이 오신산은 산봉우리들이 중첩하고 수량이 풍부하며 삼나무와 젓나무가 숲을 이룬 기름진 산인 듯하다. 그래서 수태사라는 이름을 붙였을 터인데 그 절보다는 동구洞口가 더 좋았던지

◆**진산**鎭山
고을이나 도읍의 뒤에 있는 큰 산. 그 터를 진호鎭護해 주는 주산主山이란 의미이다.

수태사동구水泰寺洞口 도판32

1738년 무오戊午 가을, 지본담채紙本淡彩, 57.8×32.3cm, 《관동명승첩關東名勝帖》, 간송미술관 소장.

水泰寺洞口

수태사동구水泰寺洞口 부분

겸재는 《관동명승첩關東名勝帖》 중에 〈수태사동구水泰寺洞口〉라는 화제로 이를 그려 놓고 있다.

이 그림은 보통 겸재가 토산을 그릴 때 쓰는 미가운산법米家雲山法* 으로만 시종일관되어 있어 골산과 토산을 이상적으로 조화시켜 화면을 구성하던 겸재의 다른 그림들과 크게 구분된다. 아마 이 산이 기름진 토산으로 삼나무와 젓나무 그리고 소나무들이 잡목숲과 어우러져 빽빽이 들어차서 울창한 데다 겸재가 보았을 때 마침 비구름이 휘감아 푸르름이 뚝뚝 떨어졌었던가 보다.

거기에다 동구로 흘러내리는 물이 깊고 넓으니 겸재는 단조로움을 무릅쓰고 미가운산법 일색으로 호방장쾌하게 우리고 점쳐서 이 경색景色을 표현해 내려 했던 듯하다. 얼핏 보아 평범한 미가운산식米家雲山式 산수인 듯하나 자세히 살

* **미가운산법**米家雲山法
북송대 미불米芾과 미우인米友仁 부자는 문인화가로서 항상 구름 속에 잠겨 있는 남중국 산천을 표현하는 데 알맞는 산수화법을 창안해 냈다. 산의 중허리 대부분을 표현하지 않아 구름에 잠긴 듯하게 하고 산봉우리 위에 드러난 울창한 수림은 미점米點으로 불리는 타원형 점들을 거듭 찍어 이를 상징했다. 이를 만든 미씨 일가의 구름산 그리는 법이라 하여 미가운산법으로 일컫는다.

펴보면 겸재다운 특징이 고루 나타나고 있다.

우선 화면구성에서 중경에 주봉을 우람하게 높이 솟구쳐 놓고 그에 연이어 두 봉우리를 차이 나게 붙여 놓아 양수陽數가 중심이 되는 것을 분명히 하고 나서 근경은 두 봉우리만을 낮고 길며 비등하게 늘어놓아 음양대비陰陽對比를 분명히 해 놓고 그도 부족해서 삼산三山 이봉二峰 사이에 깊고 긴 계곡을 포치시켜서 산봉우리들과 대비를 이루도록 해 놓았다. 이것이 바로 『주역周易』에 정통했던 조선 성리학자 겸재가 결코 범연히 지나치지 않던 화면구성의 원리였다.

원경에 담묵으로 원봉遠峯을 설정해 놓는 것도 농담의 대비를 강조하면서 화면에 깊이를 더하고자 한 묘수妙手*인데 중경과 근경의 극단적인 대비를 중화시키기 위해 그 높이는 주봉과 어슷비슷하게 하면서 그보다 더 먼 산 두 봉우리로 뒤를 막아 그 사이를 연결시켜 놓았다. 깊이를 더하고 대비를 중화시키는 절묘한 화면구성법이다.

* **묘수**妙手 신묘한 수법

그러면서 근경 하단 일각을 비워 놓아 주봉 아래를 가린 운무雲霧와 함께 산 전체를 구름에 잠긴 듯 환상적인 분위기로 이끌어 갔다. 특히 주봉 아래 시냇가로 가득 들어찬 송림의 표현에서 농담의 차이를 내며 담묵으로 둥치와 잎을 엷게 우려 놓은 것은 구름 낀 산의 정취를 남김없이 표현해 주는 것이라 하겠다.

그러나 골기骨氣가 아주 없어서는 서운했던지 개울 속에 가득 찬 크고 작은 돌덩이들은 한결같이 예리한 부벽준법斧劈皴法으로 모나게 쳐 놓고 있다.

시중대侍中臺 도판33

1738년 무오戊午 가을, 지본담채紙本淡彩, 57.8×32.3cm,《관동명승첩關東名勝帖》, 간송미술관 소장.

죽서루竹西樓도판34

태백산太白山은 백두대간 태백준령의 주봉답게 그 부근에서 양강兩江 쌍천雙川을 발원發源시키고 있다. 남한의 양대 강인 한강과 낙동강이 각각 북과 남의 각 골짜기에서 물을 모아 서북과 서남으로 물줄기를 잡아 나가고 동쪽으로는 오십천五十川과 교가천交柯川이 각각 동북류하여 동해로 굽이쳐 돌아드는 것이다.

이 중에 오십천의 물줄기는 그 이름대로 마흔 일곱 굽이를 굽이치면서 동해로 흘러드는데 그 천구川口 가까운 곳에 삼척시三陟市가 있다. 이 삼척시 성내동城內洞 9번지에 죽서루竹西樓(보물 213호)가 있으니 이는 관동팔경 중의 하나로 꼽히는 명승지다. 그래서 송강松江은 「관동별곡」에서 이 부분을 이렇게 읊고 있다.

> 진주관眞珠館 죽서루竹西樓, 오십천五十川 내린 물이
> 태백산 그림재를, 동해로 담아가니
> 차라리 한강漢江에, 목멱木覓 다히고저.

기호남인畿湖南人의 영수였던 미수眉叟 허목許穆(1595~1682)이 현종顯宗 원년元年(1660) 이곳 부사府使로 부임해 와 3년 동안 심혈을 기울여 편찬해 낸(1662년 편찬) 삼척읍지『척주지陟州誌』에 이 승경勝景에 대한 기록이 비교적 소상하게 실려 있다. 이를 옮겨 그 경개의 대강을 살펴보고자 한다.

> 오십천五十川 물이 읍성 서쪽 석벽石壁 아래에 이르러 꺾어져 남쪽으로 흐르며 수담修潭을 이루어 놓는다. 수담 위는 모두 절벽으로 된 높은 언덕인데 앞으로는 흰 자갈밭을 내려다보고 위는 넓은 평지다. 금상今上 2년(1661) 신축辛丑에 소나무를 심었는데, 사직단 아래에서 시내 위까지 몇 리에 이르렀다.
>
> 그 암벽 위에 누관樓觀◆ 셋이 있으니 응벽헌凝碧軒이 가장 장려해 진주관眞珠觀의 서헌西軒이 된다. 그 남쪽의 죽서루竹西樓는 높고 시원하며 바람이 많고 또 그 남쪽이 연근당燕謹堂인데 물이 이곳에 이르러서는 돌에 부딪혀 철철 소리를 내며 못가로부터 가장 멀다. 그 남쪽은 남산바위 벼랑이고 물이 이곳에 이르러

◆ **누관**樓觀 큰 집

또 꺾이어 동쪽으로 흐른다.

이곳에서 서쪽을 바라보면 무성한 숲속에 싸인 안개 낀 마을茂林烟村이 있고 그 밖은 두타산頭陀山인데 바위봉우리들이 산기운을 뽐내며 늘어서 있다. 응벽헌 서쪽 모퉁이에는 바위벼랑을 따라 돌길이 나 있는데 그 바위 틈새에는 요구堯韮◆가 많이 나 있고 암벽 사이로는 물새가 몰려들어 우짖으며 아래위로 날아다닌다.

◆ **요구**堯韮 산부추

예전 객사는 죽서루 아래에 있었는데 정덕正德 13년(1518) 우리 중종 13년 무인戊寅에 부사 남순종南順宗이 옮겨 지었으니 이것이 진주관이다. 관찰사 윤풍형尹豊亨이 그 서헌西軒을 응벽헌凝碧軒이라 했고(1536) 정덕正德 경진庚辰(1520)에 부사 신광한申光漢이 사시사四時詞를 지었으며 또 8경시景詩의 지음이 있다. 82년 뒤인 만력萬曆 신축辛丑(1601)에 남쪽 처마를 고쳐 지었고 이어 중서헌中西軒을 수선했다.

금상今上 3년(1662) 임인壬寅에 진주관眞珠館과 응벽헌의 대액大額◆을 걸었는데 모두 고문古文◆이다. 죽서루竹西樓는 가장 오래됐으니 영락永樂 원년元年 우리 태종太宗 3년 계미癸未(1403)에 부사 김효손金孝孫이 옛터로 인연해서 이 누각을 지었고, 홍희洪熙 원년元年 우리 세종世宗 7년 을사乙巳(1425)에 부사 조관趙貫이 단청을 입혔으며 성화成化 7년 우리 성종成宗 2년 신묘辛卯(1471)에 부사 양찬梁瓚이 중수했고 가정嘉靖 9년 우리 중종中宗 25년 경인庚寅(1530)에 부사 허확許確이 남쪽 처마를 늘려 냈다.

◆ **대액**大額 큰 액자

◆ **고문**古文 허목의 독특한 고문전서체古文篆書體

五十川水, 至邑城西 石壁下, 折而南流, 爲修潭. 潭上皆絶壁高崖, 前臨白礫, 其上平蕪. 今上二年辛丑 栽松, 至社稷壇下, 川上數里. 其岩壁上, 樓觀三, 凝碧軒, 最壯麗, 爲眞珠館西軒. 其南竹西樓, 高爽多風, 又其南燕謹堂, 水至此, 湍瀨磕磕, 自渚最遠. 其南 南山石崖, 水至此, 又折而東流.

西望上流, 茂林烟村, 其外頭陀, 有列峀晴嵐. 凝碧軒西隅, 從岩崖有石路, 其岩隙 多生堯韮, 岩壁間, 水鳥翔集, 飛鳴上下. 舊客舍, 在竹西樓下, 正德十三年 我中宗十三年戊寅, 府使 南順宗, 移作之, 此眞珠館也. 觀察使 尹豊亨, 名其西軒曰 凝碧軒, 正德庚辰, 府使 申光漢, 作四詩詞, 又有八景之作. 後八十二年萬歷辛丑, 改作南檐, 仍繕治中西軒.

죽서루竹西樓 도판34

1738년 무오戊午 가을, 지본담채紙本淡彩, 57.8×32.3cm, 《관동명승첩關東名勝帖》, 간송미술관 소장.

今上三年壬寅, 揭眞珠館 凝碧軒大額, 皆古文. 竹西樓最舊, 永樂元年 我太宗三年 癸未, 府使金孝孫, 因舊址作此樓, 洪熙元年 我世宗七年乙巳, 府使 趙貫, 施丹雘, 成化七年 我成宗二年辛卯, 府使 梁瓚, 重修之, 嘉靖九年 我中宗二十五年庚寅, 府使 許確, 增作南檐.

이렇게 지어진 죽서루가 임진왜란에도 타지 않고 미수眉叟가 부사로 내려가 있을 때는 물론 지금까지도 보수를 거치면서 그 모습을 그대로 유지하고 있기 때문에 현재는 보물로 지정 보호받고 있는 것이다.

태종 3년에 부사 김효손金孝孫이 옛터에 지었다고 했듯이 이 죽서루는 이미 고려나 그 이전부터 있었던 것이 분명하니 고려 말의 대시인 정추鄭樞(?~1382)는 다음과 같이 읊고 있다.

누가 누각 세워 큰 나무 굽어보나, 황혼에 한 번 웃고 홀로 서 있다.
처마 앞에 살대 수천 줄기, 난간 밖은 맑은 강 오십 굽이라.
두타산 높아서 기대니 황홀하고, 관음사觀音寺 오래되어 더욱 울창하구나.
먼 하늘 말긋말긋 새들만 오고 가고, 잔물결 찰랑찰랑 물고기 뛰논다.
何人起樓俯喬木, 黃昏一笑立於獨. 簷前脩竹數千竿, 檻外澄江五十曲.
頭陀山高倚恍惚, 觀音寺古多葱鬱. 長空淡淡鳥往來, 微波粼粼魚出沒.

숙종대왕도 이런 시의詩意를 본떠 관동팔경시의 하나로 죽서루를 읊고 있다.

까마득히 층진 벼랑 누각은 백 척, 아침 구름 저녁 달 맑은 물에 그림자 진다.
찰랑찰랑 물결 속에 고기 뛰놀고, 일 없이 난간에 기대 백구와 논다.
硉矹層崖百尺樓, 朝雲夕月影淸流.
粼粼波裏魚浮沒, 無事凭欄狎白鷗.
肅宗, 『列聖御製』 卷九, 詠關東八景, 竹西樓

이런 승경勝景을 진경시대 문인문객들이 간과할 리 없겠는데 진경시眞景詩의

죽서루竹西樓 부분

◆종백宗伯 우두머리

◆종장宗匠 우두머리

종백宗伯◆인 사천 이병연이 삼척부사로 죽서루 주인이 됐으니 더 말해 무엇하겠는가. 때맞추어 진경산수화의 종장宗匠◆인 겸재도 얼마 떨어지지 않은 동해변 고을 경상도 청하淸河현감 자리를 맡아 와서 뱃길로 내왕하며 공명共鳴 합작合作하여 쌍벽雙璧을 이루어 놓는 천재일우의 기회를 만남에서랴!

사천은 영조 8년 임자(1732) 6월에 삼척부사로 부임해 와 12년 병진(1736) 4월에 사임했고 겸재는 영조 9년(1733) 8월 15일에 청하현감으로 부임해 가서 11년(1735) 5월 16일 모친상을 당해 사임하니 영조 9년부터 11년 사이의 3년 동안은 사천과 겸재가 동해변 승경을 함께 완상하며 읊고 그릴 수 있었을 것이다.

이런 상황은 진경문화를 고양하려는 백악사단白岳詞壇의 의도 아래 이루어졌던 것이 분명하니 사천보다 한 해 앞서 영조 7년에 간성군수로 나갔다가 병으로 영조 9년에 사임하고 돌아옴으로써 삼절동유三絶同遊의 기회를 놓치고만 순암 이병성이 청하현감으로 떠나는 겸재에게 보낸 축하시에서 우리는 이미 그 사실을 확인할 수 있었다.

이런 배경 아래 그려진 그림이 바로 이 〈죽서루〉다. 미수眉叟의 기록처럼 수담修潭 위 절벽 고애高崖◆ 상에 죽서루가 2층 누각 형태로 번듯하게 자리 잡고 그 동쪽으로는 연근당燕謹堂이 벼랑 끝에 아슬아슬하게 경영되었으며 서쪽으로는 응벽헌이 바위 밑에 살짝 숨어 있다. 응벽헌 서쪽으로 나 있다는 돌길을 암시하기 위해 절벽에 사다리를 걸쳐 놓았는데 이를 타고 수담에 떠 있는 배에 오르는 모양이다.

◆ **고애**高崖 높은 낭떠러지

물소리가 철철철 들린다는 연근당 벼랑 아래는 물목이 좁고 하상이 높은 듯 여울지는 물결 표현이 분명해 정녕 그 소리가 들리는 듯 눈에 선하다. 연근당에 담장을 두른 것은 그 위태함을 강조하려는 의도일 것이다.

바위 절벽을 대부벽大斧劈준법으로 크게 쪼개듯 표현하고 요구堯韮의 표시인 듯 바위 틈서리에는 태점苔點을 많이 찍어 놓았다. 평무平蕪한 절벽 위의 분위기를 나타내기 위해서인지 노거수老巨樹 두어 그루가 죽서루 좌우에 서 있을 뿐 송림의 표현은 극도로 자제되었다.

수담修潭 위로 미끄러지는 거룻배 위에서는 세 명의 선비가 죽서루 경치에 취해 있는데 누각 위에서는 기생 셋이 서성이며 이들을 기다린다. 조촐한 주안상도 마련돼 있으리라.

망양정望洋亭 도판35

현재 망양정은 울진읍 남쪽에서 동해로 흘러드는 왕피천王避川 하구 남안인 울진군蔚珍郡 근남면近南面 산포리山浦里 716의 1번지에 위치하고 있다. 그러나 이것은 철종 10년(1859)에 울진현령蔚珍縣令 이희호李熙虎가 군승郡承 임학영林鶴英과 함께 평해平海로부터 이건移建해 놓은 것이지 원래 있던 것은 아니다.

전해 오기로는 울진에는 관동팔경 중 한 곳의 명소도 없는데 평해에는 월송정越松亭과 함께 두 곳이 있으니 그 하나를 나눠 달라 하여 옮겨 온 것이라 한다. 관동팔경에는 숙종대왕의 어제시御製詩가 있어 이건이 쉽지 않았을 터인데 어떻게 그 이건이 가능했던지 얼핏 이해되지 않는 대목이다. 아마 재해로 인한 소실로 재건해야 했을 때의 상황이었을 것이다.

그러니 겸재의 이 〈망양정望洋亭〉은 원 위치인 울진군 기성면箕城面 망양리望洋里에 있던 망양정의 원모습이다. 비만 오려면 큰 종이 울듯이 소리가 난다는 현종산懸鐘山 산자락이 동해와 맞물리는 천 길 절벽 위에 높이 지어졌다던 망양정의 모습이 이 그림에서 실감나게 그려져 있다.

현종산 산자락이 급하게 내려오다 동해의 격랑에 부딪혀 주춤 물러서며 불끈 솟구쳐 낸 수직 절벽이 까마득한데 그 끝에 제비집처럼 위태롭게 정자를 세웠다. 규모도 웅장하여 정면 3간 측면 2간의 날아갈 듯한 팔작기와집으로 석축을 높이 쌓아 든든한 느낌이 든다.

그 뒤로는 정자의 부속건물이 산자락에 기대어 지어졌는데 솟을대문에 담장이 이어져 있어 마치 대갓집 사랑채거나 행랑채처럼 보인다. 이런 건물이 있어 해풍에 언 몸을 안온하게 녹일 수 있다면 망양望洋◆의 정취는 정녕 오롯할 것이다.

절벽의 표현은 피마준披麻皴과 상악준霜鍔皴을 섞어서 분방하게 처 내림으로써 장부벽長斧劈의 효과를 내어 직절고준直絶高峻◆한 느낌을 갖게 하는데, 암두岩頭에 무수한 태점苔點을 가하여 활력과 생기를 북돋워 놓고 있다. 산자락을 아래위에서 뒤덮은 소나무숲의 짙은 먹빛과 끝없이 넘실대는 동해바다의 푸른 물결이 신묘한 대조를 보이는 가운데 창암절벽蒼岩絶壁◆의 웅장한 기세는 망양정의 고절高絶◆한 위치를 더욱 돋보이게 한다. 건너편 백사장 위로 서릿발처럼 솟

◆ **망양**望洋
대양을 바라봄

◆ **직절고준**直絶高峻
수직으로 끊어져서 높고 험준한 모양

◆ **창암절벽**蒼岩絶壁
푸른 바위가 만들어 놓은 절벽

◆ **고절**高絶
높아서 세상과 단절됨

구쳐 일어난 백색 화강암주들은 여기에 기이한 정취를 더 보태 준다. 그래서 고려시인 정추鄭樞(초명은 공권公權, ?~1382)는 이렇게 읊고 있다.

만 골짜기 천 봉우리 서리서리 열리니, 곁엣산 돌아가면 곁엣산 나온다.

구름이 큰 물결 일으켜 하늘 다 싸안으니, 바람이 놀란 파도 보내 해안 치고 돌아든다.

萬壑千巖邐迤開, 傍山歸去傍山來.

雲生巨浪包天盡, 風送驚濤打岸廻.

그래서 숙종대왕은 이 시의 운자韻字를 빌려 다음과 같이 호방장쾌하게 읊조린다.

뭇 봉우리 거듭거듭 서리서리 열리니, 성난 파도 거친 물결 하늘에 붙어온다.

이 바다 변해서 술이 된다면, 어찌 다만 삼백 잔만 떠 마시겠나.

列岳重巒逶迤開, 怒濤巨浪接天來.

如將此海變成酒, 奚但掬傾三百盃.

肅宗, 『列聖御製』 卷九, 詠關東八景, 望洋亭

이로부터 망양정에 이르는 문인 묵객치고 이 시운詩韻에 공명共鳴하고 그 시정詩情에 공감하여 시문서화詩文書畵로 화답和答하지 않는 이가 없었으니 겸재의 이 〈망양정〉도 바로 이런 시정을 화의畵意로 표출한 것이라고 보아야 한다.

농암農岩의 제자로 강원감사로 있으면서 겸재 72세 작인 《해악전신첩》에 삼연三淵의 제사題辭를 대서하는 홍봉조도 같은 시기에 이 시에 차운借韻하여 다음과 같이 읊고 있다.

높고 높은 이름난 정자 바다 눌러 열리니, 빛나고 빛나는 보배 시 임금님께로부터 나오다.

오호라 성덕聖德은 본뜨기 어려운 곳, 만리창파滄波가 곧 한 잔 술이었구나.

兀兀名亭壓海開, 煌煌寶墨自天來.

嗚呼聖德難摹處, 萬里滄波卽一盃.

어째서 이런 시와 그림이 나오게 되었는지 이제 그 경관을 서술한 나재懶齋 채수蔡壽(1449~1515)의 「망양정기望洋亭記」를 살펴보아야겠다.

이 정자는 기둥 여덟 개로 지었는데 기와도 옛것을 쓰고 재목도 새로 모으지 않았다. 비록 웅장하거나 화려하지는 않으나 경물景物의 기이함은 비길 데 없다. 정자의 조금 북쪽에 8간 집을 둘러 지어 영휘원迎暉院이라 했다. 벼랑을 따라 내려가면 또 한 바위가 돌기突起하는데 위에 7, 8인이 앉을 만하고 아래로 내려다보면 땅이 없으니 임의대臨漪臺라 이름 한다.

북쪽으로 백 보 밖을 바라봄에 또 험한 사다리길棧道이 구름에 의지하니 사람이 가면 반공중에 있는 듯하여 조도잔鳥道棧◆이라 하는데, 무릇 지나는 사람이 그것을 노닐며 바라보면 즐거움이 지극하다. 매양 바람 자고 물결 고요하며 구름 걷히고 비 그친 때 눈을 들어 한번 바라보면 그 동쪽엔 동쪽이 없고 그 남쪽엔 남쪽이 없으며 신기루가 숨었다 보였다 하고 거북섬이 나타났다 사라졌다 한다.

◆ **조도잔**鳥道棧 새나 다닐 수 있는 사다리길

혹시 큰 파도가 성나 부르짖고 암수 고래가 물을 뿜어 대면 울리며 쿵쾅거림이 마치 하늘이 무너지고 땅이 갈라지는 듯하며 흰 수레가 바람을 몰듯 은산銀山이 해안을 부숴 댄다. 가까이 가 보면 명사鳴沙는 흰빛을 깔고 해당화海棠花는 붉은빛을 나부끼며 뭇 고기 떼는 물결 속에 노닐고 향나무는 바위틈에서 덩굴져 자란다.

옷깃을 풀어 헤치고 한번 올라가 유유悠悠◆하게 호기灝氣◆와 더불어 노닐어 보나 그 끝을 얻을 수 없고, 양양洋洋◆하게 조물자造物者와 더불어 함께하나 그 다한 바를 아지 못하겠다. 그런 후에야 이 정자의 기이함과 천지가 크고 넓음을 비로소 믿게 된다. 아아 우리나라는 봉래니 영주니 하여 산수의 굴택窟宅으로 일컫는데 관동이 가장 으뜸이 된다.

◆ **유유**悠悠 아득한 모양

◆ **호기**灝氣 천상의 맑은 기운

◆ **양양**洋洋 한없이 넓은 모양

관동의 누대樓臺가 백으로 헤아려지지만 이 정자가 제일 으뜸이다. 하늘은 아껴 둘 수 없고 땅은 숨겨 둘 수 없어 기이함을 드러내니 사람을 기쁘게 하는 것이

망양정望洋亭 도판35

1738년 무오戊午 가을, 지본담채紙本淡彩, 57.8×32.3cm, 《관동명승첩關東名勝帖》, 간송미술관 소장.

많다. 어찌 이 읍의 다행이 아니겠는가. 이것이 써서 후세에 전하지 않을 수 없음이다.

是亭繚以八株, 瓦用其舊, 材不新聚. 雖不壯不麗, 而景物之奇, 莫可端倪. 亭之小北, 環構八間, 名迎暉院. 緣崖而下, 又有一石突起, 上可坐七八人, 下臨無地, 名臨漪臺. 北望百步外, 有險棧倚雲, 人行如在半天, 名鳥道棧, 凡行旅 遊觀之, 樂極矣.

每風恬波靜, 雲消雨止, 擧目一望, 則其東無東, 其南無南, 蜃樓隱見, 鼇嶼出沒. 或洪濤怒號, 鯨鯢噴薄, 則隱隱轟轟, 如天摧地裂, 如素車奔風, 銀山碎岸. 近而視之, 鳴沙鋪白, 海棠飜紅, 群魚族戲於波間, 香栢蔓生於石隙.

披襟一登, 悠悠乎 若與灝氣遊, 而莫得其涯, 洋洋乎 與造物者俱, 而不知其所窮. 然後 始信亭之奇, 而天地大且廣也. 嗟夫我國 號蓬瀛 山水之窟, 而關東爲最. 關東地樓臺 以百數, 而此亭一朝冠焉. 天不能慳, 地不能秘, 呈奇獻異, 悅人多矣. 豈非此邑之幸歟. 是不可不志以傳於後也.

『東國輿地勝覽』卷四十五, 平海, 樓亭, 望洋亭

월송정越松亭도판36

월송정越松亭은 현재 경북 울진군 평해읍平海邑 월송리月松里 362의 2번지 동해변에 위치해 있다. 울진군이 지금은 경상북도에 편입되어 있지만 1914년 지방제도 개편 이전에는 울진현과 평해군으로 나뉘어 다 같이 강원도에 속해 있었다. 그래서 이 월송정까지 관동팔경의 하나로 꼽았던 것이다.

『동국여지승람』 권45 강원도 평해 누정樓亭조의 월송정 세주에서는 다음과 같이 기록하고 있다.

> 군의 동쪽 7리里에 있다. 푸른 소나무가 만 그루나 되고 백사白沙는 눈 같은데 소나무 사이에 개미가 다니지 않고 새도 깃들지 않는다. 전해 오기를 신라 국선 술랑述郞 등이 여기서 놀며 쉬어 갔다 한다. 옛날에는 정자가 없었는데 관찰사 박원종朴元宗(1467~1510)이 처음 지었다.
>
> 在郡東七里. 蒼松萬株, 白沙如雪, 松間螻蟻不行, 禽鳥不棲. 諺傳, 新羅仙人述郎等, 遊憩于此. 古無宇, 觀察使 朴元宗, 始建.

그러나 벌써 고려 후기의 대문장 근재 안축이 '일도 지나고 사람도 그 아니나 물은 동쪽에 그대로 있다. 천년 남긴 자취 정자와 소나무일 뿐. 事去人非水自東, 千年遺躅在亭松.' 이라 읊고 있으니 박원종 때 정자가 없었다는 것은 잠시 폐정돼 있었다는 얘기일 것이다.

『평해읍지平海邑誌』에서는 월송정을 이렇게 말하고 있다.

> 2층 12간으로 동쪽 7리里에 있다. 푸른 소나무가 만 그루나 되고 백사白沙는 눈 같은데 개미가 다니지 않고 새도 깃들지 않는다. 정자 북쪽에 석봉石峰 하나가 있는데 돌연히 솟구쳐 올라 있는 것이 마치 움츠린 용이 날카로운 뿔을 드러내고 있는 것 같다. 전해 오는 말로는 물에 떠내려 와서 이곳에 진鎭을 베풀고 정자를 지었다 한다.
>
> 전해 오기를 신라 국선 영랑永郞, 남랑南郞, 술랑述郞, 안랑安郞 4선仙이 이곳

월송정越松亭 도판36

1738년 무오戊午 가을, 지본담채紙本淡彩, 57.8×32.3cm,《관동명승첩關東名勝帖》, 간송미술관 소장.

에 와 놀고 쉬어 갔다 하며, 또 전해 오기를 4선이 처음에는 빼어난 솔밭 경치인 줄을 모르고 졸며 지나갔기 때문에 월송정越松亭이라 이름 했다고도 한다. 또 이르기를 예전에 월越나라 산에 난 소나무를 배에 싣고 와서 심었기 때문에 월송정越松亭이라 한다 하기도 한다.

혹은 이르기를 비 갠 뒤 달이 처음 떠서 맑은 달그림자가 소나무 아래 어른거리면 은빛 모래는 문득 달빛세계로 바뀌니 지팡이 떨쳐 짚고 천천히 걸어갈 때 걸음마다 찬 기운이 일어나므로 또한 월송정月松亭이라 했다 하기도 한다.

세상에 전해 오기를 성종대왕 때 화가들에게 명해서 8도의 정자와 명승들을 그려 올리게 했는데 오직 영흥永興의 용흥각龍興閣과 월송정이 으뜸으로 뽑혔으나 사람들이 그 차례를 정하기 어렵더니 위로부터 용흥각의 연꽃과 버들은 두 철뿐이라 월송정을 제일로 하라 했다고도 한다.

二層十二間, 在郡東七里. 蒼松萬株, 白沙如雪, 螻蟻不行, 禽鳥不棲. 亭之北, 有一石峯, 突然, 若鰲龍露尖角. 諺傳, 水浮來, 作鎭, 玆亭. 新羅仙人 永郎 南郎 述郎 安郎四仙, 遊憩于此, 諺傳, 四仙 初不知絶勝, 和睡越過, 故名之曰越松亭. 或曰昔有舟載越山松, 而來種, 故名之云.

或曰霽月初昇, 清影 徘徊松下, 銀沙 便是瑤界, 携笻緩步, 步步生寒, 故亦名曰月松亭. 世傳 成廟朝, 命畵手, 圖上八道射亭勝處, 惟永興龍興閣與月松亭, 蒙選, 人未易甲乙, 自 上, 以龍興之美, 芙蓉楊柳, 只是二節, 當以月松亭, 爲第一云.

『平海郡邑誌』, 樓亭, 越松亭

이런 관동 제일 승경이기 때문에 숙종대왕은 그 관동팔경시에서 이렇게 읊었다.

선랑仙郎 옛 자취 어디 가서 찾을까, 만 그루 장송長松들 빽빽이 모여 있을 뿐.
백설 같은 모래바람 눈 안에 가득, 올라가 바라보니 흥 못 참겠다.

仙郎古跡將何尋, 萬樹長松簇簇森.
滿眼風沙如白雪, 登臨一望興難禁.

肅宗, 『列聖御製』 卷九, 詠關東八景, 越松亭

이에 사계沙溪 김장생金長生의 현손玄孫으로 진경문화眞景文化를 주도해 가는 중추가문 출신이었던 퇴어退漁 김진상金鎭商(1684~1755)이 그 운韻을 빌려 다시 읊는다.

처마 밖 너른 바다 푸른빛 만 길, 난간 앞 소나무숲 빽빽도 하다.
평생 품고 있던 배 띄울 생각, 오늘 올라 바라보니 못 참겠구나.
簷外滄溟碧萬尋, 檻前松樹列森森.
平生湖海胸中氣, 今日登臨不自禁.

◆ **창오산**蒼梧山
순舜 임금의 능陵이 있는 산 이름. 능산陵山의 의미가 있다.

구름 멀리 창오산蒼梧山◆ 아득 찾을 길 없고, 홀연히 쓰신 글월 받들어 봄에 날마다 별빛만 반짝거린다.
정자 앞 바다빛 하늘에 닿고, 크신 은혜 추억함에 눈물 흐른다.
雲遠梧山杳莫尋, 忽擎宸藻日星森.
亭前海色連天闊, 追憶洪恩涕不禁.

삼 년 떠도는 길 다시 찾으니, 모래 언덕 여전하고 푸른 솔 빽빽.
멀리 다니느라 귀밑머리 희어져도, 명정名亭에 이는 호흥豪興 금할 길 없다.
三歲吾行再度尋, 沙堤依舊碧森森.
遠遊疎鬢雖添老, 豪興名亭更不禁.

이 정자 천릿길 또 찾아오니, 물색物色은 의구依舊하여 눈 아래 삼삼森森.
불탄 후 임금님 글씨 다시 뵈오니, 이 마음 크게 기뻐 참을 길 없다.
玆亭千里又來尋, 物色依然眼底森.
宸藻重瞻灰燼後, 臣心滄喜自難禁.

겸재와 같은 연배로 친분도 두터웠던 퇴어의 이런 시심詩心은 곧 겸재의 화정畵情과 표리를 이루던 것이니 읊으면 진경시가 되고 그리면 진경산수화가 되어 나왔다.

월송정越松亭 부분

이 〈월송정〉은 바로 그런 퇴어의 시심을 겸재가 화정으로 표출해 놓은 것이다.

빽빽이 들어찬 장송림長松林을 화면 중앙에 대담하게 포치하고 창윤임리蒼潤淋漓◆한 발묵법潑墨法으로 지엽枝葉◆을 먹구름처럼 칠해 놓는 겸재 특유의 화송법畵松法◆을 분방하게 구사해 만주萬株 송림松林의 정취를 유감없이 드러냈다. 그 북쪽으로 용뿔처럼 생겼다는 바위봉우리가 바닷속으로 돌출해 있고 남쪽으로는 석축으로 쌓은 듯한 돈대墩臺 위에 누각이 서 있다.

문루門樓 형태로 되어 있으니 아마 월송정은 울릉도 일대까지 해방海防 경비를 관장하던 월송진성越松鎭城의 성문 구실도 겸했던 모양이다. 그 아래로는 월

◆**창윤임리**蒼潤淋漓
짙푸르름이 흥건히 배어남

◆**지엽**枝葉
가지와 잎새

◆**화송법**畵松法
소나무 그리는 법

송만호越松萬戶가 들어 살던 관청과 관사인 듯한 기와집들이 즐비하게 들어서 있다. 정자 아래로는 반달같이 생긴 내만內灣이 놓여 있고 그 내만 밖으로 일망무제한 동해 바다가 전개된다. 내만 해안에 십 리 백사장이 있으니 지금 월송리 해수욕장이 바로 그곳이다.

겸재가 늘 외우고 다녔다는 『임천고치林泉高致』에서는 "먼 물은 파도를 그리지 않는다遠水無波" 했는데 오히려 겸재는 하늘과 맞닿은 저 끝까지 일렁이는 파도를 그려 놓고 있다. 동해에 가서 보면 겸재의 표현이 옳다는 것을 알게 되니 고전古典을 바탕으로 하되 그에 맹목적으로 추종하지 않던 겸재의 화성畵聖다운 면모를 확인할 수 있는 대목이라 하겠다.

오히려 내만근수內灣近水◆의 물결 표현이 없으니 화성다운 정확한 대경의 관찰과 격물치지格物致知◆하는 성리학자다운 합리적 사고가 내수무파內水無波◆의 일결一訣을 더해 고전의 일국성一局性◆을 바로잡은 결과일 것이다. 내만이기 때문에 파도가 없고 원양遠洋 큰 바다라 큰 물결이 끝없이 이어지게 된다는 의미다.

지금도 월송정 가는 길은 황보천黃堡川을 따라가는데 그때도 그랬던 듯 냇가 둑길로 나귀 탄 나그네 하나가 솔숲에 싸인 마을 어귀에서 머뭇거린다.

◆ **내만근수**內灣近水 내만의 가까운 물

◆ **격물치지**格物致知 사물에 직접 부딪혀 보고 앎에 이름

◆ **내수무파**內水無波 안의 물은 파도가 없음

◆ **일국성**一局性 하나에 국한되는 성질

해산정海山亭 도판37

1738년 무오戊午 가을, 지본담채紙本淡彩, 57.8×32.3cm, 《관동명승첩關東名勝帖》, 간송미술관 소장.

천불암千佛嵓 도판38

천불암의 정확한 위치는 알 수 없다. 다만 사천과 겸재의 제자로 겸재 81세 때 「정겸재선수직동추서鄭謙齋敾壽職同樞序」를 썼던 창암蒼巖 박사해朴師海(1711~1778)는 이 천불동을 옹천瓮遷 남쪽 골짜기인 옥경동玉京洞에 비정하고 이런 시를 남기고 있다.

> 돌 쌓인 무더기 속에서 한 길을 찾아가니, 정신은 피로하고 힘이 다해서 이리저리 배회했다.
> 가로 드리워진 만 섬 진주 비, 영원히 군선群仙의 백옥상白玉床 차렸구나.
> 천상은 얼마나 빼어난 경치인지 알지 못하나, 인간에는 이런 맑은 경치 다시없어라.
> 티끌 종적 닿으려면 연하烟霞가 닫으니, 뉘라서 신령스런 구역 지척에 감춘 줄 알겠는가.
> 積石叢中尋一逕, 神疲力盡謾徊徨. 橫垂萬斛眞珠雨, 長設群仙白玉床.
> 天上不知何勝槩, 人間無復此淸光. 塵蹤欲躡烟霞閉, 誰識靈區咫尺藏.
> 朴師海, 『蒼巖集』 卷七, 玉京洞在瓮遷南谷 一名千佛洞

겸재가 그린 〈천불암千佛嵓〉도 바로 이 옥경동인가 보다. 그곳이 어디인지 지도와 지지地誌에는 이름이 나타나지 않는데 천불암이란 화제畵題로, 관동팔경 외에 금화金化 〈수태사동구水泰寺洞口〉와 평강平康 〈정자연亭子淵〉을 합쳐 관동 명승 십일경十一景을 그린 《관동명승첩關東名勝帖》 속에 그려 넣고 있기 때문이다.

어떻든 이 〈천불암〉은 바닷속에 기기묘묘한 백색 화강암주가 무수히 열립列立해 있는 것으로 화면을 가득 채우고 있으니 '영원히 군선群仙의 백옥상白玉床 차렸구나' 라는 시구의 내용과 일치한다고 할 수 있다. 다만 하단 좌우에 해안을 상징하는 토파의 표현이 조금 있을 뿐이나 그곳에조차 기암괴석이 이어져 있다.

그런데 이런 괴석군이 자세히 보면 온통 각색 승형상僧形像으로 꾸며져 있다. 합장하기도 하고 배례하기도 하며 북을 치기도 하고 목탁을 두드리기도 하는 등

승려의 백천 가지 동작이 각양각색으로 표현되고 있다. 그래서 겸재는 이를 천불암이라 이름 붙이고 화폭에 올렸던 모양이다. 혹시 흡곡 앞바다의 승도僧島는 아닐지 모르겠다.

괴석의 표현은 상악준霜鍔皴과 소부벽준小斧劈皴을 혼합하되 자유롭게 변형시켜 그 물성物性에 알맞는 필법筆法을 만들어 써서 경발기괴미勁拔奇怪美*가 한껏 돋보이는데 광막한 바다에 넘실대는 물결의 유연한 파문이 이를 중화시키고 있다. 좌측 하단에 임리淋漓한 송림松林의 점묵點墨은 정녕 홍일점紅一点의 효과를 노린 재치라 하겠다.

◆ **경발기괴미**勁拔奇怪美 군세게 빼어나고 기괴한 아름다움

맨 끝폭인 〈정자연〉도판39에 '무오년 가을 우암 최영숙을 위해서 그린다. 겸재. 戊午秋, 爲寓庵崔永叔寫. 謙齋.'라는 겸재 자필의 관서款書가 있고 '정鄭선敾'이라는 두 방의 작은 방형백문方形白文 인장과 '원백元伯'이라는 방형주문方形朱文 인장이 찍혀 있다.

우암 최영숙은 경종 때 좌의정을 지낸 손와損窩 최석항崔錫恒(1654~1724)의 양자로 청주목사를 지내는데 생부는 인조 때 영의정을 지낸 지천遲川 최명길崔鳴吉(1586~1647)의 장증손인 진위振威현령 양졸재養拙齋 최석진崔錫晋(1640~1690)이다. 원래 그의 양부 최석항은 숙종 때 영의정을 지낸 명곡明谷 최석정崔錫鼎(1646~1715)과 함께 지천遲川의 양자 완릉군完陵君 정수재靖修齋 최후량崔後亮(1616~1693)의 아들들로 최석진과는 친형제간이었다.

그런데 모두 생양가의 숙부들에게 양자로 가서 촌수가 종형제 재종형제로 벌어졌던 것이다. 최후량은 지천의 아우 이조참판 유하柳下 최혜길崔惠吉(1591~1662)의 둘째 자제로 당대 제일 미남 풍류시인으로 이름을 날리던 구완九畹 이춘원李春元(1571~1634)의 외손자였다.

따라서 외가의 풍류 기질을 이어받아 서화를 몹시 좋아했었는데 그 전통이 자손에게 이어져서 우암寓庵도 몹시 그림을 좋아했던 듯 우암은 겸재에게서 뿐만 아니라 공재恭齋의 자제 낙서駱西 윤덕희尹德熙(1685~1766)에게서도 그림을 받고 있으니 간송미술관에 수장된 〈남극노인南極老人〉삽도56이 그것이다.

'기미 12월 낙서 산포散逋*가 그려 바친다. 최형 영숙의 회갑에 뜻을 붙이는 듯하다. 己未復月, 駱西散逋, 寫奉. 似寓意崔兄永叔回甲.' 라고 써 있는 낙서 자필 관

◆ **산포**散逋 은둔자

천불암千佛岩 도판38

1738년 무오戊午 가을, 지본담채紙本淡彩, 57.8×32.3cm, 《관동명승첩關東名勝帖》, 간송미술관 소장.

정자연亭子淵 도판39

1738년 무오戊午 가을, 지본담채紙本淡彩, 57.8×32.3cm, 《관동명승첩關東名勝帖》, 간송미술관 소장.

亭子洞
戊午秋爲

서에서 이를 확인할 수 있다. 사실 최창억의 회갑일은 영조 15년(1739) 기미 12월 22일이었다.

겸재는 또 무오년(1738) 11월에 기념비적인 업적을 하나 남긴다. 후배 화가인 관아재 조영석을 위해 그의 사랑인 관아재觀我齋의 문비門扉 위에 〈절강추도도浙江秋濤圖〉를 그렸던 것이다. 그때의 가화佳話를 관아재는 「겸재정동추애사謙齋鄭同樞哀辭」에서 이렇게 기술하고 있다.

> 아아 나는 아직 기억하고 있다. 무오년(1738) 겨울에 공과 내가 약속이 있었는데 하루는 바람이 맑고 달이 밝았었다. 공이 그 막내 자제(정만수鄭萬遂, 1710~1795)를 데리고 와서 이르기를 '내가 마땅히 약속대로 하리라' 하며 붓과 벼루를 찾아 들고 문비 위에 나가 〈절강추도도浙江秋濤圖〉를 그리는데 순식간에 휘둘러 대니 필세筆勢가 기이奇異하고 웅장雄壯하여 정말 볼만했다. 내가 시를 지어 이르기를
>
> '정노鄭老가 밤중에 호흥豪興이 일어, 문 열고 처들어와 벼루 찾는다.
> 얕고 깊게 먹을 갈아 신운神運에 맡기고, 좌우에서 등을 들어 눈 밝혀 준다.
> 육필六筆을 함께 몰아 바람 천둥 치듯 하니, 세 짝 모두 젖고 파도가 친다.
> 내 방은 이로부터 낮빛 더하고, 예원藝苑엔 거연居然히 호사好事 이뤘네.'
>
> 다음 날 악하岳下 이공李公(사천槎川 이병연李秉淵)이 듣고 역시 그 운자韻字를 따서 지었다. 그날 나는 홀연 안음安陰으로 제수되어, 말을 주어 떠나보내니 드디어 공과 잠깐 작별하고 갔었다. 6년 있다가 만기가 차서 갈려 돌아와 다시 공을 대하니 문위의 그림이 새벽에 그려 낸 것 같거늘 다시 공에게 부탁하여 담채淡彩로 선염渲染하려 했었으나 미적거리다가 해 내지 못하고 말았었다.
>
> 그 후에 나는 배천白川군수가 되고(1748년 5월) 공 역시 외읍外邑으로 나갔으며(1740년 12월 11일 양천陽川현령으로 발령) 문위 그림은 남이 빼앗아 가게 되었었는데 어느덧 이십여 년이 지났고 공이 또한 돌아가서 사적事蹟이 쓸어 낸 듯하니 정말 슬프구나.
>
> 嗚呼, 余尙記戊午冬, 公與余有約, 一日風淸月白, 公 携其季子而至曰, 吾當如約. 索筆硯, 就門扉上, 作浙江秋濤, 瞬息揮灑, 筆勢奇壯可觀. 余作詩曰,
>
> 鄭老中宵豪興生, 開門直入喚陶泓.

남극노인南極老人 삽도56
윤덕희尹德熙, 1739년 기미己未,
저본수묵苧本水墨, 69.4×160.2cm,
간송미술관 소장.

淺深磨墨供神運, 左右張燈助眼明.

六筆幷驅風雷迅, 三扉盡濕浪濤驚.

吾堂自此增顔色, 藝苑居然好事成.

翌日, 岳下李公聞之, 亦次其韻. 其日余忽除安陰, 給馬發遣, 遂與公暫別而行. 居六年, 限滿遞歸, 復對公, 門上畵若隔晨事. 復擬要公, 請以淡彩渲染, 因循未果. 其後, 余爲白川, 公亦外邑. 而門上畵, 爲人奪去, 荏苒之間, 已過二十餘年, 而公亦下世, 事跡如掃, 可悲也.

趙榮祏, 『觀我齋稿』 卷四, 謙齋鄭同樞哀辭

사천이 관아재의 시를 차운借韻하여 지었다는 시는 다음과 같다.

「원백元伯이 관아재觀我齋에 나아가서 벽 위에 〈절강추도도浙江秋濤圖〉를 그리니 주인主人 사군使君의 운韻을 빌린다元伯就觀我齋, 壁上作浙江秋濤, 次主人使君韻」

때때로 광기狂氣를 일으키는 정선생鄭先生, 손으로 큰 물결 밀쳐 벼루못 넘치게 하네.

오吳 땅에 모인 구름 처음에 자욱하더니, 절강浙江의 형세가 점점 분명해진다.

무너지고 솟구치며 집 흔드는 파도가 이니, 뿜어 대며 문을 열자 귀신 놀라네.

근심 놓은 사군使君이 오마五馬◆를 재촉하나, 밤들어 비바람 치면 꿈 이루기 어려우리라.

時時狂發鄭先生, 手拓羊瀾漲硯泓. 吳會煙雲初鬱律, 浙江形勢漸分明.

崩騰撼屋波濤起, 噴薄開門鬼物驚. 愁絶使君催五馬, 夜來風雨夢難成.

『槎川詩選批』 卷下

◆ **오마**五馬
다섯 말. 태수가 타는 수레는 오마五馬가 끈다.

아마 『해내기관海內奇觀』 권4 〈절강추도浙江秋濤〉삽도57를 동해도법東海濤法을 원용援用하여 장쾌하게 겸재 진경화법으로 번안해 낸 그림이었을 듯하다. 《관동명승첩》 중 〈청간정〉도판31이나 〈망양정〉도판35 등의 일렁이는 파도에서 그 대강을 짐작할 수 있을 듯하다.

절강추도浙江秋濤 삽도57

『해내기관海內奇觀』 권4 제13판.

청간정淸澗亭 도판31

1738년 무오戊午 가을, 지본담채紙本淡彩, 57.8×32.3cm, 《관동명승첩關東名勝帖》, 간송미술관 소장.

망양정望洋亭 도판35

1738년 무오戊午 가을, 지본담채紙本淡彩, 57.8×32.3cm,《관동명승첩關東名勝帖》, 간송미술관 소장.